자료통역사의 통하는 자료해석

②권 풀이편 :· PART Ⅱ 관점 적용하기

김은기(자료통역사)

도서출판 오스틴북스

풀이편 사용 설명서

Q 통하는 자료해석 - 풀이편은 어떻게 구성됐나요?

통하는 자료해석 - 풀이편 총 3개의 파트로 구성됩니다.

파트.1 관점 익히기

: 설명의 정오판단의 계산량을 줄이기 위해 필요한 4가지 관점에 대해 학습합니다.
곱셈과 분수에 4가지 관점을 적용하여 만들어지는 3가지 비교 테크닉에 대해 학습합니다.
곱셉 비교 테크닉: 배수 테크닉, 사각 테크닉, 합차 테크닉
분수 비교 테크닉: 배수 테크닉, 기울기 테크닉, 뺄셈 테크닉

파트.2 관점 적용하기

: 4개의 설명의 유형에 관점 익히기에서 배운 4가지 관점을 적용합니다.
설명의 유형 1) 폭폭폭과 율율율: 증가와 감소에 대해 학습하며 폭과 율간의 관계에 대해 학습합니다.
설명의 유형 2) 비중: 비중에 대해 학습하며, 전체와 부분, 부분과 부분사이의 관계에 대해 학습합니다.
설명의 유형 3) 총합과 평균: 총합과 평균에 대해 학습하며, 총합과 평균 사이의 관계에 대해 학습합니다.
설명의 유형 4) 극단으로: 범위성 정보에 대한 처리 방법에 대해 학습합니다.

파트.3 체크리스트

: 자료를 구성하는 3가지 요소와 그림 자료의 함정과 힌트 다중 자료의 관계를 학습합니다.
외적구성: 외적구성에서 체크해야 할 리스트에 대해 학습하고, 비중과 지수에 대해서 학습합니다.
내적구성: 내적구성에서 힌트와 함정일 수 있는 리스트에 대해 학습합니다.
추가정보: 발문의 정의와 그에 따른 각주의 접근 방법에 대해 학습합니다.
그림자료: 꺾은선과 막대, X-Y평면, 원형, 순서도등에서 체크해야 할 리스트에 대해 학습합니다.
다중자료: 다중자료에서 관계를 파악에 필요한 체크리스트를 학습합니다.

Q 통하는 자료해석 - 풀이편의 목차는 어떻게 구성됐나요?

Part.1 - 관점 익히기	Ⅰ. 목표 및 복습 Ⅱ. 관점 익히기
Part.2 - 관점 적용하기	Ⅲ. 관점 적용하기
Part.3 - 체크리스트	Ⅳ. 체크리스트

관점 적용하기 사용 설명서

Q 관점 적용하기는 어떻게 학습해야 하나요?

관점 적용하기 파트는 총 4개의 학습 요소로 구성됐습니다.

학습 요소.1 이론 :
각각의 설명의 유형에 대한 정의와 관점이 적용된 풀이 방법에 대해 알려주는 부분입니다.
단순히 이론만 봐서는 이해가 안되는 부분이 있을 수 있습니다. 그렇다면, 바로 예제로 넘어가세요.
예제에 이론부분에 존재하는 풀이법을 실제로 적용해보면서 이해를 확대시켜주세요.

학습 요소.2 예제 :
앞에 있는 이론의 이해를 실제로 적용해보기 위해 만들어진 위한 간단한 문제들입니다.
이론을 읽는 것만으로는 이해가 어렵다면, 예제에 이론을 적용해보며 이론의 이해를 더해주세요.
또한, 적용 문제를 풀다가, 잘 풀리지 않는다면, 예제를 다시 한번 더 보는 것을 추천드립니다.

학습 요소.3 적용문제 :
이론과 예제를 통해 이해를 완료 했다면, 더 심화된 문제에 이론을 적용해봐야 합니다.
이론을 적용을 할 수 있어야 진정한 이해가 완료된 것입니다.
이론과 예제를 통해서 이해를 했다고 하여도 적용문제가 한번에 잘 안 풀릴 수 있습니다. 그래도 괜찮습니다.
잘 풀리지 않는다면, 우선 이론과 예제부터 다시 참고해주세요.
만약, 이론과 예제를 봤음에도 적용하기 힘들다면, 관점 적용하기를 읽어주시며 한단계 한단계 따라와 주세요.

학습 요소.4 드릴 :
적용문제까지 풀면서 충분히 적용을 연습했다면, 마지막으로 점검을 해야 합니다.
예제와 관점 적용하기 덕분인지, 아니면 진짜로 내가 잘 적용하고 있는 것인지를 마지막으로 확인 할 시간입니다.
해당 문제는 간단 해설뿐입니다. 여러분이 자신만의 관점 적용하기를 만들어주세요.

CONTENTS **목 차**

III 관점 적용하기

※ 자료통역사 카페: 관통하는 자료해석 [https://cafe.naver.com/7psatdata]
※ 강의 수강 사이트: 메가피셋 [https://www.megapsat.co.kr/]

주별 학습 진도 2주

관점 익히기

2종류의 비교
1) 사칙연산 VS 고정값 → 단위 중요
2) 사칙연산 VS 사칙연산 → 단위 무시

1 고정값과 사칙연산

Q 비교의 종류는 어떠한 것이 있나요?

비교의 종류는 2가지가 있다.
① 사칙연산 VS 고정값
② 사칙연산 VS 사칙연산

대표적인 형태를 보면 다음과 같다.
①의 형태: 매년 2015년 전년대비 증가율은 30% 이상이다.
②의 형태: 전년 대비 증가율이 가장 큰 항목은 C이다.

통상적인 경우에 ①의 경우가 ②의 경우보다 쉽다.
특히, 분수의 경우 플마 찢기를 이용하여 본다면 정말로 쉽게 판별 가능하다.
단, ①의 경우에서는 단위에 대한 함정은 조심해야 한다.

그렇기에 ②의 형태보다는 ①의 형태로 접근하려고 노력해야 한다.
특히나 관점 적용하기에서 여러 가지 유형의 설명들을 배울 것인데,
각 유형마다 ①의 비교인지 ②의 비교인지에 따라서 접근 방법이 달라지게 된다.

Q 비교의 종류 요약하기

• 고정값이 있는 비교

자료를 통한 정보 확인	→	설명을 읽고 목적 잡기	→	목적을 잡고 필요한 정보 찾기	→	고정값과의 비교 (단위, 자릿수 중요)

• 고정값이 없는 비교

자료를 통한 정보 확인	→	설명을 읽고 목적 잡기	→	목적을 잡고 필요한 정보 찾기	→	상호간의 비교 (단위, 자릿수 중요X)

예제

다음 〈표〉는 프랜차이즈 A~F의 점포 및 매출 현황에 대한 자료이다. 이에 대한 〈설명〉의 정오는?

〈표〉 프랜차이즈 A~F의 점포 및 매출 현황

구분 / 프랜차이즈	점포 수 (개)	종사자 수 (명)	매출액 (백만 원)	영업이익 (백만 원)
A	35	4,123	142,135	46,905
B	45	4,860	131,220	49,864
C	84	10,253	450,492	125,123
D	71	9,159	274,770	85,179
E	83	14,223	318,720	127,488
F	63	8,064	177,408	78,060

설명

1. A프랜차이즈의 점포당 매출액은 40억원 이상이다. (O, X)

2. 종사자당 영업이익이 가장 많은 프랜차이즈는 C이다. (O, X)

자료

설명

▸ 목적 파트는?
1. 점포당 매출액
2. 종사자당 영업이익

▸ 설명의 유형은?
1. 고정값이 있는 비교
2. 고정값이 없는 비교

▸ 풀이의 방법은?
1. 고정값과의 비교 (※ 단위 중요)
2. 상호간의 비교 (※ 단위 무시)

관점 적용하기

1. (O) 고정값과 비교한다. 따라서, 단위를 고려해야 한다.

점포당 매출액: $\frac{\text{매출액(백만원)}}{\text{점포 수}} = \frac{142135\text{(백만원)}}{35}$ VS 40억원

→ 억의 단위를 소거한다. 14만 × 100만이므로, 만×만 = 억이므로 억의 단위를 소거할 수 있다.

→ $\frac{1421.35}{35}$ VS 40 → $\frac{1421.35}{35}$가 40보다 크므로, $\frac{142135\text{(백만원)}}{35}$는 40억원 이상이다.

2. (X) 상호간의 비교이다. 단위를 고려할 필요가 없다.

종사자 당 영업이익: $\frac{\text{영업이익}}{\text{종사자}}$ 영업이익은 뒤에서 2자리, 종사자는 뒤에서 1자리를 지워서 보자.

C: $\frac{1251}{1025} \fallingdotseq 1.2$이다. 다른 프랜차이즈는 모두 1.2보다 작으므로, C가 가장 크다.

답 (O, X)

예제

다음 〈표〉는 국가별 인구 및 범죄자 수 현황을 나타낸 것이다. 이에 대한 〈설명〉의 정오는?

〈표〉 국가별 인구와 범죄자 수 현황

항목 \ 국가	A	B	C	D
인구(백만명)	619	493	232	64
인구 10만명 당 범죄자수	16.6	14.3	35.1	101.7

설명

1. A국의 범죄자수는 10만명 이상이다.
(O, X)

2. 범죄자 수가 가장 적은 국가는 D국이다.
(O, X)

자료

설명

▸ 목적 파트는?

▸ 설명의 유형은?

▸ 풀이의 방법은?

관점 적용하기

인구 10만명 당 범죄자수 = $\frac{\text{범죄자수}}{\text{인구}}$ × 100,000 → 범죄자수 = 인구 × 인구 10만명 당 범죄자수 / 100,000

1. (O) 고정값과 비교한다. 따라서, 단위를 고려해야 한다.
범죄자 = 인구(백만명) × 인구 10만명 당 범죄자 수 ÷ 100,000
= 인구 × 인구 10만명 당 범죄자 수 × 10
= 619 × 16.6 × 10 = 102,754명이므로, 10만명 이상이다.

2. (X) 상호간의 비교이다. 단위를 고려할 필요가 없다.
범죄자 = 인구(백만명) × 인구 10만명 당 범죄자 수 ÷ 100,000
→ 단위 무시 → 인구 × 인구 10만명 당 범죄자 수
D = 101.7×64 = 대략 6500인데, 다른 국가들은 모두 7000 이상이므로, D가 가장 작다.

답 (O, X)

예제

다음 〈표〉는 2020년 국가별 의료 서비스 현황에 대한 자료이다. 이에 대한 〈설명〉의 정오는?

〈표〉 2020년 국가별 의료 서비스 현황

구분 \ 국가	A국	B국	C국	D국
병원수(개)	3,103	3,026	4,204	6,018
자가부담비용(백만원)	430	1813	304	1659
자가부담률(%)	42.6	18.5	65.1	74.9

※ 자가부담률(%) = $\frac{\text{자가 부담 비용}}{\text{의료 비용}} \times 100$

설명

1. D국의 의료비용은 22억원 이상이다.

(O, X)

2. 병원당 의료비용이 가장 큰 국가는 B국이다.

(O, X)

자료

설명

▸ 목적 파트는?

▸ 설명의 유형은?

▸ 풀이의 방법은?

관점 적용하기

1. (O) 고정값과 비교한다. 따라서 단위를 고려해야한다.

$$\text{의료비용} = \frac{\text{자가부담비용(백만원)}}{\text{자가부담율}}$$

(※ 40% = 0.4라고 인식한다면, %가 나올 때 굳이 단위에 힘쓸 이유가 없다.)

D국: $\frac{1659(\text{백만원})}{0.749} = \frac{1659(\text{백만원})}{3/4} = 2200\uparrow$ 백만원이므로 22억원 이상이다.

(※ 의료비용과 자가부담비용을 부분과 전체로 인식하여 푸는 방법도 좋다.)

2. (O) 상호간의 비교이다. 단위를 고려할 필요가 없다.

병원당 의료비용 = $\frac{\text{의료비용}}{\text{병원}}$ → 의료비용이 클수록, 병원 수는 작을수록 높다.

의료비용 = $\frac{\text{자가부담비용(백만원)}}{\text{자가부담률}}$ → 자가부담 비용이 클수록, 자가부담률이 작을수록 의료비용이 높다.

병원당 의료비용 = $\frac{\text{의료비용}}{\text{병원} \times \text{자가부담률}}$ → 의료비용이 클수록, 병원×자가부담률이 작을수록 높다.

B국은 자가부담 비용은 가장 크고, 병원 수는 가장 작고, 자가부담률은 가장 작다.
따라서, 실제로 계산을 해보지 않아도, B가 가장 크다.

답 (O, O)

관점 익히기

1) 폭폭폭 = 과거값과 현재값의 차이
2) 율율율 = 폭폭폭/과거값
3) 과거값과 현재값의 관계 → 현재값 = 과거값×(1+율율율)
4) 폭과 율의 관계 → 폭폭폭 = 율율율×과거값

1 폭폭폭

Q 폭폭폭 유형은 어떻게 판단 할 수 있나요?

아래와 같은 자료과 설명의 형태를 지닌 유형을 폭폭폭 유형이라고 부른다.

〈표〉 국가별 GDP와 GDP 대비 수출액

(단위: 백만달러, %)

연도 / 항목	2008	2009	2010	2011	2012
A	551	1,118	783	988	812
B	1,189	1,522	1,422	1,578	1,872
C	551	883	515	432	768

설명

1. 2009년 수입액의 전년 대비 증가폭이 가장 큰 항목은 A이다. (O, X)

2. 2010년 수입액의 전년 대비 감소폭이 가장 큰 항목은 A이다. (O, X)

폭폭폭 유형은
① 자료에 여러 개의 연도가 존재한다.
② 설명의 목적이 폭폭폭(증가폭, 감소폭, 변화폭)으로 주어진다.

Q 폭폭폭의 정의

폭폭폭의 정의는 다음과 같다.
① 증가폭 - 과거값 대비 증가량 → 현재값 - 과거값
ex) 154 → 184, 증가폭 = 184-154 = 30
② 감소폭 - 과거값 대비 감소량 → 과거값 - 현재값
ex) 191 → 131, 감소폭 = 191-131 = 60
③ 변화폭 - 과거값 대비 변화량 → |현재값 - 과거값| (큰 값 - 작은 값)
(증감폭) (증감량)
ex) 251 → 381 변화폭 = |현재값 - 과거값| = 130
ex) 381 → 251 변화폭 = |현재값 - 과거값| = 130

과거값과 현재값 사이의 관계에 대해 물어보기에, 과거와 현재를 찾아내는 것이 중요하다.

Q 폭폭폭에 관점 적용하기

'폭폭폭'은 현재값과 과거값 사이의 '차이값'을 묻는다.
즉, 뺄셈에 대한 관점을 그대로 적용하면 된다.
뺄셈의 비교에 대한 관점은 앞자리부터, 계산의 2단계를 적용하여 뺄셈을 진행해야 한다.

예를 들어,
A: 98,484 → 87,112
B: 87,112 → 84,574
C: 84,574 → 73,774
A~C중 A의 감소폭이 가장 크냐? 라고 물어본다면,
바로 정밀셈으로 접근하지 말자.
많게는 맨 앞 3자리, 적게는 2자리의 숫자만을 확인하여 반례가 될 수 없는 대상을 소거하는 과정을 거치며 정밀도를 높일 수 있다.

step① 낮은 정밀도 (최고 자릿수부터 처리하기)
A: 98 → 87 → 감소폭은 11이다.
B: 87 → 84 → 감소폭은 3이다.
C: 84 → 73 → 감소폭은 11이다.
→ B는 더 이상 계산이 필요하지 않다. A와 C만을 정밀도를 1자리 더 올려서 비교한다.

step② 정밀도 한 단계 더 올리기 (step①의 다음 자릿수 처리하기)
A: 984 → 871 → 감소폭은 113이다.
C: 845 → 737 → 감소폭은 108이다.
→ C는 더 이상 계산이 필요하지 않다. A가 가장 크다.

Q 폭폭폭을 요약 해주세요.

폭폭폭을 요약하면 다음과 같습니다.

• 고정값이 없다면,

자료를 통한 정보 확인 (연도 확인) → 설명을 읽고 목적 잡기 (율율율 파악) → 목적을 잡고 필요한 정보 찾기 → 계산의 2단계로 고정값을 만들어 비교

• 고정값이 있다면,

자료를 통한 정보 확인 (연도 확인) → 설명을 읽고 목적 잡기 (율율율 파악) → 목적을 잡고 필요한 정보 찾기 → 고정값과 비교

예제

다음 〈표〉는 2008~2011년 '갑'국의 항목별 수입액에 대한 자료이다. 이에 대한 〈설명〉의 정오는?

〈표〉 2008~2011년 '갑'국의 항목별 수입액

연도 / 항목	2008	2009	2010	2011	2012
A	551	1,118	783	988	812
B	1,189	1,522	1,422	1,578	1,872
C	551	883	515	432	768

설명

1. 2009년 수입액의 전년 대비 증가폭이 가장 큰 항목은 A이다.
(O, X)
2. 2010년 수입액의 전년 대비 감소폭이 가장 큰 항목은 A이다.
(O, X)
3. 2009년 이후 C항목의 수입액의 전년 대비 변화폭이 가장 큰 해는 2012년이다.
(O, X)

자료

설명

▸ 목적 파트는?

▸ 설명의 유형은?

▸ 풀이의 방법은?

관점 적용하기

고정값이 없으므로, 고정값을 만들어야 한다. 따라서, 계산의 2단계를 통해서 고정값을 만들어 생각하자.

1. (O) 09년 전년대비 증가폭 = 09년 - 08년
A = 551 → 1,118 → 약 550증가, 550 증가한 항목이 없으므로 A가 가장 많이 증가했다.
2. (X) 10년 전년대비 감소폭 = 09년 - 10년
A = 1,118 → 783 → 약 330감소, C는 330보다 더 많이 감소했다.
3. (X) C항목의 전년대비 변화폭 = 현재 - 과거
12년 = 432 → 768 → 약 330변화, 10년 = 370 변화하여 더 많이 변화했다.

답 (O, X, X)

적용문제-01 (5급 15-18)

다음 〈표〉는 2011년과 2012년 친환경인증 농산물의 생산 현황에 관한 자료이다. 이에 대한 〈설명〉의 정오는?

〈표〉 종류별, 지역별 친환경인증 농산물 생산 현황

(단위: 톤)

구분		2012년				2011년
		합	인증형태			
			유기 농산물	무농약 농산물	저농약 농산물	
종류	곡류	343,380	54,025	269,280	20,075	371,055
	과실류	341,054	9,116	26,850	305,088	457,794
	채소류	585,004	74,750	351,340	158,914	753,524
	서류	41,782	9,023	30,157	2,602	59,407
	특용작물	163,762	6,782	155,434	1,546	190,069
	기타	23,253	14,560	8,452	241	20,392
	계	1,498,235	168,256	841,513	488,466	1,852,241
지역	서울	1,746	106	1,544	96	1,938
	부산	4,040	48	1,501	2,491	6,913
	대구	13,835	749	3,285	9,801	13,852
	인천	7,663	1,093	6,488	82	7,282
	광주	5,946	144	3,947	1,855	7,474
	대전	1,521	195	855	471	1,550
	울산	10,859	408	5,142	5,309	13,792
	세종	1,377	198	826	353	0
	경기도	109,294	13,891	71,521	23,882	126,209
	강원도	83,584	17,097	52,810	13,677	68,300
	충청도	159,495	29,506	64,327	65,662	207,753
	전라도	611,468	43,330	443,921	124,217	922,641
	경상도	467,259	52,567	176,491	238,201	457,598
	제주도	20,148	8,924	8,855	2,369	16,939
	계	1,498,235	168,256	841,513	488,466	1,852,241

설명

1. 2012년 친환경인증 농산물 종류 중 전년대비 생산 감소량이 세 번째로 큰 농산물은 곡류이다.

(O, X)

자료

설명

▸ 목적 파트는?

▸ 설명의 유형은?

▸ 풀이의 방법은?

간단 퀴즈

Q 고정값이 없는 폭폭폭에서 지켜야 할 관점은?

A 계산의 2단계를 준수한다.

관점 적용하기

고정값이 없으므로, 고정값을 만들어야한다. 따라서, 계산의 2단계를 통해서 고정값을 만들어 생각하자.

1. (O) 감소폭 = 과거 - 현재 (※ 숫자가 매우 크므로 뒤에 3자리를 지우고 생각하자.)

곡류: 371−343 = 28

→ 과실류, 채소류는 모두 28보다 크고, 서류와 기타는 28보다 작다.

특용작물: 190−163 = 27, 차이값이 1이 나면 비교가 불가능하므로, 정밀도를 올려서 비교하자.

곡류 = 3710−3433 = 277 / 특용작물: 1900−1637 = 263 → 곡류가 더 크다.

곡류보다 큰 농산물 종류는 과실류와 채소류 뿐이므로, 세 번째로 크다.

답 (O)

2 율율율

Q 율율율 유형은 어떻게 판단 할 수 있나요?

아래와 같은 자료과 설명의 형태를 지닌 유형을 율율율 유형이라고 부른다.

〈표〉 2008~2011년 '갑'국의 항목별 수입액

항목 \ 연도	2008	2009	2010	2011	2012
A	328	503	776	294	347
B	613	781	502	241	200
C	731	1052	954	312	355

설명

1. 2009년 수입액의 전년 대비 증가율이 가장 큰 항목은 A이다. (O, X)

2. A의 2012년 전년대비 증가율은 15% 이상이다. (O, X)

율율율 유형은

① 자료에 여러 개의 연도가 존재한다. ② 설명의 목적이 (증가율, 감소율, 변화율)로 주어진다.

Q 율율율의 정의

율율율의 정의는 다음과 같다.

① 증가율 - 과거값 대비 증가폭 비율 → $\frac{\text{증가폭}}{\text{과거값}} = \frac{\text{현재값}-\text{과거값}}{\text{과거값}}$

ex) 150→180, 증가율 = $\frac{180-150}{150}=\frac{30}{150}=20\%$

② 감소율 - 과거값 대비 감소폭 비율 → $\frac{\text{감소폭}}{\text{과거값}} = \frac{\text{과거값}-\text{현재값}}{\text{과거값}}$

ex) 250→200, 감소율 = $\frac{250-200}{250}=\frac{50}{250}=20\%$

③ 변화(증감)율 - 과거값 대비 변화(증감)폭 비율 → $\frac{\text{변화폭}}{\text{과거값}} = \frac{|\text{현재값}-\text{과거값}|}{\text{과거값}}$

ex) 150→180, 변화율 = $\frac{|180-150|}{150}=\frac{30}{150}=20\%$ 250→200, 변화율 = $\frac{|200-250|}{250}=\frac{50}{250}=20\%$

과거값과 현재값 사이의 관계에 대해 물어보기에, 과거와 현재를 찾아내는 것이 중요하다.

＊ 알아두기 - 연속적 율율율

'연속적 율율율' 이란 2번 이상의 율율율이 영향을 주는 경우이다.
현재값 = 과거값 × (1 ± 율율율)로 정의 되는데,
율율율이 2번 이상인 경우에는 현재값이 새로운 과거값이 되버리게 된다.
따라서, 연속적 율율율에서는 율율율끼리 영향을 주게 된다.
현재값 = 과거값 × (1±율율율1) × (1±율율율2)…이다.
예를 들어, 과거값이 50% 증가 후, 20% 증가하고, 50% 감소한다면,
현재값 = 과거값 × (1+50%) × (1+20%) × (1−50%)
= 과거값 × (1.5) × (1.2) × (0.5)가 된다.

Q 율율율에 관점 적용하기

'율율율'의 정확한 값을 구하기 위해 '폭폭폭' 단계를 거쳐야 한다.
그러나 우리에게 필요한 것은 '비교'이므로 정밀셈은 불필요하다.
율율율에 관점을 적용하면 배수비교법과 크기확인법으로 나타낼 수 있다.

1) 배수비교법

증가율 = $\frac{증가폭}{과거값} = \frac{현재값 - 과거값}{과거값} = \frac{현재값}{과거값} - 1$ → 공통소거(-1)

→ 증가율 ∝ $\frac{현재값}{과거값}$ (증가율의 크기는 1을 빼야 한다.)

감소율 = $\frac{과거값 - 현재값}{과거값} = 1 - \frac{현재값}{과거값}$ → 공통소거(1) → 감소율 ∝ $-\frac{현재값}{과거값}$

→ 감소율 ∝ $\frac{과거값}{현재값}$ (배수비교법의 결과는 감소율의 크기가 아니다.)

※ 주의사항

① 배수비교법은 증가율끼리, 감소율끼리만 비교가 가능하다. 변화율에서는 사용을 주의하자.

② 배수비교법으로 실제값에 대한 비교를 할 수는 없다.

2) 크기확인법

증가율 = $\frac{현재값}{과거값} - 1$ → $\frac{현재값}{과거값}$ = 1+증가율

→ 증가율이 커진다면? $\frac{현재값}{과거값}$은 커진다. 증가율이 작아진다면? $\frac{현재값}{과거값}$은 작아진다.

감소율 = $1 - \frac{현재값}{과거값}$ → $\frac{현재값}{과거값}$ = 1-감소율

→ 감소율이 커진다면? $\frac{현재값}{과거값}$은 작아진다. 감소율이 작아진다면? $\frac{현재값}{과거값}$은 커진다.

	이상	이하
증가율	$\frac{현재값}{과거값} \geq$ 1+증가율	$\frac{현재값}{과거값} \leq$ 1+증가율
감소율	$\frac{현재값}{과거값} \leq$ 1-감소율	$\frac{현재값}{과거값} \geq$ 1-감소율

Q 율율율을 요약해주세요.

율율율을 요약하면 다음과 같다.

• 고정값이 있다면,

자료를 통한 정보 확인 (연도 확인) → 설명을 읽고 목적 잡기 (율율율 파악) → 목적을 잡고 필요한 정보 찾기 → 크기 확인법으로 접근

• 고정값이 없다면,

자료를 통한 정보 확인 (연도 확인) → 설명을 읽고 목적 잡기 (율율율 파악) → 목적을 잡고 필요한 정보 찾기 → 배수 비교법 또는 정의 접근

예제 (크기 확인법)

다음 〈표〉는 2008~2011년 '갑'국의 항목별 수입액에 대한 자료이다. 이에 대한 〈설명〉의 정오는?

〈표〉 2008~2011년 '갑'국의 항목별 수입액

항목 \ 연도	2008	2009	2010	2011	2012
A	328	503	776	294	347
B	613	781	502	241	200
C	731	1052	954	312	355

설명

1. A의 2012년 전년대비 증가율은 15% 이상이다. (O, X)
2. B의 2012년 전년대비 감소율은 15% 이상이다. (O, X)

자료

설명

▸ 목적 파트는?

▸ 설명의 유형은?

▸ 풀이의 방법은?

간단 퀴즈

Q 고정값이 있는 증가율은 어떤 도구를 쓸까?

A 크기확인법

관점 적용하기

고정값이 있으므로, 크기확인법을 이용하여 비교한다.

1. (O) 12년의 전년대비 증가율 = $\frac{\text{12년(현재)}}{\text{11년(과거)}}$ 〉 1+증가율

$A = \frac{347}{294} = \frac{345+2}{300-6} = 1.15$↑이므로, 증가율은 15% 이상이다.

(만약, 크기확인법으로 잘 보이지 않는다면, 정의로 접근하자.)

2. (O) 12년의 전년대비 감소율 = $\frac{\text{12년(현재)}}{\text{11년(과거)}}$ 〈 1−감소율

$B = \frac{200}{241} = \frac{170+30}{200+41} = 0.85$↓이므로, 감소율은 15% 이상이다.

(만약, 배수 비교법으로 잘 보이지 않는다면, 정의로 접근하자.)

답 (O, O)

예제 (배수 비교법 + 정의)

다음 〈표〉는 2008~2011년 '갑'국의 항목별 수입액에 대한 자료이다. 이에 대한 〈설명〉의 정오는?

〈표〉 2008~2011년 '갑'국의 항목별 수입액

항목 \ 연도	2008	2009	2010	2011	2012
A	328	503	776	294	347
B	613	781	502	241	200
C	731	1052	954	312	355

설명

1. 2009년 전년대비 증가율이 가장 큰 항목은 A이다. (O, X)
2. 2011년 전년대비 감소율이 가장 큰 항목은 A이다. (O, X)
3. 2010년 전년대비 증감율이 가장 큰 항목은 B이다. (O, X)

자료

설명

- 목적 파트는?
- 설명의 유형은?
- 풀이의 방법은?

간단 퀴즈

Q 고정값이 없는 증가율은 어떤 도구를 쓸까?

A 배수비교법 or 정의

관점 적용하기

고정값이 없으므로, 배수 비교법 또는 정의를 이용하여 비교한다.

1. (O) 09년의 전년대비 증가율 = $\frac{\text{09년(현재)}}{\text{08년(과거)}}$ or $\frac{\text{09년} - \text{08년(증가폭)}}{\text{08년(과거)}}$

   A = $\frac{503}{328}$ = 1.5↑이나, 나머지는 1.5↓이므로 A가 가장 크다.

   (만약, 배수 비교법으로 잘 보이지 않는다면, 정의로 접근하자.)

2. (X) 11년의 전년대비 감소율 = $\frac{\text{10년(과거)}}{\text{11년(현재)}}$ or $\frac{\text{10년} - \text{11년(감소폭)}}{\text{10년(과거)}}$

   A = $\frac{776}{294}$ = 2.5↑이다. C = $\frac{954}{312}$ = 3↑이므로 C가 더 크다.

   (만약, 배수 비교법으로 잘 보이지 않는다면, 정의로 접근하자.)

3. (X) 10년의 전년대비 증감율 = $\frac{\text{10년} - \text{09년(증감폭)}}{\text{09년(과거)}}$ (증감율은 배수 비교법을 사용할 수 없다.)

   B = $\frac{781-502}{781}$ = $\frac{279}{781}$이다. A = $\frac{776-503}{503}$ = $\frac{273}{503}$이므로, A가 더 크다.

답 (O, X, X)

적용문제-01 (5급 21-35)

다음 〈표〉는 A 시의 2016 ~ 2020년 버스 유형별 노선 수와 차량대수에 관한 자료이다. 이에 대한 〈설명〉의 정오는?

〈표〉 2016 ~ 2020년 버스 유형별 노선 수와 차량대수 (단위: 개, 대)

유형 \ 구분 \ 연도	간선버스		지선버스		광역버스		순환버스		심야버스	
	노선 수	차량 대수	노선 수	차량 대수	노선 수	차량 대수	노선 수	차량 대수	노선 수	차량 대수
2016	122	3,703	215	3,462	11	250	4	25	9	45
2017	121	3,690	214	3,473	11	250	4	25	8	47
2018	122	3,698	211	3,474	11	249	3	14	8	47
2019	122	3,687	207	3,403	10	247	3	14	9	70
2020	124	3,662	206	3,406	10	245	3	14	11	78

※ 버스 유형은 간선버스, 지선버스, 광역버스, 순환버스, 심야버스로만 구성됨.

설명

1. 2019년 심야버스의 차량대수의 전년 대비 증가율은 45% 이상이다. (O, X)

✓ 자료

✓ 설명

▸ 목적 파트는?

▸ 설명의 유형은?

▸ 풀이의 방법은?

관점 적용하기

1. (O) 증가율, 그리고 고정값이 주어졌다. 크기확인법을 사용하자.

증가율의 크기확인법은 $\frac{\text{현재값}}{\text{과거값}} \geq$ 1+증가율으로 구성된다.

$\frac{70}{47} \geq 1.45 \rightarrow \frac{58+22}{40+7}$이므로, 1.45 이상이다. → 증가율은 45% 이상이다.

답 (O)

적용문제-02 (민 11-17)

다음 〈표〉와 〈그림〉은 복무기관별 공익근무요원 현황에 대한 자료이다. 이에 대한 〈설명〉의 정오는?

〈표〉 복무기관별 공익근무요원 수 추이

(단위: 명)

복무기관 \ 연도	2004	2005	2006	2007	2008	2009
중앙정부기관	6,536	5,283	4,275	4,679	2,962	5,872
지방자치단체	19,514	14,861	10,935	12,335	11,404	12,837
정부산하단체	6,135	4,875	4,074	4,969	4,829	4,194
기타 기관	808	827	1,290	1,513	4,134	4,719
계	32,993	25,846	20,574	23,496	23,329	27,622

〈그림〉 공익근무요원의 복무기관별 비중

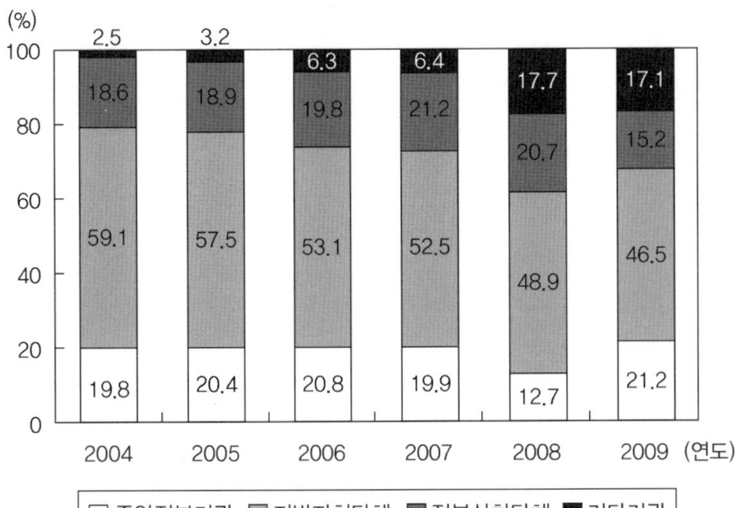

설명

1. 정부산하단체에 복무하는 공익근무요원 수는 2004년 대비 2009년에 30% 이상 감소하였다.

(O, X)

자료

설명

▸ 목적 파트는?

▸ 설명의 유형은?

▸ 풀이의 방법은?

간단 퀴즈

Q 비중만을 이용하여 감소율을 확인할 수있는가?

A 불가능하다.

관점 적용하기

1. (O) 감소율, 그리고 고정값이 주어졌다. 크기확인법을 사용하자.

감소율에 대한 크기확인법은 $\frac{현재값}{과거값} \leq$ 1−감소율로 구성된다.

$\frac{419}{613} \leq 0.7 \rightarrow \frac{420-1}{600+13}$이므로, 0.7 이하이다. → 감소율은 30% 이상이다.

답 (O)

적용문제-03 (5급 20-09)

다음은 2014 ~ 2018년 부동산 및 기타 재산 압류건수 관련 정보가 일부 훼손된 서류이다. 이에 대한 〈설명〉의 정오는?

2014~2018년 부동산 및 기타 재산 압류건수
(단위: 건)

연도 \ 구분	부동산	기타 재산	전체
2014	122,148	6,148	128,296
2015	136	27,783	146,919
2016	743	34,011	158,754
2017	9	34,037	163,666
2018		29,814	151,211

설명

1. 2016년 부동산 압류건수는 2014년 대비 2.5% 이상 증가했다.

(O, X)

✔ 자료

✔ 설명

▸ 목적 파트는?

▸ 설명의 유형은?

▸ 풀이의 방법은?

간단 퀴즈

Q 120,000에서 2.5%가 증가하면 얼마나 커질까

A 3,000

관점 적용하기

1. (X) 증가율, 그리고 고정값이 주어졌다. 크기확인법을 사용하자.

증가율에 대한 크기확인법은 $\frac{\text{현재값}}{\text{과거값}}$ ≥ 1+증가율으로 구성된다.

계산의 2단계에 의하여 2016년 부동산압류 건수 ≒ 124,---

$\frac{124}{122} \geq 1.025 \rightarrow \frac{102.5+21.5}{100+22}$ 이므로, 1.025 이하이다. → 증가율은 2.5% 이하이다.

(※ 22의 1.025가 22.5↑이므로, 정밀도를 높여 백의 자리를 계산할 필요는 없다.)

답 (X)

적용문제-04 (5급 14-20)

다음 〈표〉는 2008 ~ 2012년 커피 수입 현황에 대한 자료이다. 이에 대한 〈설명〉의 정오는?

〈표〉 2008 ~ 2012년 커피 수입 현황

(단위: 톤, 천달러)

구분 \ 연도		2008	2009	2010	2011	2012
생두	중량	97.8	96.9	107.2	116.4	100.2
	금액	252.1	234.0	316.1	528.1	365.4
원두	중량	3.1	3.5	4.5	5.4	5.4
	금액	37.1	42.2	55.5	90.5	109.8
커피 조제품	중량	6.3	5.0	5.5	8.5	8.9
	금액	42.1	34.6	44.4	98.8	122.4

※ 1) 커피는 생두, 원두, 커피 조제품으로만 구분됨.

2) 수입단가 = $\frac{\text{금액}}{\text{중량}}$

설명

1. 2012년 커피 조제품 수입단가는 2008년 대비 200% 이상의 증가율을 지녔다.

(O, X)

자료

설명

▸ 목적 파트는?

▸ 설명의 유형은?

▸ 풀이의 방법은?

관점 적용하기

1. (X) 증가율, 그리고 고정값이 주어졌다. 크기확인법을 사용하자.

증가율의 크기확인법은 $\frac{\text{현재값}}{\text{과거값}}$ ≥ 1+증가율으로 구성된다.

증가율이 200% 이상이라고 하였으므로 $\frac{\text{현재값}}{\text{과거값}}$이 3배 이상인지 확인하자.

현재값 = $\frac{122.4}{8.9}$, 과거값 = $\frac{42.1}{6.3}$으로 구성된다.

현재값의 분자는 과거값에 비하여 3배 이하 증가하였으나 분모는 1배 이상 증가하였다.

즉, $\frac{3\downarrow}{1\uparrow}$이므로 $\frac{\text{현재값}}{\text{과거값}}$은 3배 이하이다. 따라서 200% 이상의 증가율을 지니지 않았다.

답 (X)

적용문제-05 (5급 17-38)

다음 〈그림〉은 A기업의 2011년과 2012년 자산총액의 항목별 구성비를 나타낸 자료이다. 이에 대한 〈설명〉의 정오는?

〈그림〉 자산총액의 항목별 구성비

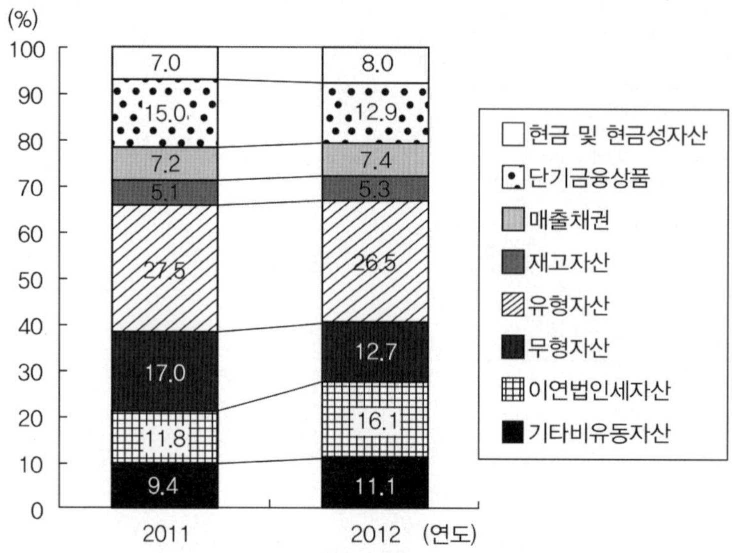

※ 1) 자산총액은 2011년 3,400억원, 2012년 2,850억원임.
2) 유동자산 = 현금및현금성자산 + 단기금융상품 + 매출채권 + 재고자산

설명

1. 2011년 대비 2012년에 '무형자산' 금액은 4.3% 감소하였다. (O, X)

자료

설명

▸ 목적 파트는?

▸ 설명의 유형은?

▸ 풀이의 방법은?

관점 적용하기

1. (X) %와 %p 함정을 이용한 보기이다.
   자산총액에서 무형자산이 차지하는 비율: 2012년 (12.7%) → 2011년 (17.0%)
   17.0 → 12.7의 차이값이 4.3이라는 것에 착안하여 만든 함정이므로 절대로 빠지지 말자.
   ※ 옳은 문장으로 바꾸면?
   2011년 대비 2012년 '무형자산'의 구성비는 4.3%p 감소하였다.

답 (X)

적용문제-06 (5급 21-05)

다음 〈표〉는 '갑'국의 2019년과 2020년의 대학 교원 유형별 강의 담당학점 현황에 대한 자료이다. 이에 대한 〈설명〉의 정오는?

〈표〉 교원 유형별 강의 담당학점 현황

(단위: 학점, %)

구분			2020년 전임교원	2020년 비전임교원	2020년 강사	2019년 전임교원	2019년 비전임교원	2019년 강사
전체 (196개교)		담당학점	479,876	239,394	152,898	476,551	225,955	121,265
		비율	66.7	33.3	21.3	67.8	32.2	17.3
설립주체	국공립 (40개교)	담당학점	108,237	62,934	47,504	107,793	59,980	42,824
		비율	63.2	36.8	27.8	64.2	35.8	25.5
	사립 (156개교)	담당학점	371,639	176,460	105,394	368,758	165,975	78,441
		비율	67.8	32.2	19.2	69.0	31.0	14.7
소재지	수도권 (73개교)	담당학점	173,383	106,403	64,019	171,439	101,864	50,696
		비율	62.0	38.0	22.9	62.7	37.3	18.5
	비수도권 (123개교)	담당학점	306,493	132,991	88,879	305,112	124,091	70,569
		비율	69.7	30.3	20.2	71.1	28.9	16.4

※ 비율(%) = $\frac{\text{교원 유형별 담당학점}}{\text{전임교원 담당학점 + 비전임교원 담당학점}} \times 100$

〈설명〉

1. 2020년 전체 대학의 전임교원 담당학점은 전년 대비 1.1% 줄어들었다. (O, X)

자료

설명

▸ 목적 파트는?

▸ 설명의 유형은?

▸ 풀이의 방법은?

간단 퀴즈

Q 2020년 담당학점은 전년대비 감소하였는가?

A 아니다.

관점 적용하기

1. (X) %와 %p 함정을 이용한 보기이다.
   전임교원 담당학점 비율: 2020년 (66.7%) → 2019년 (67.8%)
   67.8 → 66.7의 차이값이 1.1이라는 것에 착안하여 만든 함정이므로 절대로 빠지지 말자.
   ※ 옳은 문장으로 바꾸면?
   2020년 전체 대학의 전임교원의 담당학점 비율은 전년대비 1.1%p 감소하였다.

답 (X)

적용문제-07 (5급 19-16)

다음 〈표〉는 우리나라의 에너지 유형별 1차 에너지 생산에 관한 자료이다. 이에 대한 〈설명〉의 정오는?

〈표〉 2008 ~ 2012년 1차에너지의 유형별 생산량

(단위: 천 TOE)

연도 \ 유형	석탄	수력	신재생	원자력	천연가스	합
2008	1,289	1,196	5,198	32,456	236	40,375
2009	1,171	1,213	5,480	31,771	498	40,133
2010	969	1,391	6,064	31,948	539	40,911
2011	969	1,684	6,618	33,265	451	42,987
2012	942	1,615	8,036	31,719	436	42,748

※ 국내에서 생산하는 1차에너지 유형은 제시된 5가지로만 구성됨.

설명

1. 2008년 대비 2012년의 생산량 증가율이 가장 큰 1차 에너지 유형은 천연가스이다.

(O, X)

✓ 자료

✓ 설명

▸ 목적 파트는?

▸ 설명의 유형은?

▸ 풀이의 방법은?

관점 적용하기

1. (O) 증가율, 그리고 고정값이 없다. 배수비교법을 사용하자.

천연가스의 경우 $\frac{436}{236}$ = 1~2의 후반부 (※ 24×1 = 24, 24×2 = 48, 43은 48에 더 가깝다.)

다른 에너지 유형중 1~2의 후반부인 유형은 없으므로 천연가스의 증가율이 가장 크다.

답 (O)

적용문제-08 (5급 14-25)

다음 〈표〉는 2005 ~ 2010년 IT산업 부문별 생산규모 추이에 관한 자료이다. 이에 대한 〈설명〉의 정오는?

〈표〉 2005 ~ 2010년 IT산업 부문별 생산규모 추이

(단위: 조원)

구분		2005	2006	2007	2008	2009	2010
정보통신서비스	통신서비스	37.4	38.7	40.4	42.7	43.7	44.3
	방송서비스	8.2	9.0	9.7	9.3	9.5	10.3
	융합서비스	3.5	4.2	4.9	6.0	7.4	8.8
	소계	49.1	51.9	55.0	58.0	60.6	63.4
정보통신기기	통신기기	43.4	43.3	47.4	61.2	59.7	58.2
	정보기기	14.5	13.1	10.1	9.8	8.6	9.9
	음향기기	14.2	15.3	13.6	14.3	13.7	15.4
	전자부품	85.1	95.0	103.6	109.0	122.4	174.4
	응용기기	27.7	29.2	29.9	32.2	31.0	37.8
	소계	184.9	195.9	204.6	226.5	235.4	295.7
소프트웨어		19.2	21.1	22.1	26.2	26.0	26.3
합계		253.2	268.9	281.7	310.7	322.0	385.4

설명

1. 2010년 융합서비스는 전년대비 생산규모 증가율이 정보통신서비스 중 가장 높다.

(O, X)

자료

설명

▸ 목적 파트는?

▸ 설명의 유형은?

▸ 풀이의 방법은?

관점 적용하기

1. (O) 증가율, 그리고 고정값이 없다. 배수비교법을 사용하자.

융합서비스의 경우 $\frac{8.8}{7.4}$ = 1.1↑ (※ $\frac{7.7}{7}$=1.1, $\frac{7.7+1.1}{7.0+0.4}$이므로 1.1↑)

다른 유형 중 1.1의 보다 큰 유형은 없으므로 융합서비스의 증가율이 가장 크다.

(※ 정의를 이용한 비교법을 이용해보면

융합서비스의 증가폭이 가장 크고, 과거값은 가장 작은 것이 확인되어 쉽게 해결된다.)

답 (O)

적용문제-09 (5급 16-25)

다음 〈그림〉은 2013년과 2014년 침해유형별 개인정보 침해경험을 설문조사한 결과이다. 이에 대한 〈설명〉의 정오는?

〈그림〉 침해유형별 개인정보 침해경험 설문조사 결과

(단위: %)

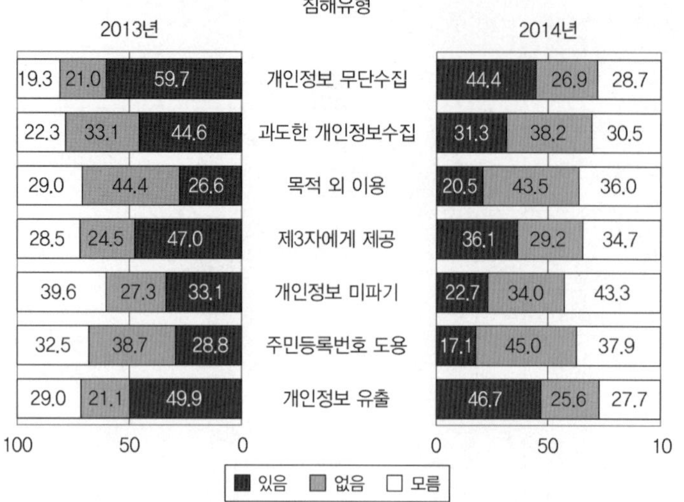

설명

1. 2014년 '있음'으로 응답한 비율의 전년 대비 감소율이 가장 큰 침해유형은 '주민등록번호 도용'이다.

(O, X)

✓ 자료

✓ 설명

▸ 목적 파트는?

▸ 설명의 유형은?

▸ 풀이의 방법은?

관점 적용하기

1. (O) 감소율, 그리고 고정값이 없다. 배수비교법을 사용하자. → $\frac{\text{과거}}{\text{현재}}$

주민등록번호 도용의 경우 $\frac{28.8}{17.1} = 1.5\uparrow$ (※ $\frac{27.0}{18.0} = \frac{3\times9}{2\times9}$ 이고, $\frac{27.0+1.8}{18.0-0.9}$ 이므로 1.5 이상이다.)

다른 침해유형 중 1.5 이상인 값은 존재하지 않으므로 주민등록번호 도용의 감소율이 가장 크다.

답 (O)

적용문제-10 (5급 19-31)

다음 〈표〉는 2018년 5 ~ 6월 A군의 휴대폰 모바일 앱별 데이터 사용량에 관한 자료이다. 이에 대한 〈설명〉의 정오는?

〈표〉 2018년 5 ~ 6월 모바일 앱별 데이터 사용량

월 / 앱 이름	5월	6월
G인터넷	5.3 GB	6.7 GB
HS쇼핑	1.8 GB	2.1 GB
톡톡	2.4 GB	1.5 GB
앱가게	2.0 GB	1.3 GB
뮤직플레이	94.6 MB	570.0 MB
위튜브	836.0 MB	427.0 MB
쉬운지도	321.0 MB	337.0 MB
JJ멤버십	45.2 MB	240.0 MB
영화예매	77.9 MB	53.1 MB
날씨정보	42.8 MB	45.3 MB
가계부	-	27.7 MB
17분운동	-	14.8 MB
NEC뱅크	254.0 MB	9.7 MB
알람	10.6 MB	9.1 MB
지상철	5.0 MB	7.8 MB
어제뉴스	2.7 MB	1.8 MB
S메일	29.7 MB	0.8 MB
JC카드	-	0.7 MB
카메라	0.5 MB	0.3 MB
일정관리	0.3 MB	0.2 MB

※ 1) '-'는 해당 월에 데이터 사용량이 없음을 의미함.
2) 제시된 20개의 앱 외 다른 앱의 데이터 사용량은 없음.
3) 1 GB(기가바이트)는 1,024 MB(메가바이트)에 해당함.

〈설명〉

1. 5월과 6월에 모두 데이터 사용량이 있는 앱 중 5월 대비 6월 데이터 사용량 변화율이 가장 큰 앱은 'S메일'이다. (O, X)

자료

설명

▸ 목적 파트는?

▸ 설명의 유형은?

▸ 풀이의 방법은?

간단 퀴즈

Q 감소율의 최댓값은 얼마일까?

A 100%

관점 적용하기

1. (X) 변화율, 그리고 고정값이 없다. 하지만, 변화율은 배수비교법을 사용할 수 없다.

따라서, 정의로 접근해야 한다. 율율율의 정의 = $\frac{\text{폭폭폭}}{\text{과거}}$

S메일: 29.7 → 0.8 $\frac{28.9}{29.7}$ ≒ 100%

변화율이 100% 이상인 앱이 있는가?

뮤직플레이: 94.6 → 570 $\frac{570}{94.6}$ = 100%↑

S메일의 변화율이 가장 크지 않다.

답 (X)

적용문제-11 (7급 21-08)

다음 〈표〉는 2021 ~ 2027년 시스템반도체 중 인공지능반도체의 세계 시장규모 전망이다. 이에 대한 〈설명〉의 정오는?

〈표〉 시스템반도체 중 인공지능반도체의 세계 시장규모 전망

(단위: 억 달러, %)

구분 \ 연도	2021	2022	2023	2024	2025	2026	2027
시스템반도체	2,500	2,310	2,686	2,832	(　)	3,525	(　)
인공지능반도체	70	185	325	439	657	927	1,179
비중	2.8	8.0	(　)	15.5	19.9	26.3	31.3

설명

1. 2022년 대비 2025년의 시장규모 증가율은 인공지능반도체가 시스템반도체의 5배 이상이다.

(O, X)

자료

설명

▸ 목적 파트는?

▸ 설명의 유형은?

▸ 풀이의 방법은?

간단 퀴즈

Q 정오를 판단하기 위해 다른 도구를 골라보는 것은 어떨까?

관점 적용하기

1. (O) 증가율, 그리고 고정값이 없다. 하지만, 증가율의 크기자체를 비교하므로 배수비교법을 사용할 수 없다.

인공지능은 185 → 657이므로, $\frac{472}{185}$ = 250%↑ 이다.

시스템의 증가율이 5배 이상이기 위해서는 50% 이하여야 한다.

시스템은 = $\frac{\text{인공지능}}{\text{비중}}$ 2025년 시스템 = $\frac{657}{19.9}$ ≒ 3,300

인공지능은 2,310 → 3,300이므로, $\frac{990}{2310}$ = 50%↓ 이다.

따라서, 인공지능은 시스템의 5배 이상이다.

답 (O)

적용문제-12 (입 16-12)

다음 〈표〉는 연도별 결혼이민자 및 혼인귀화자 현황에 대한 자료이다. 이에 대한 〈설명〉의 정오는?

〈표〉 연도별 결혼이민자 및 혼인귀화자 현황

(단위: 명)

연도	결혼이민자	혼인귀화자
2005	75,011	7,075
2006	93,786	10,419
2007	110,362	14,609
2008	122,552	22,525
2009	125,087	39,666
2010	141,654	49,938
2011	144,681	60,671
2012	148,498	68,404
2013	150,865	77,425
2014	150,994	85,507

설명

1. 결혼이민자 수의 증가율은 2012년 이후 매년 감소하고 있다.

(O, X)

2. 2006~2014년 동안 결혼이민자의 전년대비 증가율이 가장 높은 연도는 2006년이다

(O, X)

자료

설명

▸ 목적 파트는?

▸ 설명의 유형은?

▸ 풀이의 방법은?

관점 적용하기

1. (O) 증가율, 그리고 고정값이 없다. 배수비교법을 사용하자. → 배수의 크기를 구하기 어렵다.

→ 이때는 정의($\frac{증가폭}{과거값}$)로 접근하자.

증가폭은 11년 → 12년 ≒ 4,000, 12년 → 13년 ≒ 2,500, 13년 → 14년 ≒ 100 으로 매년 증가한다.
과거값은 지속적으로 증가하는데 증가폭이 지속적으로 감소하므로 전년 대비 증가율은 12년이 가장 크다.

2. (O) 증가율, 그리고 고정값이 없다. 배수비교법을 사용하자. → 배수의 크기를 구하기 어렵다.

→ 이때는 정의($\frac{증가폭}{과거값}$)로 접근하자.

증가폭을 확인해보면, 05년 → 06년 ≒ 18,000으로 다른 연도의 증가폭보다 더 크다.
과거값은 지속적으로 증가하는데 06년의 증가폭이 가장 크므로 06년의 증가율이 가장 높다.

답 (O, O)

적용문제-13 (5급 15-27)

다음 〈표〉는 2006 ~ 2010년 A국의 가구당 월평균 교육비 지출액에 대한 자료이다. 이에 대한 〈설명〉의 정오는?

〈표〉 연도별 가구당 월평균 교육비 지출액

(단위: 원)

유형		2006	2007	2008	2009	2010
정규 교육비	초등교육비	14,730	13,255	16,256	17,483	17,592
	중등교육비	16,399	20,187	22,809	22,880	22,627
	고등교육비	47,841	52,060	52,003	61,430	66,519
	소계	78,970	85,502	91,068	101,793	106,738
학원 교육비	학생 학원교육비	128,371	137,043	160,344	167,517	166,959
	성인 학원교육비	7,798	9,086	9,750	9,669	9,531
	소계	136,169	146,129	170,094	177,186	176,490
기타 교육비		7,203	9,031	9,960	10,839	13,574
전체 교육비		222,342	240,662	271,122	289,818	296,802

설명

1. 2007 ~ 2010년 '전체 교육비'의 전년대비 증가율은 매년 상승하였다. (O, X)

2. '학원교육비'의 전년대비 증가율은 2009년이 2008년보다 작다. (O, X)

자료

설명

▸ 목적 파트는?

▸ 설명의 유형은?

▸ 풀이의 방법은?

관점 적용하기

1. (X) 증가율, 그리고 고정값이 없다. 배수비교법을 사용하자. → 배수의 크기를 구하기 어렵다.
   → 이때는 정의($\frac{\text{증가폭}}{\text{과거값}}$)로 접근하자.
   증가폭은 06년→07년 ≒ 18,000, 07년→08년 ≒ 31,000, 08년→09년 ≒ 18,000
   08년→09년의 경우, 과거값은 커졌는데, 증가폭은 감소하였다. 즉, 증가율은 매년 증가하지 않았다.
2. (O) 증가율, 그리고 고정값이 없다. 배수비교법을 사용하자.
   08년 $\frac{170}{146}$=1.1↑ 09년 $\frac{177}{170}$=1.1↓ 09년의 증가율은 08년보다 작다.

답 (X, O)

적용문제-14 (5급 17-15)

다음 〈표〉는 '갑'국의 4대 범죄 발생건수 및 검거건수에 대한 자료이다. 이에 대한 〈설명〉의 정오는?

〈표〉 2009 ~ 2013년 4대 범죄 발생건수 및 검거건수

(단위: 건, 천명)

연도 \ 구분	발생건수	검거건수	총인구	인구 10만명당 발생건수
2009	15,693	14,492	49,194	31.9
2010	18,258	16,125	49,346	( )
2011	19,498	16,404	49,740	39.2
2012	19,670	16,630	50,051	39.3
2013	22,310	19,774	50,248	44.4

설명

1. 2010년 이후, 전년대비 4대 범죄 발생건수 증가율이 가장 낮은 연도와 전년대비 4대 범죄 검거건수 증가율이 가장 낮은 연도는 동일하다. (O, X)

자료

설명

▸ 목적 파트는?

▸ 설명의 유형은?

▸ 풀이의 방법은?

관점 적용하기

1. (O) 증가율, 그리고 고정값이 없다. 배수비교법을 사용하자. → 배수의 크기를 구하기 어렵다.
   발생건수: 증가폭이 가장 작은 해는 12년이다.
   12년의 과거값은 11년 이전의 값보다 크기 때문에, 12년과 13년에 대해서만 생각하자.
   배수비교법으로 생각했을 때, 13년이 12년보다 크기 때문에, 12년의 증가율이 가장 작다.

   검거건수: 12년 검거건수의 증가폭은 230↓로 가장 작다.
   12년의 과거값은 11년 이전의 값보다 크기 때문에, 12년과 13년에 대해서만 생각하자.
   배수비교법으로 생각했을 때, 13년이 12년보다 크기 때문에, 12년의 증가율이 가장 작다.

답 (O)

적용문제-15 (5급 18-14)

다음 〈표〉는 2011 ~ 2015년 군 장병 1인당 1일 급식비와 조리원 충원인원에 관한 자료이다. 이에 대한 〈설명〉의 정오는?

〈표〉 군 장병 1인당 1일 급식비와 조리원 충원인원

구분 \ 연도	2011	2012	2013	2014	2015
1인당 1일 급식비(원)	5,820	6,155	6,432	6,848	6,984
조리원 충원인원(명)	1,767	1,924	2,024	2,123	2,195
전년대비 물가상승률(%)	5	5	5	5	5

※ 2011 ~ 2015년 동안 군 장병 수는 동일함.

설명

1. 2011년 대비 2015년의 군 장병 1인당 1일 급식비의 증가율은 2011년 대비 2015년의 물가상승률보다 낮다.

(O, X)

✓ 자료

✓ 설명

▸ 목적 파트는?

▸ 설명의 유형은?

▸ 풀이의 방법은?

관점 적용하기

1. (O) 11년 대비 15년의 물가상승률은 연속적 율율율이다.
   12년의 물가상승률 → 13년의 물가상승률 → 14년의 물가상승률 → 15년의 물가상승률
   즉, 11년을 기준으로 5%씩 4차례 상승한 값이다.
   즉, 11년 대비 15년의 물가상승률 = (1+0.05)×(1+0.05)×(1+0.05)×(1+0.05)
   1에서 5% 증가하면 0.05만큼 커진다.
   1.05에서 5% 증가하면 1과 0.05의 5%가 각각 증가하여 다음과 같이 나타낼 수 있다.
   1.05+0.05+? = 1.1↑ 즉, 1.05×1.05 = 1.1↑이다.
   (1+0.05)×(1+0.05)×(1+0.05)×(1+0.05) = 1.1↑×1.1↑=1.21↑↑이다.
   11년 대비 15년의 군 장병 1인당 급식비 증가율은 $\frac{6984-5820}{5820}=\frac{1164}{5820}$ = 20%이다. 따라서 물가상승률보다 낮다.

답 (O)

적용문제-16 (5급 19-35)

다음 〈표 1〉과 〈표 2〉는 2013 ~ 2017년 A ~ E국의 건강보험 진료비에 관한 자료이다. 이에 대한 〈설명〉의 정오는?

〈표 1〉 A국의 건강보험 진료비 부담 현황

(단위: 억 원)

구분＼연도	2013	2014	2015	2016	2017
공단부담	345,652	357,146	381,244	407,900	433,448
본인부담	116,727	121,246	128,308	136,350	146,145
계	462,379	478,392	509,552	544,250	579,593

〈표 2〉 국가별 건강보험 진료비의 전년대비 증가율

(단위: %)

국가＼연도	2013	2014	2015	2016	2017
B	16.3	3.6	5.2	4.5	5.2
C	10.2	8.6	7.8	12.1	7.3
D	4.5	3.5	1.8	0.3	2.2
E	5.4	- 0.6	7.6	6.3	5.5

설명

1. B국의 2012년 대비 2014년 건강보험 진료비의 비율은 1.2 이상이다. (O, X)

✓ 자료

✓ 설명

▸ 목적 파트는?

▸ 설명의 유형은?

▸ 풀이의 방법은?

간단 퀴즈

Q 율율율과 배수간의 관계를 나타낸 도구는?

A 크기확인법

관점 적용하기

1. (O) 12년 대비 14년의 건강보험 진료비 비율은 연속적 율율율이다.
13년의 전년대비 증가율 → 14년의 전년대비 증가율
즉, 12년 → 13년에 16.3% 증가 후, 13년 → 14년에 3.6%가 또 증가한 값이다.
(1+0.163) × (1+0.036) ≥? 1.2
1에서 16.3%가 증가된다면 0.163이 커진다.
1.036에서 16.3%가 증가된다면, 1은 0.163가 커지고 0.036은 0.0036 이상이 커진다.
즉, 1.036+0.163+0.0036↑ = 1.2↑이므로, (1+0.163) × (1+0.036)는 1.2 이상이다.

답 (O)

적용문제-17 (민 14-23)

다음 〈표〉는 '갑'국의 2013년 11월 군인 소속별 1인당 월지급액에 대한 자료이다. 이에 대한 〈설명〉의 정오는?

〈표〉 2013년 11월 군인 소속별 1인당 월지급액

(단위: 원, %)

구분 \ 소속	육군	해군	공군	해병대
1인당 월지급액	105,000	120,000	125,000	100,000
군인수 비중	30	20	30	20

※ 1) '갑'국 군인의 소속은 육군, 해군, 공군, 해병대로만 구분됨.
2) 2013년 11월, 12월 '갑'국의 소속별 군인수는 변동 없음.

설명

1. 2013년 12월에 1인당 월지급액이 모두 동일한 액수만큼 증가한다면, 전월 대비 1인당 월지급액 증가율은 해병대가 가장 높다.

(O, X)

자료

설명

▸ 목적 파트는?

▸ 설명의 유형은?

▸ 풀이의 방법은?

간단 퀴즈

Q 감소폭이 동일하다면, 감소율은 어떻게 될까?

A 과거값이 클수록 작다.

관점 적용하기

1. (O) 증가율의 정의는 $\frac{\text{증가폭}}{\text{과거값}}$이다.

모든 소속의 월지급액이 동일한 액수만큼 증가한다는 것은 증가폭이 모두 같다는 것이다.
증가폭이 모두 같다면 과거값이 가장 작은 경우의 증가율이 가장 크다.
과거값이 가장 작은 소속은 해병대이다. 따라서 해병대의 증가율이 가장 크다.

답 (O)

적용문제-18 (민 18-08)

다음 〈표〉는 2013 ~ 2017년 '갑'국의 사회간접자본(SOC) 투자규모에 관한 자료이다. 이에 대한 〈설명〉의 정오는?

〈표〉 '갑'국의 사회간접자본(SOC) 투자규모

(단위: 조 원, %)

구분 \ 연도	2013	2014	2015	2016	2017
SOC 투자규모	20.5	25.4	25.1	24.4	23.1
총지출 대비 SOC 투자규모 비중	7.8	8.4	8.6	7.9	6.9

설명

1. 2018년 'SOC 투자규모'의 전년대비 감소율이 2017년과 동일하다면, 2018년 'SOC 투자규모'는 20조 원 이상이다.

(O, X)

자료

설명

▸ 목적 파트는?

▸ 설명의 유형은?

▸ 풀이의 방법은?

간단 퀴즈

Q 과거 증가율이 현재와 동일하다면, 현재의 증가폭은 어떻게 될까?

A 과거의 증가폭보다 커진다.

관점 적용하기

1. (O) 감소율의 정의는 $\frac{\text{감소폭}}{\text{과거값}}$이다.

2018년과 2017년의 감소율이 동일하다면 과거값이 감소할 때 감소폭도 감소한다.
2018년 값은 2017년 값보다 작아졌다. 따라서 감소폭은 줄어든다.
2017년의 감소폭이 1.3조이고, 2018년의 감소폭은 1.3조↓이다.
따라서 SOC 투자규모는 20조원 이상이다.

답 (O)

3 폭과 율

Q 폭과율 유형은 어떻게 판단할 수 있나요?

아래와 같은 자료과 설명의 형태를 지닌 유형을 폭폭폭 유형이라고 부른다.

〈표〉 2021년 '갑'기업의 계열사별 사원 연봉 현황

계열사 구분	A	B	C	D
사원 연봉(천원)	52,213	52,035	58,181	57,123
전년대비 증가율(%)	8.33	-6.66	2.03	7.14

| 설명 |

1. 2021년 전년대비 사원 연봉의 증가폭이 가장 높은 계열사는 D이다.

(O, X)

2. 2020년 사원 연봉이 가장 높은 계열사는 D이다.

(O, X)

폭과율 유형은
① 자료에 전년대비 증가율과 현재값이 주어진다.
② 설명의 목적이 과거값의 크기, 또는 전년 대비 폭폭폭에 대해서 물어본다.

Q 폭과율의 정의

폭과율의 정의는 다음과 같다.

① 과거값 구하기

$$\text{증가율} = \frac{\text{현재값} - \text{과거값}}{\text{과거값}} = \frac{\text{현재값}}{\text{과거값}} - 1 \rightarrow 1+\text{증가율} = \frac{\text{현재값}}{\text{과거값}} \rightarrow \text{과거값} = \frac{\text{현재값}}{1+\text{증가율}}$$

$$\text{감소율} = \frac{\text{과거값} - \text{현재값}}{\text{과거값}} = 1 - \frac{\text{현재값}}{\text{과거값}} \rightarrow 1-\text{감소율} = \frac{\text{현재값}}{\text{과거값}} \rightarrow \text{과거값} = \frac{\text{현재값}}{1-\text{감소율}}$$

$$\rightarrow \text{과거값} = \frac{\text{현재값}}{1 \pm \text{율율율}}$$

② 폭폭폭 구하기

$$\text{증가폭} = \text{과거값} \times \text{증가율} = \frac{\text{현재값}}{1+\text{증가율}} \times \text{증가율} \rightarrow \text{증가폭} = \frac{\text{증가율}}{1+\text{증가율}} \times \text{현재값}$$

$$\text{감소폭} = \text{과거값} \times \text{감소율} = \frac{\text{현재값}}{1-\text{감소율}} \times \text{감소율} \rightarrow \text{감소폭} = \frac{\text{감소율}}{1-\text{감소율}} \times \text{현재값}$$

$$\rightarrow \text{폭폭폭} = \frac{\text{율율율}}{1 \pm \text{율율율}} \times \text{현재값 or 현재값 - 과거값}$$

Q 폭과 율에 관점 적용하기

폭과 율을 이용하여 과거값과 폭폭폭을 구하는 방법에 대해서 알아봤다.
계속 말하지만, 우리에게 중요한 것은 실제값이 아닌 비교이다.
폭과 율에 관점을 적용하여, 과거값과 폭폭폭의 증감관계를 파악해보자.

① 과거값의 증감관계

정의: 과거값 = $\frac{\text{현재값}}{1 \pm \text{증감율}}$

1. 과거값과 현재값의 관계 → 현재값이 커지면 과거값은 커진다. (과거값 ∝ 현재값)
2. 과거값과 증감율의 관계 → 증감율이 작아지면 과거값은 커진다. (과거값 ∝ 1/증감율)

과거값 증감표	현재값 ↑	현재값 ↓
증감율 ↑	알 수 없음	과거값 ↓
증감율 ↓	과거값 ↑	알 수 없음

② 폭폭폭 증감관계

정의: 폭폭폭 = $\frac{\text{증감율}}{1 \pm \text{증감율}} \times \text{현재값}$

1. 폭폭폭과 현재값의 관계 → 현재값이 커지면 폭폭폭도 커진다. (폭폭폭 ∝ 현재값)
2. 폭폭폭과 증감율의 관계 → 증감율이 커지면 폭폭폭도 커진다. (폭폭폭 ∝ 증감율)

※ $\frac{\text{증감율}}{1 + \text{증감율}}$ ∝ 증감율 (분수비교법 뺄셈법에 의하여)

폭폭폭 증감표	현재값 ↑	현재값 ↓
증감율 ↑	폭폭폭 ↑	알 수 없음
증감율 ↓	알 수 없음	폭폭폭 ↓

Q 폭과율을 요약해주세요.

폭과율을 요약하면 다음과 같다.

• 설명에서 과거값에 대해 물어보는 경우

자료를 통한 정보 확인 (전년대비 증가율)	→	설명을 읽고 목적 잡기 (과거값 파악)	→	목적을 잡고 필요한 정보 찾기 (현재값과 증가율 찾기)	→	고정값의 유무를 확인하여 정오판단 (과거값 구하기)

• 설명에서 전년대비 폭폭폭을 물어보는 경우

자료를 통한 정보 확인 (전년대비 증가율)	→	설명을 읽고 목적 잡기 (폭폭폭 파악)	→	목적을 잡고 필요한 정보 찾기 (현재값과 증가율 찾기)	→	고정값의 유무를 확인하여 정오판단 (폭폭폭 구하기)

예제 [과거값 구하기]

다음 〈표〉는 2021년 '갑'기업 계열사 A~D의 신입사원 연봉 현황을 나타낸 것이다. 이에 대한 〈설명〉의 정오는?

〈표〉 2021년 '갑'기업 계열사 A~D의 신입 사원 연봉 현황

구분 \ 계열사	A	B	C	D
사원 연봉(천원)	52,213	52,035	58,181	57,123
전년대비 증가율 (%)	8.33	-6.66	2.03	7.14

설명

1. A계열사의 2020년 사원 연봉은 4.8천만원 이상이다. (O, X)

2. 2020년 사원 연봉이 가장 높은 계열사는 C이다. (O, X)

✓ 자료

✓ 설명

▸ 목적 파트는?

▸ 설명의 유형은?

▸ 풀이의 방법은?

관점 적용하기

과거값에 대해서 물어보므로, $\frac{\text{현재값}}{1\pm\text{율율율}}$을 이용하자.

1. (O) A계열사의 과거값 = $\frac{52213}{1+8.33\%}$ = $\frac{52213}{1+1/12}$ = $\frac{52213}{13}\times 12$= 48(천명)↑이다.

2. (O) C계열사의 과거값 = $\frac{58181}{1+2.03\%}$ = 과거값 → 58181 = 과거값×(1.02)

   과거값을 대략 55정도로 가정하자. 55×1.02은 대략 56정도, 2정도가 더 커져야 한다.
   따라서, 과거값은 약 57가량이다.
   논리적으로, 증감율은 낮고, 과거값이 더 높을수록 현재값은 크기 때문에, A와 C는 비교할 필요가 없다.
   B계열사의 과거값 = $\frac{52035}{1-6.66\%}$ = $\frac{52035}{1-1/15}$ = $\frac{52035}{14}\times 15 \fallingdotseq 56{,}000$

답 (O, O)

예제 [폭폭폭 구하기]

다음 2008년 갑국 관광지 A~D의 관광객 현황을 나타낸 자료이다. 이에 대한 〈설명〉의 정오는?

〈표〉 2008년 '갑'국 관광지 A~D의 관광객 현황

구분 / 관광지	관광객 (천명)	전년대비 증감율 (%)
A	61.2	-25.0
B	79.8	37.3
C	59.8	49.2
D	81.8	14.3
E	14.5	16.6

설명

1. 2008년 D관광지의 관광객 수의 전년대비 증가폭은 1만명 이상이다. (O, X)

2. 2008년 A관광지의 관광객 수의 전년대비 감소폭은 2만명 이상이다. (O, X)

3. 2008년 관광객 수의 전년대비 증가폭은 B관광지가 가장 크다. (O, X)

✔ 자료

✔ 설명

▸ 목적 파트는?

▸ 설명의 유형은?

▸ 풀이의 방법은?

간단 퀴즈

Q 폭과율 유형에서 폭을 구할 수 있는 2가지 방법은?

A $\frac{\text{율율율}}{1 \pm \text{율율율}}$×현재값 or 현재값 - 과거값

관점 적용하기

폭폭폭에 대해서 물어보므로, $\frac{\text{율율율}}{1 \pm \text{율율율}} \times$현재값 or 현재값 − 과거값를 이용하자.

1. (O) 08년 D관광지의 증가폭 = $\frac{14.3\%}{1+14.3\%} \times 81.8 = \frac{1/7}{1+1/7} \times 81.8 = \frac{1/7}{8/7} \times 81.8 = 10$(천명)↑이다.

2. (O) 08년 A관광지의 감소폭 = $\frac{25.0\%}{1-25.0\%} \times 61.2 = \frac{1/4}{1-1/4} \times 61.2 = \frac{1/4}{3/4} \times 61.2 = 20$(천명)↑이다.

3. (O) 08년 B관광지의 증가폭 = $\frac{37.3\%}{1+37.3\%} \times 79.8$, 37.3%는 예쁜 숫자가 아니므로, 현재값 − 과거값으로 생각하자.

   과거값 = $\frac{79.8}{1+37.3\%}$ → 과거값×1.373 = 79.8

   과거값을 대략 50정도로 가정하자. 50×1.373은 대략 70이므로, 10정도가 더 커져야 한다.
   따라서, 과거값은 약 57~58이다. 즉, 증가폭은 약 20정도이므로, 가장 크다.
   (증가폭을 20으로 가정하면 C의 과거값은 39.8으로 증가율이 50%가 넘어야하므로 증가폭은 20 이하이다.)

답 (O, O, O)

적용문제-01 (민 18-21)

다음 〈표〉와 〈그림〉은 2018년 테니스 팀 A～E의 선수 인원수 및 총 연봉과 각각의 전년대비 증가율에 대한 자료이다. 이에 대한 〈설명〉의 정오는?

〈표〉 2018년 테니스 팀 A～E의 선수 인원수 및 총 연봉

(단위: 명, 억 원)

테니스 팀	선수 인원수	총 연봉
A	5	15
B	10	25
C	8	24
D	6	30
E	6	24

※ 팀 선수 평균 연봉 = $\frac{\text{총 연봉}}{\text{선수 인원수}}$

〈그림〉 2018년 테니스 팀 A～E의 선수 인원수 및 총 연봉의 전년대비 증가율

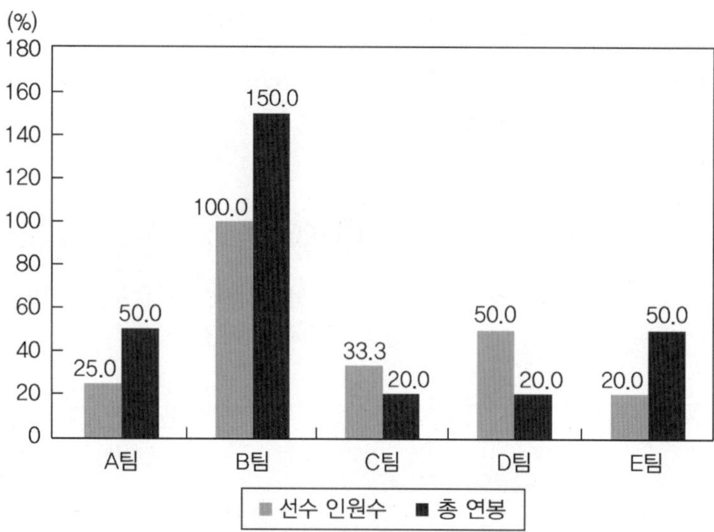

※ 전년대비 증가율은 소수점 둘째자리에서 반올림한 값임.

설명

1. 2017년 총 연봉은 A팀이 E팀보다 많다.

(O, X)

2. 2018년 선수 인원수가 전년대비 가장 많이 증가한 팀은 총 연봉도 가장 많이 증가하였다.

(O, X)

3. 2018년 A팀의 '팀 선수 평균 연봉'은 전년대비 증가하였다.

(O, X)

자료

설명

▸ 목적 파트는?

▸ 설명의 유형은?

▸ 풀이의 방법은?

관점 적용하기

1. (X) 과거값을 물어보므로, 과거값 = $\frac{현재값}{1\pm 증감율}$

   더 큰 과거값을 가지려면 현재값이 더 크거나 증감율이 작아야 한다.
   (※ 현재값이 작고 증감율이 크면 논리적으로 무조건 감소.)
   E팀의 경우, A팀보다 현재값(2018년 총연봉)은 큰데, 증감율은 동일하다.
   따라서, E팀의 2017년 총연봉은 A팀보다 크다.

2. (O) 증가폭을 물어보므로, → 증가폭 = $\frac{증감율}{1\pm 증감율}\times 현재값$

   증가폭이 가장 크려면 현재값이 크거나 증감율이 커야 한다.
   (※ 현재값이 작고 증감율이 작으면 논리적으로 무조건 감소.)
   선수 인원수를 확인해보면 B팀의 현재값(2018년 선수 인원수)도 가장 크고, 증감율도 가장 크다.
   B팀의 총연봉 증가폭($\frac{1.5}{1+1.5}\times 25$ = 15) 보다 더 큰 팀은 없다.

3. (O) 팀선수평균연봉 = $\frac{총연봉}{선수인원수}$

   전년도와 비교 → $\frac{17년\ 총연봉}{17년\ 선수인원수}$ VS $\frac{18년\ 총연봉}{18년\ 선수인원수}$
   증가율에 정의에 의하면 18년 = 17년×(1±율율율)이므로,
   $\frac{17년\ 총연봉}{17년\ 선수인원수}$ VS $\frac{18년\ 총연봉}{18년\ 선수인원수}$ → $\frac{17년\ 총연봉}{17년\ 선수인원수}$ VS $\frac{17년\ 총연봉\times(1\pm 율율율)}{17년\ 선수인원수\times(1\pm 율율율)}$
   따라서, $\frac{(1\pm 총\ 연봉\ 율율율)}{(1\pm 선수\ 인원\ 율율율)}$이 1보다 크면 18년도가 크고, 1보다 작다면 17년도가 크다.
   총 연봉 증가율은 50%이고, 선수 인원수 증가율은 25%이므로, 1보다 크다.
   따라서 팀선수 평균연봉은 18년도가 17년도에 비해 증가하였다.

답 (X, O, O)

적용문제-02 (5급 11-39)

다음 〈그림 1〉과 〈그림 2〉는 2008년 스마트폰 시장 상황에 대한 자료이다. 이에 대한 〈설명〉의 정오는?

〈그림 1〉 2008년 회사별 스마트폰 점유율 (판매대수 기준)

(단위: %)

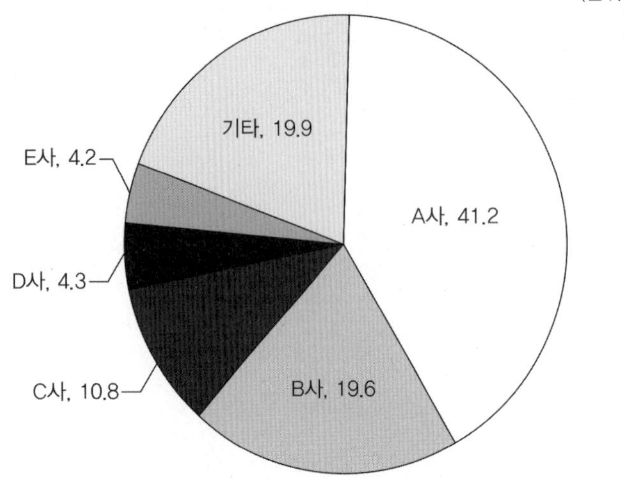

〈그림 2〉 2008년 회사별 스마트폰 판매대수의 전년대비 증가율

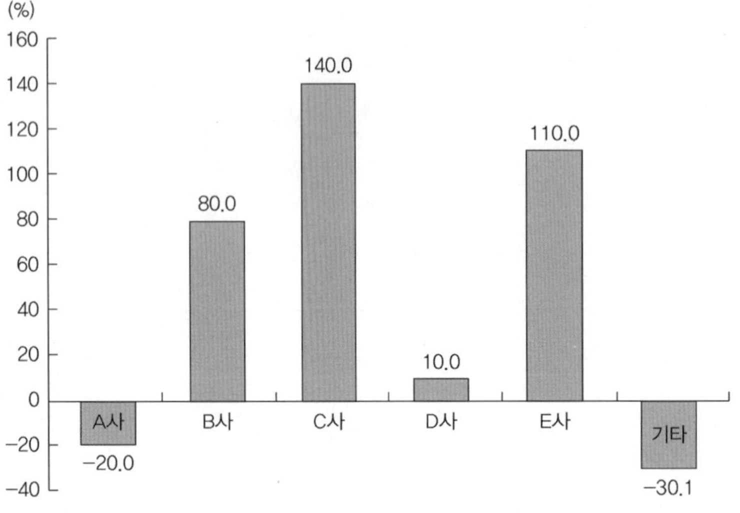

설명

1. A ~ E사 중 2007년 스마트폰 판매대수가 가장 많은 회사는 'A사'이다. (O, X)

2. A ~ E사 중 2008년에 전년대비 판매대수가 가장 많이 증가한 회사는 'B사'이다. (O, X)

 자료

✓ 설명

▸ 목적 파트는?

▸ 설명의 유형은?

▸ 풀이의 방법은?

간단 퀴즈

Q 증가폭을 이용해, 다른 대상과 비교해 보는 것을 어떨까?

A 좋다.

관점 적용하기

1. (O) 과거값을 물어보므로, 과거값 = $\frac{\text{현재값}}{1 \pm \text{증감율}}$

더 큰 과거값을 가지려면 현재값이 더 크거나 증감율이 작아야한다.
(※ 현재값이 작고 증감율이 크면 논리적으로 무조건 감소.)
A사의 경우 A팀보다 현재값(41.2%)로 가장 큰데, 증감율은 -0.2로 가장 작다.
즉 2007년 스마트폰 판매대수는 A사가 가장 많다.

2. (O) 증가폭을 물어보므로, → 증가폭 = $\frac{\text{증감율}}{1 \pm \text{증감율}} \times \text{현재값}$

증가폭이 가장 크려면 현재값이 크거나 증감율이 커야 한다.
(※ 현재값이 작고 증감율이 작으면 논리적으로 무조건 감소.)

B사 = $\frac{0.8}{1+0.8} \times 19.6 = \frac{19.6}{1.8} \times 0.8 \fallingdotseq 1.1 \times 0.8 = 8.8$

(80%($\frac{4}{5}$)가 증가했다면 현재값은 과거의 $\frac{9}{5}(=1+\frac{4}{5})$이라는 것을 의미한다.)

A사는 감소하였으므로 A사는 무시하고, D사와 E사는 현재값이 8.8보다 작기 때문에 불가능하다.

C사 = $\frac{1.4}{1+1.4} \times 10.8 = \frac{10.8}{2.4} \times 1.4 = 4.5 \times 1.4 = 9 \times 0.7 = 6.3$

따라서 B사가 가장 크다.

답 (O, O)

적용문제-03 (5급 19-36)

다음 〈표〉는 2015년 '갑'국의 수출입 현황에 대한 자료이다. 이에 대한 〈설명〉의 정오는?

〈표〉 '갑'국의 대(對) '을'국 수출입액 상위 5개 품목 현황

(단위: 백만 달러, %)

순위	수출			수입		
	품목명	금액	전년대비 증가율	품목명	금액	전년대비 증가율
1	천연가스	2,132	33.2	농수산물	1,375	305.2
2	집적회로 반도체	999	14.5	집적회로 반도체	817	19.6
3	농수산물	861	43.0	평판 디스플레이	326	45.6
4	개별소자 반도체	382	40.6	기타정밀 화학원료	302	6.6
5	컴퓨터부품	315	14.9	합성고무	269	5.6

설명

1. 2014년 '갑'국의 대(對) '을'국 집적회로반도체 수출액은 수입액보다 크다. (O, X)

자료

설명

▸ 목적 파트는?

▸ 설명의 유형은?

▸ 풀이의 방법은?

간단 퀴즈

Q 2015년 전년대비 수입액 증가폭이 가장 큰 품목은 농산물인가?

A 그렇다.

관점 적용하기

1. (O) 과거값을 물어보므로, 과거값 = $\frac{\text{현재값}}{1\pm\text{증감율}}$

더 큰 과거값을 가지려면 현재값이 더 크거나 증감율이 작아야한다.

(※ 현재값이 작고 증감율이 크면 논리적으로 무조건 감소.)

수출액의 경우 $\frac{999}{1+0.145}$이고, 수입액의 경우 $\frac{817}{1+0.196}$이다.

수출액의 현재값이 더 크고, 증감율도 더 작다. 따라서 수출액이 수입액보다 많다.

답 (O)

적용문제-04 (5급 20-11)

다음 〈표〉는 2019년 화학제품 매출액 상위 9개 기업의 매출액에 대한 자료이다. 이에 대한 〈설명〉의 정오는?

〈표〉 2019년 화학제품 매출액 상위 9개 기업의 매출액

(단위: 십억 달러, %)

구분 기업	화학제품 매출액	전년 대비 증가율	총매출액	화학제품 매출액 비율
비스프	72.9	17.8	90.0	81.0
KR 화학	62.4	29.7	( )	100.0
벡슨모빌	54.2	28.7	( )	63.2
자빅	37.6	5.3	39.9	94.2
드폰	34.6	26.7	( )	67.0
포르오사	32.1	14.2	55.9	57.4
시노텍	29.7	10.0	( )	54.9
리오넬바셀	28.3	15.0	34.5	82.0
이비오스	23.2	24.7	48.2	48.1

※ 화학제품 매출액 비율(%) = $\frac{\text{화학 제품 매출액}}{\text{총 매출액}} \times 100$

설명

1. 2018년 화학제품 매출액은 자빅이 시노텍보다 크다. (O, X)

2. 2019년 대비 2018년 화학제품 매출액이 80%미만인 기업은 총 3개이다. (O, X)

✔ 자료

✔ 설명

▸ 목적 파트는?

▸ 설명의 유형은?

▸ 풀이의 방법은?

간단 퀴즈

Q 2019년 대비 2018년 화학제품 매출액이 가장 큰 기업은 어디일까?

A 자빅

관점 적용하기

1. (O) 과거값을 물어보므로, 과거값 = $\frac{\text{현재값}}{1 \pm \text{증감율}}$

더 큰 과거값을 가지려면 현재값이 더 크거나 증감율이 작아야 한다.

자빅($\frac{37.6}{1+0.053}$)의 경우 시노텍($\frac{29.7}{1+0.1}$)보다 현재값도 크고, 증감율도 작다. 따라서 자빅이 더 크다.

2. (O) 2019년 대비 2018년이 80%미만이라는 것은, $\frac{\text{과거값}}{\text{현재값}} < \frac{4}{5}$라는 것을 의미한다.

현재 알고 있는 정보는 전년대비 증가율($\frac{\text{현재값}}{\text{과거값}} = 1 + \text{증감율}$)에 대한 것이므로 이를

$\frac{\text{현재값}}{\text{과거값}}$ 꼴로 변환시키면, $\frac{\text{현재값}}{\text{과거값}} > \frac{5}{4} \rightarrow \frac{\text{현재값}}{\text{과거값}} > 1 + 0.25$이다.

증가율이 25% 이상인 기업은 KR화학, 벡슨모빌, 드폰 3개이다.

(※ 만약 위의 방식이 떠오르지 않았다면, 후보군을 적용해 보는 방법을 이용하자.)

답 (O, O)

관점 익히기

1) 전체 = 부분(A) + 부분(B)
2) A가 커지면 B는 작아지고 B가 커지면 A는 작아진다.

1 부분과 전체

Q 비중 유형은 어떻게 판단 할 수 있나요?

아래와 같은 자료과 설명의 형태를 지닌 유형을 비중 유형이라고 부른다.

〈표〉 기업체 A~F의 직원별 고용형태

고용형태 / 기업체	정규직	비정규직	전체
A	2,315	452	2,767
B	1,312	332	1,644
C	526	286	(　　)
D	(　　)	908	2,452
E	2,704	1,402	(　　)
F	4,212	2,411	(　　)

설명

1. 정규직이 차지하는 비율은 A기업이 B기업보다 높다.

(O, X)

2. C기업에서 비정규직이 차지하는 비율은 35% 이상이다.

(O, X)

비중 유형은

① 자료에 전체와 부분, 또는 전체를 구성할 수 있는 부분들로 구성된다.

② 설명의 목적이 구성비, 비중에 대한 내용이다.

Q 비중의 정의

비중이란, 전체에서 해당이 차지하고 있는 크기를 의미한다.

비중 = $\frac{\text{해당값}(A)}{\text{전체값}(U)}$이며, 유사단어로는, 구성비, 비율등이 존재한다.

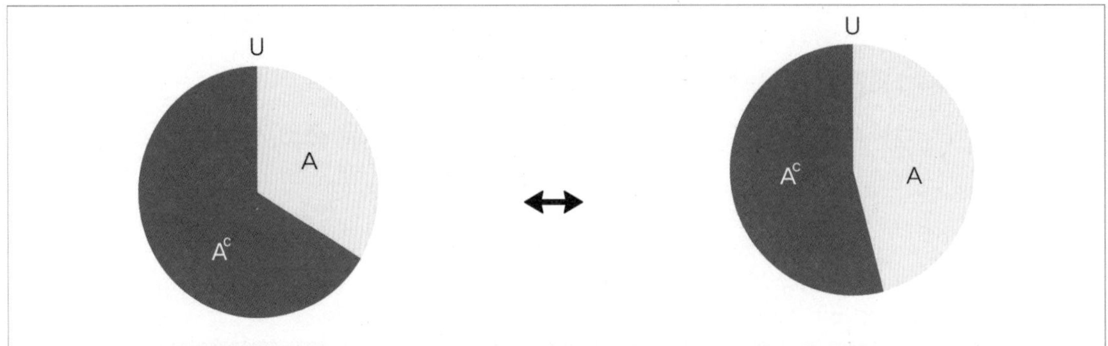

A가 커지면 A의 비중도 커진다. (※ 위의 그림처럼 전체값이 동일한 경우)

A가 커지면, AC는 작아지며, A가 작아지면 AC는 커진다.

A와 A의 비중이 비례하므로, 비중의 관계도 A와 AC의 관계와 같다.

Q 비중에 관점 적용하기

비중을 물어보는 것은 근본적으로, 분수의 크기를 물어보는 것과 같다.
그렇기 때문에, 분수에 대해서 배운 것들을 그대로 적용 할 수 있다.
예를 들어, 플마찢기, 배수테크닉, 기울기 테크닉 등등
그런데, 위의 그림을 보면, 여집합적 사고와 뺄셈 테크닉에서 해당 그림은 본 것이 기억날 것이다.
그렇다. 비중에서 특히, 자주 사용되는 것은 여집합적 사고과 뺄셈 테크닉 2가지이다.

1. 여집합적 사고

   $\frac{A}{U}+\frac{A^C}{U}=100\%$ 이다. → A의 비중 + AC의 비중 = 100%

   A가 차지하는 비율이 커질수록 Ac가 차지하는 비율은 작아진다.
   즉, A의 비율이 n% 이상이라면, Ac의 비율은 (100-n)% 이하다.
   A가 차지하는 비율이 작아질수록 Ac가 차지하는 비율은 커진다.
   즉, A의 비율이 n% 이하라면, Ac의 비율은 (100-n)% 이상이다.

2. 뺄셈 테크닉

   A가 차지하는 비율이 커질수록 Ac가 차지하는 비율은 작아진다.
   A가 차지하는 비율이 작아질수록 Ac가 차지하는 비율은 커진다.

   $\frac{A}{U}=\frac{A}{A+A^C} \propto \frac{A}{A^C}$

   즉, A와 AC사이의 관계를 이용하여 설명의 정오를 판단할 수 있다.
   ※ 뺄셈법을 사용하면 돋보기처럼 차이가 더 크게 드러난다.
   단, 뺄셈법을 사용할때는, 양변에 모두 뺄셈법을 적용해야 한다는 사실을 '꼭' 명심하자.

Q 비중을 요약 해주세요.

비중을 요약하면 다음과 같다.

• 설명에 고정값이 주어진 경우

자료를 통한 정보 확인 (부분과 전체)	→	설명을 읽고 목적 잡기 (비중, 구성비 파악)	→	목적을 잡고 필요한 정보 찾기 (부분과 전체)	→	플마 찢기를 이용하며 정오판단

• 자료에 여집합이 주어진 경우

자료를 통한 정보 확인 (부분과 전체)	→	설명을 읽고 목적 잡기 (비중, 구성비 파악)	→	목적을 잡고 필요한 정보 찾기 (부분과 전체)	→	여집합적 사고를 이용하며 정오판단

• 전체가 주어지지 않은 경우

자료를 통한 정보 확인 (부분과 전체)	→	설명을 읽고 목적 잡기 (비중, 구성비 파악)	→	목적을 잡고 필요한 정보 찾기 (부분과 전체)	→	뺄셈 테크닉을 이용하며 정오판단

예제 [전체가 있는 경우]

다음 〈표〉는 기업체 A~F의 직원별 고용형태에 관한 자료이다. 이에 대한 〈설명〉의 정오는?

〈표〉 기업체 A~F의 직원별 고용형태

고용형태 / 기업체	정규직	비정규직	전체
A	2,315	452	2,767
B	1,312	332	1,644
C	526	286	( )
D	( )	908	2,452
E	2,704	1,402	( )
F	4,212	2,411	( )

| 설명 |

1. D기업의 정규직이 차지하는 비율은 65% 이상이다. (O, X)

2. 정규직이 차지하는 비율은 A기업이 B기업보다 높다. (O, X)

자료

설명

▸ 목적 파트는?

▸ 설명의 유형은?

▸ 풀이의 방법은?

간단 퀴즈

Q 뺄셈법은 언제 사용할 수 있을까?

A 부분이 모두 주어질 때

관점 적용하기

1. (X) D기업의 정규직이 차지하는 비율 = $\frac{정규직}{전체}$, 정규직의 값이 빈칸이므로, 여집합적 사고를 통해 비교하자.

D기업의 비정규직이 차지하는 비율은? → $\frac{비정규직}{전체} = \frac{908}{2452} = \frac{700+208}{2000+452} > 35\%$

비정규직이 차지하는 비율이 35% 이상이므로, 정규직이 차지하는 비율은 65% 이하이다.

2. (O) 정규직이 차지하는 비율 = $\frac{정규직}{전체}$ → 빈칸이 하나도 없으므로, 3가지 방법을 통해서 확인 가능하다.

1) 주어진 그대로 → $\frac{정규직}{전체}$, 2) 여집합적 사고 → $\frac{비정규직}{전체}$, 3) 뺄셈 테크닉 → $\frac{정규직}{비정규직}$

이중, 자신에게 예뻐보이는 숫자가 있는 방법을 선택한다. 만약 보이는게 없다면, 분수 비교 테크닉으로 접근한다.

2) 여집합적 사고에 따르면, A = $\frac{452}{2767} < 20\%$, B = $\frac{332}{1644} > 20\%$이다.

따라서, 비정규직 비율은 B기업이 더 높으므로, 정규직 비율은 A기업이 더 높다.

답 (X, O)

예제 [전체가 없는 경우]

다음 〈표〉는 기업체 A~F의 직원별 고용형태에 관한 자료이다. 이에 대한 〈설명〉의 정오는?

〈표〉 기업체 A~F의 직원별 고용형태

고용형태 / 기업체	정규직	비정규직	전체
A	2,315	452	2,767
B	1,312	332	1,644
C	526	286	( )
D	( )	908	2,452
E	2,704	1,402	( )
F	4,212	2,411	( )

설명

1. C기업의 정규직이 차지하는 비율은 65% 이상이다. (O, X)

2. 정규직이 차지하는 비율은 E기업이 F기업보다 높다. (O, X)

자료

설명

▸ 목적 파트는?

▸ 설명의 유형은?

▸ 풀이의 방법은?

간단 퀴즈

Q 전체값이 빈칸을 꼭 채워야할까?

A 그렇지 않다.

관점 적용하기

1. (O) C기업의 정규직이 차지하는 비율 = $\frac{정규직}{전체}$, 전체가 빈칸이므로, 빼셈 테크닉을 통해 비교하자.

C기업의 정규직이 차지하는 비율은? → $\frac{정규직}{전체}$ VS 65% → $\frac{정규직}{비정규직}$ VS $\frac{65}{35}$

$\frac{526}{286} = \frac{520+6}{280+6} > \frac{65}{35}$ 이므로, 65% 이상이다. (잘 보이지 않는다면 전체를 구하는 것도 좋은 방법이다.)

2. (X) 비정규직이 차지하는 비율 = $\frac{비정규직}{전체}$ → 전체가 빈칸이므로, 빼셈 테크닉을 통해 비교하자.

빼셈 테크닉 → $\frac{비정규직}{정규직}$ E = $\frac{1402}{2704}$ < 50% , F = $\frac{2411}{4212}$ > 50%이다.

따라서, 비정규직 비율은 F기업이 더 높다.

답 (O, X)

적용문제-01 (5급 19-29)

다음 〈표〉는 2014년 우리나라의 전자상거래물품 수입통관 현황에 대한 자료이다. 이에 대한 〈설명〉의 정오는?

〈표 1〉 1회당 구매금액별 전자상거래물품 수입통관 현황 (단위: 천 건)

1회당 구매금액	수입통관 건수
50달러 이하	3,885
50달러 초과 100달러 이하	5,764
100달러 초과 150달러 이하	4,155
150달러 초과 200달러 이하	1,274
200달러 초과 1,000달러 이하	400
1,000달러 초과	52
합계	15,530

〈표 2〉 품목별 전자상거래물품 수입통관 현황 (단위: 천 건)

구분 / 품목	일반・간이 신고	목록통관	합
의류	524	2,438	2,962
건강식품	2,113	0	2,113
신발	656	1,384	2,040
기타식품	1,692	0	1,692
화장품	883	791	1,674
핸드백	869	395	1,264
완구인형	249	329	578
가전제품	89	264	353
시계	195	132	327
서적류	25	132	157
기타	1,647	723	2,370
전체	8,942	6,588	15,530

설명

1. '50달러 초과 100달러 이하'인 수입통관 건수의 비중은 전체의 35% 이상이다. (O, X)
2. '핸드백', '가전제품', '시계'의 3가지 품목의 수입통관 건수의 합은 전체의 12% 이상을 차지한다. (O, X)

✓ 자료

✓ 설명

▸ 목적 파트는?

▸ 설명의 유형은?

▸ 풀이의 방법은?

관점 적용하기

1. (O) 50달러 초과 100달러 이하의 비중은 $\frac{5,764}{15,530}=\frac{3,500+2,264}{10,000+5,530}$이므로 35% 이상이다.
2. (O) 각각의 건수를 모두 더하여 비율을 구하는 것도 좋지만, 쉬운 값으로 나누어 계산하는 것이 편리하다.

   (※ 수포자를 위한 참고 $\frac{A+B+C}{전체}=\frac{A}{전체}+\frac{B}{전체}+\frac{C}{전체}$)

   12% 이상이다 → 쉬운 값 = 10%와 나머지

   핸드백과 가전제품의 비중 = $\frac{1,264+327}{15,530}$ = 10%↑ 시계의 비중 = $\frac{327}{15,530}$ = 2%↑

   10%↑ + 2%↑ = 12%이므로, 12% 이상이다.

답 (O, O)

적용문제-02 (5급 18-27)

다음 〈자료〉는 2017년 11월말 기준 A지역 청년통장 사업 참여인원에 관한 자료이다. 이에 대한 〈설명〉의 정오는?

자료

• 청년통장 사업에 참여한 근로자의 고용형태별, 직종별, 근무연수별 인원

1) 고용형태 (단위: 명)

전체	정규직	비정규직
6,500	4,591	1,909

2) 직종 (단위: 명)

전체	제조업	서비스업	숙박 및 음식점업	운수업	도·소매업	건설업	기타
6,500	1,280	2,847	247	58	390	240	1,438

3) 근무연수 (단위: 명)

전체	6개월 미만	6개월 이상 1년 미만	1년 이상 2년 미만	2년 이상
6,500	1,669	1,204	1,583	2,044

설명

1. 청년통장 사업에 참여한 근로자의 70% 이상이 정규직 근로자이다. (O, X)

✔ 자료

✔ 설명

▸ 목적 파트는?

▸ 설명의 유형은?

▸ 풀이의 방법은?

간단 퀴즈

Q 70%와 30% 중 어떤 것이 계산에 더 편할까?

A 일반적으로 30%

관점 적용하기

1. (O) 근로자 = 정규직 + 비정규직 → 부분과 전체로 구성됐다.
정규직이 전체의 70% 이상이라면 비정규직은 전체의 30% 이하이다.
$\frac{1,909}{6,500} = \frac{1,800+109}{6,000+500}$ → 비정규직이 전체의 30% 이하이다. 따라서 정규직은 전체의 70% 이상이다.

답 (O)

적용문제-03 (5급 15-18)

다음 〈표〉는 2011년과 2012년 친환경인증 농산물의 생산 현황에 관한 자료이다. 이에 대한 〈설명〉의 정오는?

〈표〉 종류별, 지역별 친환경인증 농산물 생산 현황

(단위: 톤)

구분		2012년				2011년
		합	인증형태			
			유기 농산물	무농약 농산물	저농약 농산물	
종류	곡류	343,380	54,025	269,280	20,075	371,055
	과실류	341,054	9,116	26,850	305,088	457,794
	채소류	585,004	74,750	351,340	158,914	753,524
	서류	41,782	9,023	30,157	2,602	59,407
	특용작물	163,762	6,782	155,434	1,546	190,069
	기타	23,253	14,560	8,452	241	20,392
	계	1,498,235	168,256	841,513	488,466	1,852,241
지역	서울	1,746	106	1,544	96	1,938
	부산	4,040	48	1,501	2,491	6,913
	대구	13,835	749	3,285	9,801	13,852
	인천	7,663	1,093	6,488	82	7,282
	광주	5,946	144	3,947	1,855	7,474
	대전	1,521	195	855	471	1,550
	울산	10,859	408	5,142	5,309	13,792
	세종	1,377	198	826	353	0
	경기도	109,294	13,891	71,521	23,882	126,209
	강원도	83,584	17,097	52,810	13,677	68,300
	충청도	159,495	29,506	64,327	65,662	207,753
	전라도	611,468	43,330	443,921	124,217	922,641
	경상도	467,259	52,567	176,491	238,201	457,598
	제주도	20,148	8,924	8,855	2,369	16,939
	계	1,498,235	168,256	841,513	488,466	1,852,241

설명

1. 2012년 친환경인증 농산물의 종류별 생산량에서 무농약 농산물 생산량이 차지하는 비중은 서류가 곡류보다 크다.

(O, X)

✔ 자료

✔ 설명

▸ 목적 파트는?

▸ 설명의 유형은?

▸ 풀이의 방법은?

관점 적용하기

1. (X) 전체 = 유기농 + 무기농 + 저농약 → 부분과 전체로 구성됐다.

전체 생산량에서 무농약이 차지하는 비율 = $\frac{\text{무농약}}{\text{전체}} = \frac{\text{무농약}}{\text{유기농}+\text{무농약}+\text{저농약}}$

뺄셈테크닉을 적용하면 → $\frac{\text{무농약}}{\text{유기농}+\text{저농약}}$

서류 = $\frac{30,157}{9,023+2,602}$ = 3↓ / 곡류 = $\frac{269,280}{54,025+20,075}$ = 3↑ 서류가 곡류보다 작다.

답 (X)

적용문제-04 (5급 20-11)

다음 〈표〉는 A, B 기업의 경력사원채용 지원자 특성에 관한 자료이다. 이에 대한 〈설명〉의 정오는?

〈표〉 경력사원채용 지원자 특성

(단위: 명)

지원자 특성 \ 기업		A 기업	B 기업
성별	남성	53	57
	여성	21	24
최종 학력	학사	16	18
	석사	19	21
	박사	39	42
연령대	30대	26	27
	40대	25	26
	50대 이상	23	28
관련 업무 경력	5년 미만	12	18
	5년 이상~10년 미만	9	12
	10년 이상~15년 미만	18	17
	15년 이상~20년 미만	16	9
	20년 이상	19	25

※ A기업과 B기업에 모두 지원한 인원은 없음.

설명

1. A, B 기업 전체 지원자 중 40대 지원자의 비율은 35% 미만이다. (O, X)

자료

설명

▸ 목적 파트는?

▸ 설명의 유형은?

▸ 풀이의 방법은?

간단 퀴즈

Q 뺄셈테크닉을 다른 식으로 생각해보면 어떨까?

관점 적용하기

1. (O) 지원자 = 30대 + 40대 + 50대 이상 → 부분과 전체로 구성됐다.

40대 지원자의 비율 = $\frac{40대}{전체} = \frac{40대}{30대+40대+50대\ 이상} < \frac{35}{100}$

뺄셈테크닉을 적용하면 → $\frac{40대}{30대+50대\ 이상} < \frac{35}{100-35} = \frac{35}{65}$

A,B기업: $\frac{(25)+(26)}{(26+23)+(27+28)}$

B기업의 50대 이상 중 2명을 A기업 50대 이상으로 옮기면 $\frac{(25)+(26)}{(26+25)+(27+26)}$,

A기업: $\frac{25}{26+25}$, B기업: $\frac{26}{27+26}$ 각각 $\frac{1}{2}$↓이면, 전체도 $\frac{1}{2}$↓이다. (※ 소금물을 생각하자.)

$\frac{1}{2}$은 $\frac{35}{65}$ 미만이므로 전체 지원자 중 40대 지원자의 비율은 35% 미만이다.

답 (O)

적용문제-05 (5급 14-22)

다음 〈표〉는 2010년 국가기록원의 '비공개기록물 공개 재분류 사업' 결과 및 현황이다. 이에 대한 〈설명〉의 정오는?

〈표〉 비공개기록물 공개 재분류 사업 결과

(단위: 건)

구분	합	재분류 결과			
		공개			비공개
		소계	전부공개	부분공개	
계	2,702,653	1,298,570	169,646	1,128,924	1,404,083
30년 경과 비공개기록물	1,199,421	1,079,690	33,012	1,046,678	119,731
30년 미경과 비공개기록물	1,503,232	218,880	136,634	82,246	1,284,352

설명

1. 30년 경과 비공개기록물 중 공개로 재분류된 기록물의 비율이 30년 미경과 비공개기록물 중 비공개로 재분류된 기록물의 비율보다 낮다. (O, X)

자료

설명

▸ 목적 파트는?

▸ 설명의 유형은?

▸ 풀이의 방법은?

간단 퀴즈

Q 긴 단어의 인식을 편하게 하려면 어떻게 해야 할까?

A 단어의 차이에 집중한다.

관점 적용하기

1. (X) 비공개 기록물 = 재분류 공개 + 재분류 비공개 → 부분과 전체로 구성됐다.
경과 중 공개 비율과 미경과 중 비공개 비율의 값은 구하기가 어렵다. 여집합적 사고로 접근하자.
경과 중 비공개의 비율은 미경과 중 공개의 비율보다 높은가?
경과 중 비공개 비율은 $\frac{119}{1,199}$ = 10%↓ 미경과 중 공개 비율은 $\frac{218}{1,503}$ = 10%↑
경과 중 비공개의 비율이 더 낮다. 따라서 경과 중 공개의 비율이 미경과 중 비공개 비율보다 높다.

답 (X)

적용문제-06 (5급 21-24)

다음 〈표〉는 2014 ~ 2018년 A기업의 직군별 사원수 현황에 대한 자료이다. 이에 대한 〈설명〉의 정오는?

〈표〉 2014 ~ 2018년 A기업의 직군별 사원수 현황

(단위: 명)

연도＼직군	영업직	생산직	사무직
2018	169	105	66
2017	174	121	68
2016	137	107	77
2015	136	93	84
2014	134	107	85

※ 사원은 영업직, 생산직, 사무직으로만 구분됨.

설명

1. 생산직 사원의 비중이 30% 미만인 해는 전체 사원 수가 가장 적은 해와 같다.

(O, X)

자료

설명

▸ 목적 파트는?

▸ 설명의 유형은?

▸ 풀이의 방법은?

관점 적용하기

1. (O) 전체 사원수 = 영입직 + 생산직 + 사무직 → 부분과 전체

생산직 사원의 비중 = $\frac{생산직}{전체} = \frac{생산직}{영업직+생산직+사무직}$

전체 사원수가 가장 작은 해 = 15년

15년의 생산직 사원의 비중 = $\frac{생산직}{전체} = \frac{생산직}{영업직+생산직+사무직} < \frac{30}{100}$

뺄셈테크닉을 적용하면 → $\frac{생산직}{영업직+사무직} < \frac{30}{100-30} = \frac{30}{70}$

$\frac{93}{136+84} < \frac{3}{7}$ → $\frac{90+3}{210+10}$이므로 $\frac{3}{7}$ 이하이다.

답 (O)

관점 익히기

01 비교의 종류
02 폭폭폭과 율율율
03 비중
04 총합과 평균
05 극단으로
06 관점 적용하기[Drill]

1) 총합: 더할때는 쉬운 숫자끼리 묶어서
2) 평균: 높이가 다른 물의 높이들이 같아지는 것
3) 총합과 평균: 총합 = 평균 × 항의 개수

1 총합

Q 총합 유형은 어떻게 판단 할 수 있나요?

아래와 같은 자료과 설명의 형태를 지닌 유형을 총합 유형이라고 부른다.

〈표〉 '갑'국의 2021년 분기별 에너지 사용량 현황

(단위: MW)

분기 \ 에너지	석탄	석유	재생에너지			합계
			태양열	원자력	풍력	
1/4	4,823	3,352	1,023	2,421	1,563	(　　)
2/4	4,213	2,522	1,354	2,535	536	(　　)
3/4	4,782	2,655	515	2,354	956	(　　)
4/4	5,521	1,332	865	2,755	1,883	(　　)

설명

1. 2021년 사용에너지는 매 분기 석탄이 재생에너지보다 적다.
(O, X)

2. 2021년 에너지 사용량이 가장 많은 분기는 4분기이다.
(O, X)

총합 유형은

① 자료에 존재하는 구분들이 수많은 부분들로 구성된다.

② 설명의 목적이 ~들의 합이라는 내용으로 적어도 3개 이상의 항의 합으로 구성된다.

Q 총합의 정의

총합은 3개 이상의 항의 숫자를 모두 더하는 것을 의미한다.
공식으로 나타내면 총합 = $\sum x_n$ (Σ는 총합의 수학적 기호)이다.

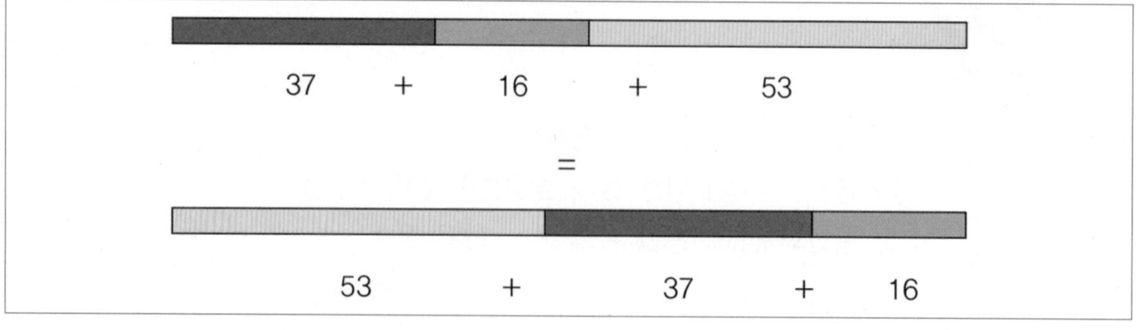

※ 덧셈의 순서는 결과에 영향을 미치지 않는다.

Q 총합에 관점 적용하기

총합'은 여러항의 덧셈 결과에 대해 묻는다.
즉, 덧셈의 크기를 묻는 것이다. 따라서 앞에서 배운 것처럼 최고 자릿수 위주의 덧셈을 하면 된다.

① 계산의 2단계
우선 맨 앞자리 2개 정도의 정밀도로 계산하고, 필요에 따라서 정밀도를 높여 확인하자.
(※ 단, 000으로 끝나는 등, 숫자의 구성이 깔끔한 경우 정밀셈을 이용해야 한다.)

② 계산이 아닌 가공
더하는 순서를 바꿀 때 두 숫자를 더해서 0이 되는 숫자 쌍을 생각하자.
(1,9), (2,8), (3,7), (4,6), (5,5)

※ 숫자 3개 덧셈 결과로 일의 자리를 0으로 만들 수 있다면 그렇게 하자. (안 외워도 된다.)

3개의 조합으로 0 만들기 (총 16개의 쌍으로 구성됨)	
1과 9	1+(1+8) / 1+(2+7) / 1+(3+6) / 1+(4+5)
2와 8	2+(2+6) / 2+(3+5) / 2+(4+4) / 2+(9+9)
3과 7	3+(3+4) / 3+(8+9)
4와 6	4+(7+9) / 4+(8+8)
5와 5	5+(6+9) / 5+(7+8)
6과 4	6+(6+8) / 6+(7+7)
※1 / 2로 나누어 생각하여 나머지 2개의 합과 1개로 0을 만들 수 있는지 생각하기	

Q 총합을 요약 해주세요.

총합 요약하기

• 고정값이 주어진 경우

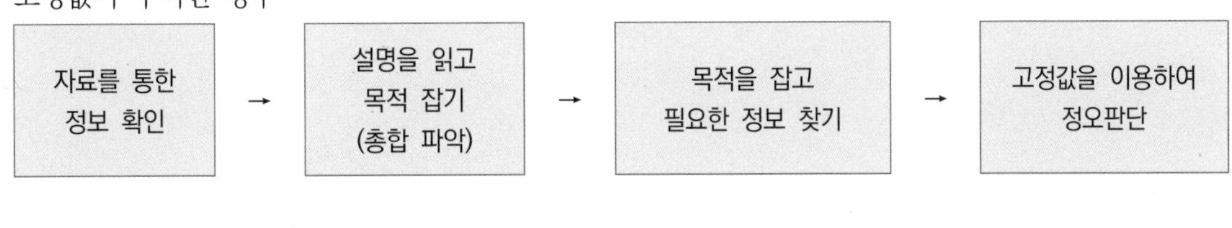

• 고정값이 주어지지 않은 경우

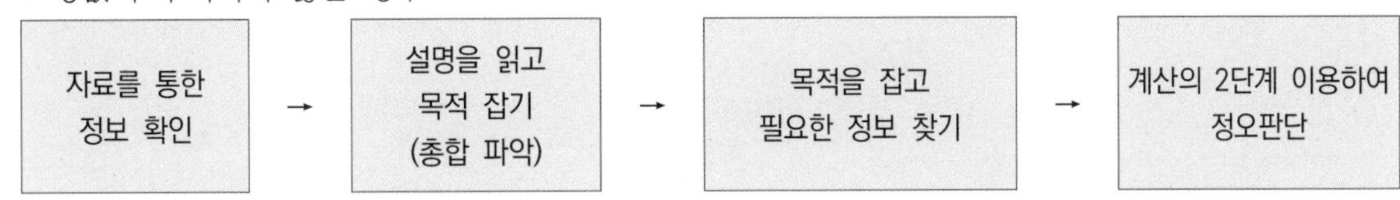

예제 [예쁘지 않은 숫자]

다음 〈표〉는 '갑'국의 2021년 분기별 에너지 사용량 현황을 나타낸 것이다. 이에 대한 〈설명〉의 정오는?

〈표〉 '갑'국의 2021년 분기별 에너지 사용량 현황

(단위: MW)

구분 분기	석탄	석유	재생에너지			합계
			태양열	원자력	풍력	
1/4	4,823	3,352	1,023	2,421	1,563	( )
2/4	4,213	2,522	1,354	2,535	536	( )
3/4	4,782	2,655	515	2,354	956	( )
4/4	5,521	1,332	865	2,755	1,843	( )

설명

1. 2021년 사용에너지는 매 분기 석탄이 재생에너지보다 적다. (O, X)
2. 2021년 에너지 사용량이 가장 많은 분기는 4분기이다. (O, X)

✓ 자료

✓ 설명

▸ 목적 파트는?

▸ 설명의 유형은?

▸ 풀이의 방법은?

관점 적용하기

1. (X) 4/4분기의 재생에너지는 대략 2700+2700 = 5400이므로, 석탄보다 적다.
2. (X) 4/4분기는 대략 5500+1300+2700+2700 = 12300이다.
   반면, 1/4분기는 대략 4800+3300+1000+2400+1600 = 13100이므로 1/4분기가 더 크다.

답 (X, X)

예제 [예쁜 숫자]

다음 〈표〉는 자통이의 중간, 기말고사 성적을 나타낸 것이다. 이에 대한 〈설명〉의 정오는?

〈표〉 자통이의 중간,기말고사 성적

구분 / 과목	중간고사	기말고사
언어	87	88
수리	95	93
외국어	83	95
물리	48	87
화학	47	81
생물	43	35
지구과학	42	46

설명

1. 자통이의 중간고사의 총점은 445점이다.

(O, X)

2. 자통이의 기말고사의 총점은 510점 이상이다.

(O, X)

자료

설명

▸ 목적 파트는?

▸ 설명의 유형은?

▸ 풀이의 방법은?

간단 퀴즈

Q 숫자가 예뻐보이는가?

A 그렇다.

관점 적용하기

1. (O) 중간고사 점수의 합 = 87+95+83+48+47+43+42
   점수를 순서대로 더하면 복잡하므로 10이 되는 쌍끼리 묶어서 처리하자.
   → 95 + (87+83) + (48+42) + (47+43) = 95 + 170 + 90 + 90 = 275 + 170 = 445점이다.
2. (O) 기말고사 점수의 합 = 88+93+95+87+81+35+46
   점수가 있는 순서대로 더하면 복잡하므로 10이 되는 쌍끼리 묶어서 처리하자.
   → 88 + (93+87) + (95+35) + 81 + 46 = 88 + 180 + 130 + 127 = 88 + 127 + 310 = 525점이다.

답 (O, O)

적용문제-01 (5급 19-31)

다음 〈표〉는 2018년 5～6월 A군의 휴대폰 모바일 앱별 데이터 사용량에 관한 자료이다. 이에 대한 〈설명〉의 정오는?

〈표〉 2018년 5~6월 모바일 앱별 데이터 사용량

월 앱 이름	5월	6월
G인터넷	5.3 GB	6.7 GB
HS쇼핑	1.8 GB	2.1 GB
톡톡	2.4 GB	1.5 GB
앱가게	2.0 GB	1.3 GB
뮤직플레이	94.6 MB	570.0 MB
위튜브	836.0 MB	427.0 MB
쉬운지도	321.0 MB	337.0 MB
JJ멤버십	45.2 MB	240.0 MB
영화예매	77.9 MB	53.1 MB
날씨정보	42.8 MB	45.3 MB
가계부	-	27.7 MB
17분 운동	-	14.8 MB
NEC뱅크	254.0 MB	9.7 MB
알람	10.6 MB	9.1 MB
지상철	5.0 MB	7.8 MB
어제뉴스	2.7 MB	1.8 MB
S메일	29.7 MB	0.8 MB
JC카드	-	0.7 MB
카메라	0.5 MB	0.3 MB
일정관리	0.3 MB	0.2 MB

※ 1) '-'는 해당 월에 데이터 사용량이 없음을 의미함.
2) 제시된 20개의 앱 외 다른 앱의 데이터 사용량은 없음.
3) 1 GB(기가바이트)는 1,024 MB(메가바이트)에 해당함.

설명

1. 6월에만 데이터 사용량이 있는 모든 앱의 총 데이터 사용량은 '날씨정보'의 6월 데이터 사용량보다 많다.

(O, X)

2. 'G인터넷'과 'HS쇼핑'의 5월 데이터 사용량의 합은 나머지 앱의 5월 데이터 사용량의 합보다 많다.

(O, X)

✔ 자료

✔ 설명

▸ 목적 파트는?

▸ 설명의 유형은?

▸ 풀이의 방법은?

간단 퀴즈

Q GB를 MB으로 바꿀 때 어떻게 바꿔야할까?

A 1GB ≒ 1,000MB

관점 적용하기

1. (X) 6월만 사용량이 있는 앱 = 가계부, 17분운동, JC카드
데이터의 총합 = 27.7+14.8+0.7 〉? 날씨정보 (45.3)
27+14 = 41이다. 즉, 소수점 첫째자리 이하를 모두 더해도 45보다 작다.
따라서 날씨 정보의 데이터 사용량이 더 많다.
2. (O) G인터넷 + HS쇼핑 = 5.3+1.8 = 7.1
데이터가 큰 앱 위주로 생각하자 (최소 100MB)
톡톡+앱가게+위튜브+쉬운지도+NEC뱅크 = 2.4+2.0+0.8+0.3+0.2 = 2.7+2.0+1.0=5.7
나머지 앱은 모두 100MB작기 때문에, 모두 더해도 1.4(7.1−5.7)보다 크지 않다.
따라서 G인터넷 + HS쇼핑의 데이터 사용량이 나머지의 데이터 사용량보다 크다.

답 (X, O)

적용문제-02 (민 18-11)

다음 〈그림〉은 A ~ F국의 2016년 GDP와 'GDP 대비 국가자산총액'을 나타낸 자료이다. 이에 대한 〈설명〉의 정오는?

〈그림〉 A ~ F국의 2016년 GDP와 'GDP 대비 국가자산총액'

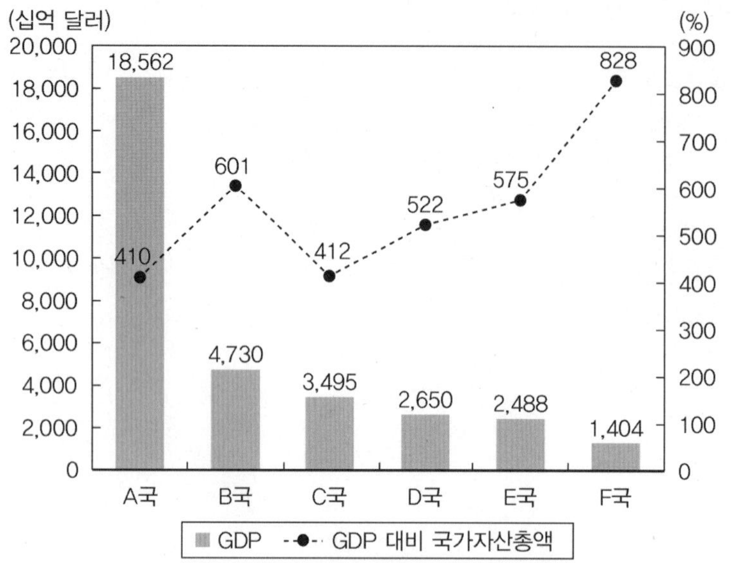

※ GDP 대비 국가자산총액(%) = $\frac{\text{국가자산총액}}{\text{GDP}} \times 100$

설명
1. A국의 GDP는 나머지 5개국 GDP의 합보다 크다. (O, X)

✓ 자료

✓ 설명

- 목적 파트는?
- 설명의 유형은?
- 풀이의 방법은?

간단 퀴즈

Q B~F국의 GDP 평균을 이용해보는 것은 어떨까?

A 좋은 방법이다.

관점 적용하기

1. (O) 나머지 GDP = 47--+34--+26--+24--+14-- = 47+60+38 = 14,5--
A국의 GDP = 18,5--
나머지 국가의 GDP 중 무시한 자릿수를 모두 더해도 4,000 이상 커질 수 없다.
따라서 A가 나머지 GDP 보다 크다.

답 (O)

적용문제-03 (민 17-11)

다음 〈표〉는 AIIB(Asian Infrastructure Investment Bank)의 지분율 상위 10개 회원국의 지분율과 투표권 비율에 대한 자료이다. 이에 대한 〈설명〉의 정오는?

〈표〉 지분율 상위 10개 회원국의 지분율과 투표권 비율

(단위: %)

회원국	지역	지분율	투표권 비율
중국	A	30.34	26.06
인도	A	8.52	7.51
러시아	B	6.66	5.93
독일	B	4.57	4.15
한국	A	3.81	3.50
호주	A	3.76	3.46
프랑스	B	3.44	3.19
인도네시아	A	3.42	3.17
브라질	B	3.24	3.02
영국	B	3.11	2.91

※ 1) 회원국의 지분율(%) $= \frac{\text{해당 회원국이 AIIB에 출자한 자본금}}{\text{AIIB의 자본금 총액}} \times 100$

2) 지분율이 높을수록 투표권 비율이 높아짐.

설명

1. 지분율 상위 4개 회원국의 투표권 비율을 합하면 40% 이상이다. (O, X)

자료

설명

▸ 목적 파트는?

▸ 설명의 유형은?

▸ 풀이의 방법은?

관점 적용하기

1. (O) 지분율 상위 4개 = 중국, 인도, 러시아, 독일
   1의 자리까지만 생각하자. → 26+7+5+4 = 30 + 12 = 42
   이미 40% 이상이다. 따라서 지분율 상위 4개 투표율의 합은 40% 이상이다.

답 (O)

적용문제-04 (5급 21-03)

다음 〈표〉는 2013 ~ 2020년 '갑'국 재정지출에 대한 자료이다. 이에 대한 〈설명〉의 정오는?

〈표〉 전체 재정지출 중 5대 분야 재정지출 비중

(단위: %)

분야 \ 연도	2013	2014	2015	2016	2017	2018	2019	2020
교육	15.5	15.8	15.4	15.9	16.3	16.3	16.2	16.1
보건	10.3	11.9	11.4	11.4	12.2	12.5	12.8	13.2
국방	7.5	7.7	7.6	7.5	7.8	7.8	7.7	7.6
안전	3.6	3.7	3.6	3.8	4.0	4.0	4.1	4.2
환경	3.1	2.5	2.4	2.4	2.4	2.5	2.4	2.4

설명

1. 5대 분야 재정지출 금액의 합은 매년 전체 재정지출 금액의 35% 이상이다.

(O, X)

✓ 자료

✓ 설명

▸ 목적 파트는?

▸ 설명의 유형은?

▸ 풀이의 방법은?

관점 적용하기

1. (O) 5대 분야 = 교육 + 보건 + 국방 + 안전 + 환경으로 구성된다.
이중, 교육과 보건이 다른 2개보다 크므로, 교육 + 보건을 한덩어리, 나머지를 한 덩어리로 생각하자.

분야 \ 연도	2013	2014	2015	2016	2017	2018	2019	2020
교육+보건	25↑	25↑	25↑	25↑	25↑	25↑	25↑	25↑
나머지	10↑	10↑	10↑	10↑	10↑	10↑	10↑	10↑

따라서, 교육+보건은 매년 25% 이상이고, 나머지는 10% 이상이므로, 총합은 매년 35% 이상이다.

답 (O)

적용문제-05 (5급 17-34)

다음 〈표〉는 '갑'국 A공무원의 보수 지급 명세서이다. 이에 대한 〈설명〉의 정오는?

〈표〉 보수 지급 명세서

(단위: 원)

실수령액: ( )			
보수		공제	
보수항목	보수액	공제항목	공제액
봉급	2,530,000	소득세	160,000
중요직무급	150,000	지방소득세	16,000
시간외수당	510,000	일반기여금	284,000
정액급식비	130,000	건강보험료	103,000
직급보조비	250,000	장기요양보험료	7,000
보수총액	( )	공제총액	( )

※ 실수령액 = 보수총액 - 공제총액

설명

1. '봉급'이 '보수총액'에서 차지하는 비중은 70% 이상이다. (O, X)

2. '실수령액'은 '봉급'의 1.3배 이상이다. (O, X)

자료

설명

▸ 목적 파트는?

▸ 설명의 유형은?

▸ 풀이의 방법은?

관점 적용하기

1. (O) 보수총액은 보수액의 총합이다. 숫자가 쉽고, 깔끔하게 구성되었으므로 순서만 바꾸어 정밀셈을 하자.
   253+15+51+13+25 → 253 + 15 + 25 + 13 + 51 = 253+40+13+51 = 306+51 = 357만원
   봉급이 보수총액에서 차지하는 비율은 $\frac{253}{357}=\frac{210+43}{300+57}$, 따라서 70% 이상이다.
2. (X) 실수령액 = 보수총액 - 공제총액 (보수총액은 1.에서 구한 357.)
   공제총액은 공제액의 총합이다. 숫자가 쉽고, 깔끔하게 구성되었으므로 순서만 바꾸어 정밀셈을 하자.
   160 + (16+284) + (103+7) = 160 + 300 + 110 = 57만원 → 실수령액은 300만원이다.
   실수령액과 봉급과의 관계 $\frac{300}{253}=\frac{260+40}{200+53}$, 따라서 1.3배 이하이다.

답 (O, X)

2 평균

Q 평균 유형은 어떻게 판단 할 수 있나요?

아래와 같은 자료과 설명의 형태를 지닌 유형을 평균 유형이라고 부른다.

〈표〉 '갑'사의 직원 A~D의 평가 점수 현황

직원 평가 항목	A	B	C	D	E
상관 평가	78	85	76	92	72
동기 평가	82	75	88	70	80
성과 평가	75	78	78	68	83

|설명|

1. '갑'사 직원의 상관 평가 점수의 평균은 80점 이상이다. (O, X)

2. 평가점수의 평균이 가장 높은 직원은 C이다. (O, X)

평균 유형은
① 자료에 여러 가지 연도 또는 여러 개의 평가 항목으로 구성됨
② 설명의 목적이 평균으로 구성됨.

Q 평균의 정의

평균이란 총합을 항의 개수로 나눈 값을 의미한다.

평균 = $\frac{\text{총합}}{\text{항의 개수}} = \frac{\sum x_n}{n}$ (Σ는 총합의 수학적 기호)

주어진 공식만으로는 평균의 의미가 잘 드러나지 않는다.

✲ 평균의 이미지화
평균은 주어진 모든 항의 값을 같게 만들었을 때의 크기를 알려주는 것이다.
즉, 넘치는 항이 부족한 항을 채워주어 모든 항의 크기를 모두 같게 만드는 것이다.

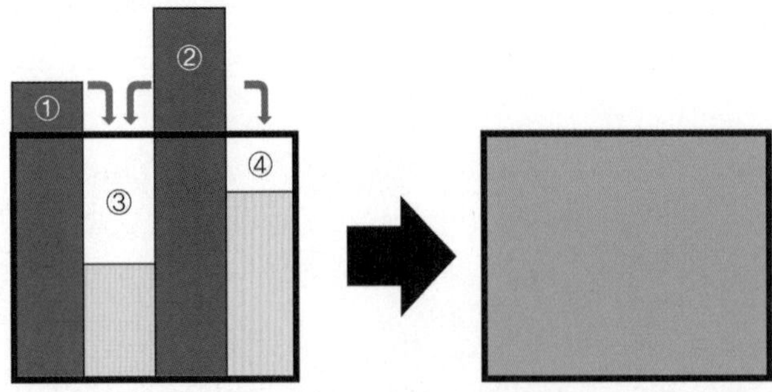

[※ 사각형의 높이 = 각 항의 크기(분수값), 사각형의 밑변 = 각 항의 영향력 (분모)]
평균보다 높은 높이의 물이 흘러내려와 평균보다 낮은 높이의 물을 채워준다.
→ 넘치는 것이 부족한 것을 채워 평평(동일)하게 만들어진 것을 평균이라 한다.

Q 평균에 관점 적용하기

평균은 '넘치는 항이 부족한 항을 채워주어' 라고 말하였다.
즉, '공통'이 부분이 발생한다는 것이다.
관점에서 배운 것처럼 '공통'을 소거하고 '차이'에만 집중하는 관점을 적용해보자.

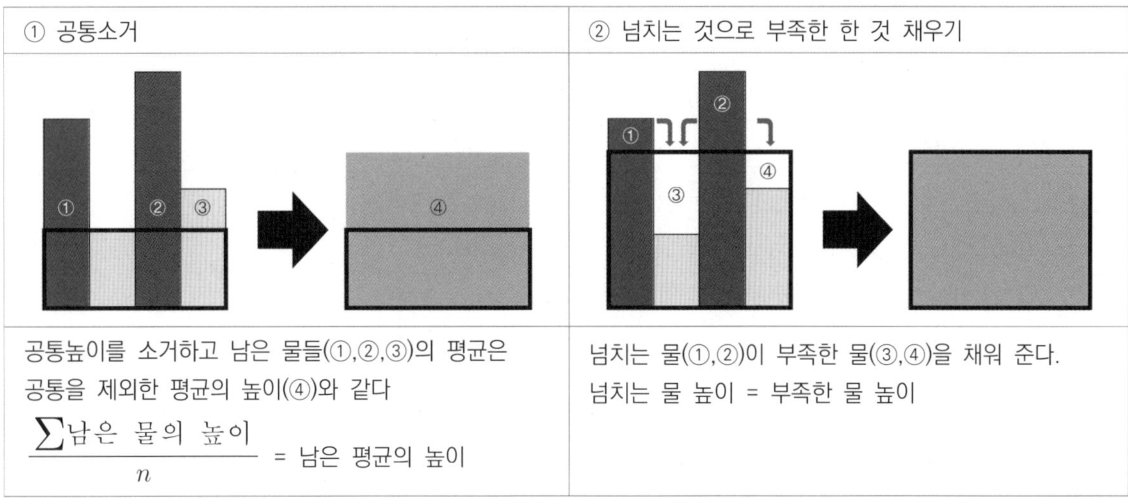

① 공통소거	② 넘치는 것으로 부족한 한 것 채우기
공통높이를 소거하고 남은 물들(①,②,③)의 평균은 공통을 제외한 평균의 높이(④)와 같다 $\frac{\sum \text{남은 물의 높이}}{n}$ = 남은 평균의 높이	넘치는 물(①,②)이 부족한 물(③,④)을 채워 준다. 넘치는 물 높이 = 부족한 물 높이

Q 평균을 요약 해주세요.

평균 요약하기

• 고정값이 예쁘게 주어진 경우

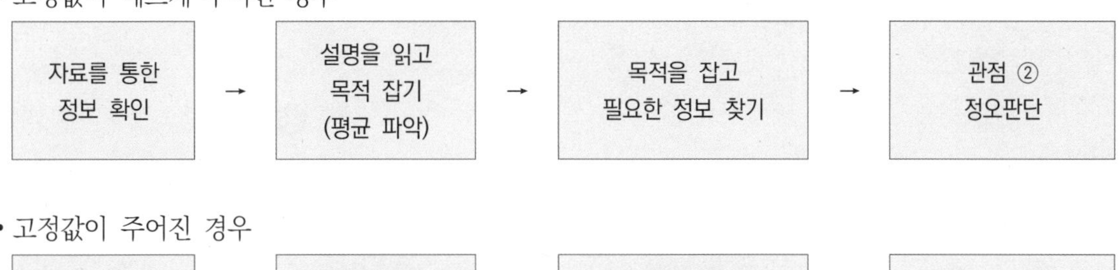

• 고정값이 주어진 경우

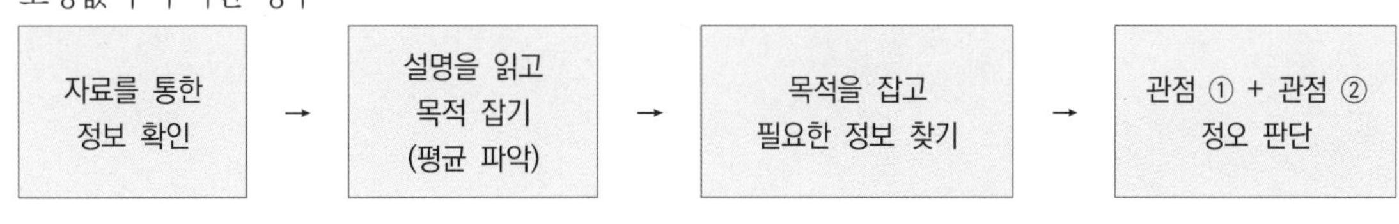

예제 [예쁜 고정값 O]

다음 〈표〉는 '갑'사 직원 A~D의 평가점수에 대한 자료이다. 이에 대한 〈설명〉의 정오는?

〈표〉 '갑'사 직원 A~D의 평가점수 현황

평가 항목 \ 직원	A	B	C	D	E
상관 평가	78	85	76	92	72
동기 평가	82	75	88	70	80
성과 평가	75	78	78	68	83

설명

1. '갑'사 직원의 상관 평가점수의 평균은 80점 이상이다. (O, X)
2. 평가점수의 평균이 가장 높은 직원은 C이다. (O, X)

✔ 자료

✔ 설명

▸목적 파트는?

▸설명의 유형은?

▸풀이의 방법은?

간단 퀴즈

Q 예쁜 고정값이 없을 땐 관점 ②를 사용할 수 없을까?

A 아니다

관점 적용하기

1. (O) 상관 평가점수를 80점을 기준으로 넘치는 물과 부족한 물을 생각하자.
   넘치는 물 = B와 D = 5+12 부족한 물 = A와 C와 E = 2+4+8
   넘치는 물의 양이 더 많으므로, 평균은 80 이상이다.
2. (O) C의 평가점수의 평균을 구하기 위해 가상의 고정값을 만들자.
   가상의 고정값 80점 → 넘치는 물 = 동기평가 8점, 부족한 물 = 상관평가와 성과평가 4+2점
   따라서, C의 평균은 80점이 넘는다.
   나머지 직원은 80점을 기준으로 봤을 때, 모두 80을 넘지 못한다.
   (※ 만약, 가상의 고정값으로 무엇을 만들어야할지 잘 모르겠다면, 그냥 공통소거를 진행하자.)

답 (O, O)

예제 [고정값 X or 안 예쁜 고정값]

다음 〈표〉는 '갑'시의 연도별 출생아 및 사망자 수에 대한 자료 이다. 이에 대한 〈설명〉의 정오는?

〈표〉 '갑'시의 연도별 출생아 및 사망자 수

항목 \ 연도	2011	2012	2013	2014	2015
출생아 수	4,351	4,578	4,782	4,447	4,981
사망자 수	1,189	1,522	1,422	1,578	1,872

설명

1. '갑'시의 2011~2015년 평균 출생아수는 2012년 출생아 수보다 높다. (O, X)
2. '갑'시의 2011~2015년 평균 사망자수는 2012년 사망자수보다 많다. (O, X)

✓ 자료

✓ 설명

▸ 목적 파트는?

▸ 설명의 유형은?

▸ 풀이의 방법은?

관점 적용하기

1. (O) 2012년 출생아수가 고정값으로 주어졌지만, 4,578값은 기준으로 삼기에는 예쁘지 않다.
   따라서, 공통소거를 통하여 평균을 구하자.
   1) 공통 소거 - 4000 소거 → 351 / 578 / 782 / 447 / 981
   2) 공통으로 500 소거하기 위해 넘치는 물 부족한물 → 551 / 578 / 582 / 547 / 881
   3) 공통 소거 - 500 소거 → 51 / 78 / 82 / 47 / 381 → 남은 값의 평균은 78보다 크므로 4578보다 크다.
2. (X) 2012년 사망자수가 고정값으로 주어졌지만, 1,522값은 기준으로 삼기에는 예쁘지 않다.
   따라서, 공통소거를 통하여 평균을 구하자.
   1) 공통 소거 - 1000 소거 → 189 / 522 / 422 / 578 / 872
   2) 공통으로 400 소거하기 위해 넘치는 물 부족한물 → 589 / 522 / 422 / 578 / 472
   3) 공통 소거 - 400 소거 → 189 / 122 / 22 / 178 / 72
   → 남은 값의 평균은 122보다 작으므로 평균값은 2012년 사망자수보다 적다.

답 (O, X)

적용문제-01 (행 18-14)

다음 〈표〉는 2011 ~ 2015년 군 장병 1인당 1일 급식비와 조리원 충원인원에 관한 자료이다. 이에 대한 〈설명〉의 정오는?

〈표〉 군 장병 1인당 1일 급식비와 조리원 충원인원

구분 \ 연도	2011	2012	2013	2014	2015
1인당 1일 급식비(원)	5,820	6,155	6,432	6,848	6,984
조리원 충원인원(명)	1,767	1,924	2,024	2,123	2,195
전년대비 물가상승률(%)	5	5	5	5	5

※ 2011 ~ 2015년 동안 군 장병 수는 동일함.

설명

1. 군 장병 1인당 1일 급식비의 5년(2011 ~ 2015년) 평균은 2013년 군 장병 1인당 1일 급식비보다 작다.

(O, X)

✓ 자료

✓ 설명

▸ 목적 파트는?

▸ 설명의 유형은?

▸ 풀이의 방법은?

간단 퀴즈

Q 2011~2015의 평균을 구할 때, 2013을 고려해야 할까?

A 고려하지 않아도 된다.

관점 적용하기

1. (X) 비교 대상이 되는 평균값이 6,432으로 깔끔하지 않다. → 공통 소거를 이용하자.
공통소거로 6,000을 사용하기 위하여 2015년의 180을 2011년으로 이동시키자.

2011	2012	2013	2014	2015		평균
6,000	6,155	6,432	6,848	6,804	VS	6,432

→ 공통인 6,000을 제거하자.

2011	2012	2013	2014	2015		평균
0	155	432	848	804	VS	432

→ 2014년과 2015년에서 400을 2011년과 2012년에 준다면,

2011	2012	2013	2014	2015		평균
400	555	432	448	404	VS	432

→ 공통인 400을 제거하자

2011	2012	2013	2014	2015		평균
0	155	32	48	4	VS	32

2011~2015의 합은 어림셈을 해도 200보다 크다. 200/5=40이므로 32 보다 크다.
2011~2015년 5년 평균값이 2013년보다 크다.

답 (X)

적용문제-02 (행 15-06)

다음 〈표〉는 '가' 대학 2013학년도 2학기 경영정보학과의 강좌별 성적분포를 나타낸 것이다. 이에 대한 〈설명〉의 정오는?

〈표〉 2013학년도 2학기 경영정보학과의 강좌별 성적분포

(단위: 명)

분야	강좌	담당 교수	교과목명	A+	A0	B+	B0	C+	C0	D+	D0	F	수강 인원
전공 기초	DBA-01	이성재	경영정보론	3	6	7	6	3	2	0	0	0	27
	DBA-02	이민부	경영정보론	16	2	29	0	15	0	0	0	0	62
	DBA-03	정상훈	경영정보론	9	9	17	13	8	10	0	0	0	66
	DEA-01	황욱태	회계학원론	8	6	16	4	9	6	0	0	0	49
전공 심화	MIC-01	이향옥	JAVA 프로그래밍	4	2	6	5	2	0	2	0	4	25
	MIG-01	김신재	e-비즈니스 경영	13	0	21	1	7	3	0	0	1	46
	MIH-01	황욱태	IT거버넌스	4	4	7	7	6	0	1	0	0	29
	MIO-01	김호재	CRM	14	0	23	8	2	0	2	0	0	49
	MIP-01	이민부	유비쿼터스 컴퓨팅	14	5	15	2	6	0	0	0	0	42
	MIZ-01	정상훈	정보보안관리	8	8	15	9	2	0	0	0	0	42
	MSB-01	이성재	의사결정 시스템	2	1	4	1	3	2	0	0	1	14
	MSD-01	김신재	프로젝트관리	3	3	6	4	1	1	0	1	0	19
	MSX-01	우희준	소셜네트워크 서비스	9	7	32	7	0	0	0	0	0	55

설명

1. 전공기초 분야의 강좌당 수강인원은 전공심화 분야의 강좌당 수강인원보다 많다.

(O, X)

자료

설명

▸ 목적 파트는?

▸ 설명의 유형은?

▸ 풀이의 방법은?

간단 퀴즈

Q 항의 개수가 적을 때 평균값을 도출하는 것이 항상 쉬울까?

A 꼭 그렇지는 않다.

관점 적용하기

1. (O) 기초와 심화 중 평균을 더 구하기 쉬운 것은?
   숫자의 범위가 작고, 항의 개수가 적은 기초 → 기초는 27, 62, 66, 49 4개로 구성되어 있다.
   27이 많이 부족해 보이기 때문에 66의 20을 27로 옮겨주자. → 47,62,46,49
   공통인 40을 소거하자 → 7+22+6+9 = 29+15 = 44, 남은 부분의 평균 = 11 → 기초의 평균 = 40+11 = 51
   평균값이 복잡하지 않기에, 51을 기준으로 '② 넘치는 것으로 부족한 것 채우기'로 접근하자.
   소셜네트워크 서비스(55)를 제외한 전공은 모두 51보다 작다. → 넘치는 것이 부족한 것보다 적다.
   따라서, 기초 평균인원이 심화 평균인원보다 많다

답 (O)

3 총합과 평균

Q 총합과 평균 유형은 어떻게 판단 할 수 있나요?

아래와 같은 자료과 설명의 형태를 지닌 유형을 총합과 평균이라고 부른다.

〈표〉 분기별 지하철 통행량

(단위: 만명)

항목 \ 분기	1분기	2분기	3분기	4분기
1호선	7,773	6,815	7,758	7,529
2호선	4,315	4,785	3,529	3,157
3호선	4,982	3,529	3,157	4,235

설명

1. 2020년 1호선의 통행량은 3억명 이상이다.
(O, X)

2. 2020년 일평균 통행량은 2호선보다 3호선이 많다.
(O, X)

총합과 평균 유형은
① 자료가 총합의 유형 또는 평균의 유형으로 주어짐
② 설명의 목적이 총합 또는 평균으로 주어짐

Q 총합과 평균의 정의

위에서 우리는 '총합'과 '평균' 유형을 배웠다.
그런데 총합과 평균, 각각의 정의는 아래와 같다.

총합 = $\sum x_n$	평균 = $\frac{\text{총합}}{\text{항의 개수}} = \frac{\sum x_n}{n}$

즉, 평균은 총합은 항의 개수(n)를 나눈 것, 총합은 평균에 항의 개수(n)를 곱한 것과 같다.
따라서, 총합이 목표일 때, 평균을 이용할 수 있고, 반대로 평균이 목표일 때 총합을 이용할 수도 있다.

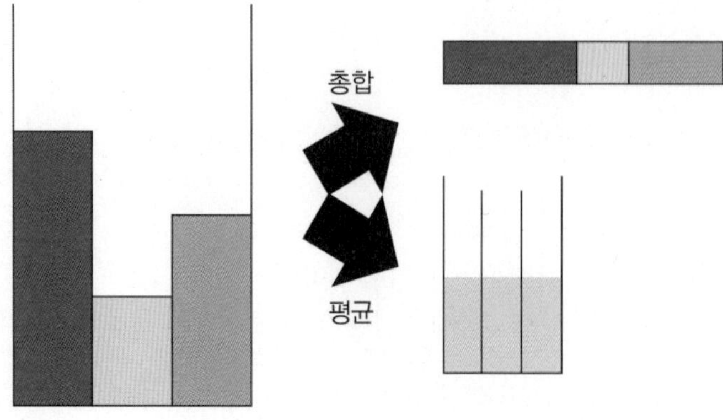

Q 총합과 평균에 관점 적용하기

위에서 본 것처럼 총합과 평균은 단순히 항의 개수(n)를 제외하면 차이가 나지 않는다.
과연 총합과 평균에 관련된 유형은 각각의 유형별 풀이법으로 해결하는 것이 반드시 옳을까?
아래의 2개의 문제를 해결하며 함께 생각해보자.

〈표〉 '갑'사의 제품별 판매량

(단위: 개)

가	나	다	라	마
3,773	4,315	4,758	3,529	4,235

Q. '갑'사의 전체 판매량은 20,000개 이상이다.
위 Q는 '총합'의 대표적인 형태이다.
그런데 위 Q를 총합으로 접근하는 것이 반드시 옳은 방법일까?
5개 제품의 평균값이 4,000(= $\frac{20,000}{5}$)보다 큰지를 확인 해보는 것은 어떨까?

〈표〉 7월 첫째 주 통근시간 지하철 통행량

7/01	7/02	7/03	7/04	7/05	7/06	7/07
3,773	4,315	4,785	3,529	3,157	4,235	3,812

Q. 1일부터 5일까지의 평균 통행량은 3일부터 7일까지의 평균통행량보다 크다.
위 Q는 '평균'의 대표적인 형태이다.
그런데 위 Q를 평균으로 접근하는 것이 반드시 옳은 방법일까?
1~5일의 총합과 3~7일의 총합을 비교해보는 것은 어떨까?

Q 총합과 평균을 요약 해주세요.

총합과 평균 요약하기

• 총합을 물어보는 경우

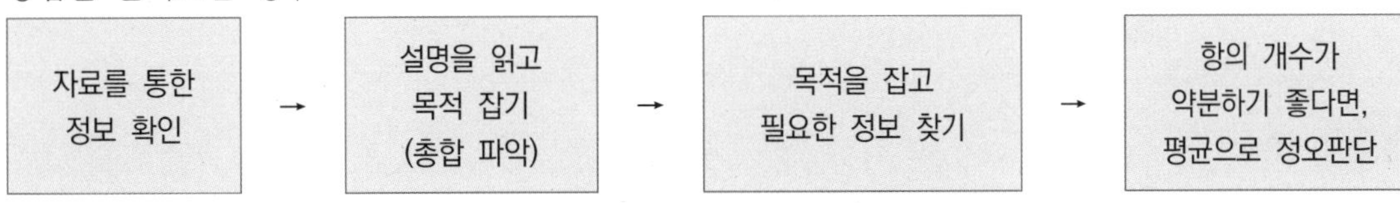

• 평균을 물어보는 경우

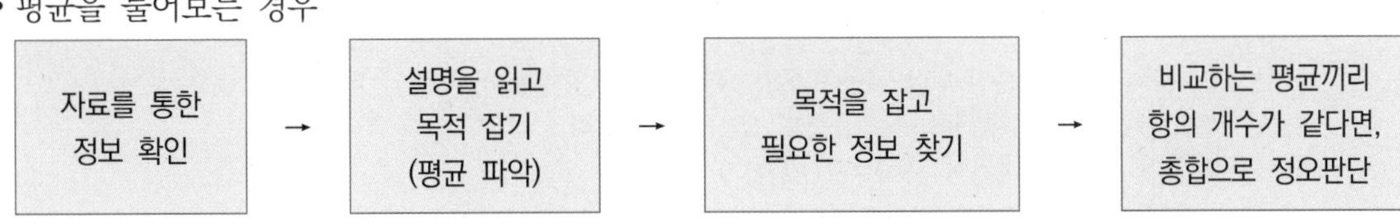

예제 [총합 ↔ 평균]

다음 〈표〉는 2020년 분기별 지하철 통행량을 나타낸 것이다. 이에 대한 〈설명〉의 정오는?

〈표〉 2020년 분기별 지하철 통행량

(단위: 만명)

호선 \ 분기	1분기	2분기	3분기	4분기
1호선	7,773	6,715	7,758	7,529
2호선	4,315	4,785	3,529	3,157
3호선	4,982	3,529	3,157	4,235

설명

1. 2020년 1호선의 통행량은 3억명 이상이다.

(O, X)

2. 2020년 일평균 통행량은 2호선보다 3호선이 많다.

(O, X)

자료

설명

▸ 목적 파트는?

▸ 설명의 유형은?

▸ 풀이의 방법은?

관점 적용하기

1. (X) 1호선 통행량의 총합에 대해서 물어보고 있다.
그런데, 1호선의 항이 4개이므로 평균으로 생각하면 7500만명 이상인지 묻는 것과 같다.
7500을 기준으로 보면
넘치는 양(1분기 273, 3분기 258, 4분기 29)보다 부족한 양(2분기 785)이 더 많으므로,
평균은 7500만명 이하이다. 따라서, 총합도 3억명 이하이다.
2. (O) 일평균 통행량, 평균에 대해서 물어보고 있다.
그런데, 2호선과 3호선 둘의 항의 개수가 같으므로, 총합을 비교하자.
2호선의 3분기 + 4분기 = 3호선의 2분기 + 3분기는 공통이므로,
차이인 2호선의 1분기 + 2분기와 3호선의 1분기 + 4분기를 비교하자.
2호선의 1분기 + 2분기 = 4,315 + 4,785 = 9,100
3호선의 1분기 + 4분기 = 4,982 + 4,235 = 9,217
따라서, 3호선이 2호선 보다 많다.

답 (X, O)

예제 [총합 ↔ 평균]

다음 〈표〉는 농구 A, B팀의 선수별 스펙 현황을 나타낸 것이다. 이에 대한 〈설명〉의 정오는?

〈표〉 농구 A, B팀의 선수별 스펙 현황

구분 / 포지션	A팀		B팀	
	키	몸무게	키	몸무게
1번(PG)	201	104.1	179	79.2
2번(SG)	196	99.3	187	88.5
3번(SF)	206	113.1	201	101.1
4번(PF)	211	109.8	213	104.8
5번(C)	208	114.7	211	129.4

설명

1. A팀 선수들의 몸무게의 합 500kg 이상이다. (O, X)

2. 1번과 4번 두선수의 팀이 바뀐다면 A팀의 평균 키는 4cm 감소한다. (O, X)

✓ 자료

✓ 설명

▸ 목적 파트는?

▸ 설명의 유형은?

▸ 풀이의 방법은?

관점 적용하기

1. (O) A팀 선수들의 몸무게 총합에 대해서 물어보고 있다.
그런데, A팀의 선수가 5명이므로 평균으로 생각하면 100kg 이상인지 묻는 것과 같다.
100을 기준으로 보면 넘치는 양이 부족한 양보다 크므로, 평균은 100kg 이상이다. 따라서, 총합도 500kg 이상이다.
2. (O) A팀 선수들의 평균 키에 대해서 물어보고 있다.
가정에 따라 변경되는 평균 키가 4cm인지 물어보고 있다. 이것을 총합으로 생각하면 $4 \times 5=20$cm이다.
1번 선수는 201에서 179가 됐으므로 22가 줄었고, 4번 선수는 211에서 213이 됐으므로 2가 증가했다.
따라서, 22cm가 감소하고 2cm가 증가했으므로 총 20cm가 감소했다.
총합이 20cm 감소했으므로 평균은 4cm 감소했다.

답 (O, O)

적용문제-01 (7급 모의-08)

다음 〈표〉는 '갑'시에서 주최한 10 km 마라톤 대회에 참가한 선수 A ~ D의 구간별 기록이다. 이에 대한 〈설명〉의 정오는?

〈표〉 선수 A ~ D의 10 km 마라톤 대회 구간별 기록

구간 \ 선수	A	B	C	D
0 ~ 1 km	5분 24초	5분 44초	6분 40초	6분 15초
1 ~ 2 km	5분 06초	5분 42초	5분 27초	6분 19초
2 ~ 3 km	5분 03초	5분 50초	5분 18초	6분 00초
3 ~ 4 km	5분 00초	6분 18초	5분 15초	5분 54초
4 ~ 5 km	4분 57초	6분 14초	5분 24초	5분 35초
5 ~ 6 km	5분 10초	6분 03초	5분 03초	5분 27초
6 ~ 7 km	5분 25초	5분 48초	5분 14초	6분 03초
7 ~ 8 km	5분 18초	5분 39초	5분 29초	5분 24초
8 ~ 9 km	5분 10초	5분 33초	5분 26초	5분 11초
9 ~ 10 km	5분 19초	5분 03초	5분 36초	5분 15초
계	51분 52초	(　　)	54분 52초	57분 23초

※ 1) A ~ D는 출발점에서 동시에 출발하여 휴식 없이 완주함.
2) A ~ D는 각 구간 내에서 일정한 속도로 달림.

| 설명 |

1. B의 10 km 완주기록은 60분 이상이다. (O, X)

✓ 자료

✓ 설명

▸ 목적 파트는?

▸ 설명의 유형은?

▸ 풀이의 방법은?

관점 적용하기

1. (X) 10km의 총합에 대해서 물어보고 있다.
그런데, 10km를 구하기 위한 항이 총 10개 이므로 평균으로 생각하면 6분 이상인지 묻는 것과 같다.
6분보다 넘치는 구간은 3~6km뿐이고, 그 외의 구간은 모두 6분보다 부족하다.
넘치는 구간의 시간을 부족한 구간을 채운다고 생각해보자.
넘치는 양보다 부족한 양이 더 많으므로 평균은 6분 이하이다. 즉, 총합은 60분 이하다.

답 (X)

적용문제-02 (5급 22-05)

다음 〈표〉는 '갑'도매시장에서 출하되는 4개 농산물의 수송 방법별 운송량에 관한 자료이다. 이에 대한 〈설명〉의 정오는?

〈표〉 4개 농산물의 수송 방법별 운송량

(단위: 톤)

수송 방법 \ 농산물	쌀	밀	콩	보리	합계
도로	10,600	16,500	400	2,900	30,400
철도	5,800	7,500	600	7,100	21,000
해운	1,600	3,000	4,000	2,000	10,600

※ '갑'도매시장 농산물 수송 방법은 도로, 철도, 해운으로만 구성됨.

설명

1. 농산물별 해운 운송량이 각각 100톤씩 증가하면 4개 농산물 해운 운송량의 평균은 2,750톤이다.

(O, X)

자료

설명

▸ 목적 파트는?

▸ 설명의 유형은?

▸ 풀이의 방법은?

관점 적용하기

1. (O) 평균이 2,750톤이라면, 총합은 2,750×4 = 11,000톤이다.
현재 해운 운송량은 10,600톤인데, 가정에 의하여 400톤이 증가되므로, 11,000톤이 된다.
따라서, 농산물별 해운 운송량이 각각 100톤씩 증가하면 4개 농산물 해운 운송량의 평균은 2,750톤이다.

답 (O)

적용문제-03 (제작문제)

다음 〈표〉는 공시생 '갑'과 '을'의 1주일간의 열품타 기록이다. 이에 대한 〈설명〉의 정오는?

〈표〉 '갑'과 '을'의 열품타 기록

요일 \ 공시생	갑	을
월요일	9시간 35분	9시간 15분
화요일	8시간 58분	8시간 42분
수요일	9시간 40분	9시간 15분
목요일	8시간 28분	8시간 18분
금요일	9시간 08분	8시간 56분
토요일	8시간 27분	8시간 09분

설명

1. 1주간의 열품타 시간의 합은 갑이 을보다 90분 이상 길다. (O, X)

자료

설명

▸ 목적 파트는?

▸ 설명의 유형은?

▸ 풀이의 방법은?

관점 적용하기

1. (O) 전체 열품타 시간이 90분 이상 길다는 것을 평균의 관점에서 보면

$\frac{90}{6}$ = 15분 이상 길다는 것이다.

갑과 을의 요일별 열품타 시간의 차이를 보자.

월: 20분, 화: 16분, 수: 25분, 목: 10분, 금: 12분, 토: 18분

평균값보다 부족한 것은 목요일(5분), 금요일(3분)뿐이다.

수요일만해도 10분이 넘치기 때문에 넘치는 것이 부족한 것을 채운 후에도 남는다.

답 (O)

적용문제-04 (민 12-24)

다음 〈표〉는 어느 해 주식 거래일 8일 동안 A사의 일별 주가와 〈산식〉을 활용한 5일 이동평균을 나타낸 것이다. 이에 대한 〈설명〉의 정오는?

〈표〉 주식 거래일 8일 동안 A사의 일별 주가 추이

(단위: 원)

거래일	일별 주가	5일 이동평균
1	7,550	-
2	7,590	-
3	7,620	-
4	7,720	-
5	7,780	7,652
6	7,820	7,706
7	7,830	( )
8	( )	7,790

산식

$$5\text{일 이동 평균} = \frac{\text{해당거래일 포함 최근 거래일 5일 동안의 일별 주가의 합}}{5}$$

[예] 6거래일의 5일 이 동평균 =

$$\frac{7{,}590 + 7{,}620 + 7{,}720 + 7{,}780 + 7{,}820}{5} = 7{,}706$$

설명

1. 5거래일 이후 5일이동평균은 거래일마다 상승하였다. (O, X)

2. 8거래일의 일별주가는 7거래일에 비하여 증가하였다. (O, X)

✓ 자료

✓ 설명

▸ 목적 파트는?

▸ 설명의 유형은?

▸ 풀이의 방법은?

관점 적용하기

5일 이동평균 = $\frac{\text{총합}}{n}$ 으로 구성된다. n이 항상 5로 동일하므로, 평균과 총합을 둘 다 사용 가능하다.

1. (O) 5일 이동평균 매번 증가 하는가 = 총합 매번 커지는가?
   6거래일 이동평균 = 2일+3일+4일+5일+6일/5 7거래일 이동평균 = 3일+4일+5일+6일+7일/5
   2거래일(7,590)이 빠지고 7거래일(7,830)이 들어온다. → 총합이 240 증가했고, 평균은 $\frac{240}{5}$=48 증가하였다.
   7,706+48 = 7,754이므로, 5일 이동평균은 매번 증가하였다.
2. (X) 7거래일과 8거래일의 이동평균 차이는 7,790−7,754 = 36이므로, 총합은 180차이난다.
   7거래일 이동평균 = 3일+4일+5일+6일+7일/5 8거래일 이동평균 = 4일+5일+6일+7일+8일/5
   3거래일이 빠지고 8거래일이 들어온 결과로 총합이 180 커졌다.
   따라서, 8거래일 = 3거래일 + 180 = 7,800이다.
   즉, 8거래일(7,800)은 7거래일(7,830)에 비하여 감소하였다.

답 (O, X)

적용문제-05 (민 18-08)

다음 〈표〉는 창호, 영숙, 기오, 준희가 홍콩 여행을 하며 지출한 경비에 관한 자료이다. 지출한 총 경비를 네 명이 동일하게 분담하는 정산을 수행할 때 〈그림〉의 A, B, C에 해당하는 금액을 바르게 나열한 것은?

〈표〉 여행경비 지출 내역

구분	지출자	내역	금액	단위
숙박	창호	호텔비	400,000	원
교통	영숙	왕복 비행기	1,200,000	
기타	기오	간식 1	600	홍콩달러
		중식 1	700	
		관광지1 입장권	600	
		석식	600	
		관광지 2 입장권	1,000	
		간식 2	320	
		중식 2	180	

※ 환율은 1홍콩달러당 140원으로 일정하다고 가정함.

〈그림〉 여행경비 정산 관계도

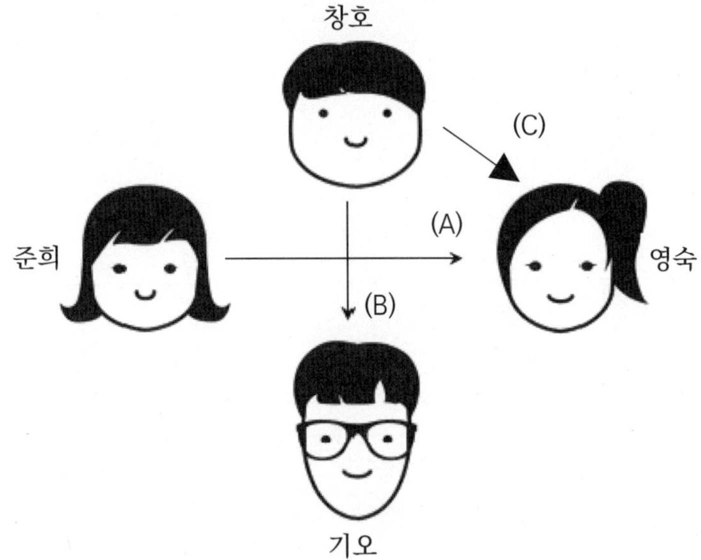

※ 돈은 화살표의 방향으로 각각 1회만 이동함.

	A	B	C
①	540,000원	20,000원	120,000원
②	540,000원	20,000원	160,000원
③	540,000원	40,000원	100,000원
④	300,000원	40,000원	100,000원
⑤	300,000원	20,000원	120,000원

✓ 자료

✓ 설명

▸ 목적 파트는?

▸ 설명의 유형은?

▸ 풀이의 방법은?

관점 적용하기

발문에 의하면 4명은 모두 동일한 금액을 분담한다. → 즉 평균이다.
〈표〉를 보면 준희의 경우 돈을 내지 않았다. 따라서 준희는 평균만큼의 돈을 영숙에게 주어야 한다.
선지를 확인하면 준희가 영숙에게 주는 금액은 300,000원 또는 540,000원이다.
원화로 지출한 호텔비와 왕복 비행기만으로도 1,600,000원이므로, 평균은 300,000원일 수 없다.
즉, 준희가 영숙에게 주는 돈은 540,000원이고, 이 값은 평균값이 된다.
호텔비로 400,000원을 지출한 창호는 누군가에게 140,000을 주어야 하고,
〈그림〉에 의하면 창호는 B+C 만큼 돈을 준다. 따라서 B+C = 140,000원
교통비로 1,200,000원을 지출한 영숙은 누군가에게 660,000원을 받아야 한다.
〈그림〉에 의하면 영숙은 A+C 만큼 돈을 받는다. A+C = 660,000원
위의 2조건을 모두 만족하는 선지는 ①이다.

답 ①

4 가중평균 <Day.8>

Q 가중평균 유형은 어떻게 판단 할 수 있나요?

아래와 같은 자료과 설명의 형태를 지닌 유형을 가중평균 유형이라고 부른다.

〈표〉 연도별 대학생 흡연율 현황

연도 / 항목	남성	여성	전체
00년	73.2	58.2	67.2
20년	62.3	54.8	(　　)

※ 취업률(%) = $\frac{\text{흡연자수}}{\text{대학생수}}$ × 100

설명

1. 00년 남성 대학생수는 여성 대학생 수의 1.5배이다. (O, X)

2. 00년과 20년의 남성과 여성의비율이 동일하다면, 20년 전체 흡연율은 60% 이하이다. (O, X)

가중 평균 유형은
① 자료에 비율이 주어진다. 단, 주어진 비율은 부분과 전체로 구성됨.
② 설명의 목적이 주어진 비율의 분모의 크기, 또는 분수의 크기에 대해서 물어봄.

Q 가중평균의 정의

가중평균은 다음과 같은 수식으로 나타낼 수 있다.

$\frac{Y}{X} = \frac{y_1 + y_2 + y_3}{x_1 + x_2 + x_3} = \frac{\sum y_n}{\sum x_n}$	※ 세팅편에서 배운 플마 찢기가 가중평균의 예시이다.

부분의 비($\frac{y_1}{x_1}$, $\frac{y_2}{x_2}$, $\frac{y_3}{x_3}$)가 모여서 전체의 비($\frac{Y}{X}$)를 이루는 경우에 사용된다.

＊ 생활 속의 가중평균
① 여러 직렬의 경쟁률이 모여서 전체 경쟁률을 이룬다.
② 자신이 투자한 여러 주식의 수익률이 모여서 전체 수익률을 이룬다.
③ 자신이 여러 단가에서 주식을 구매하였다면, 각각의 단가가 모여서 평단가를 이룬다.
④ 농도가 다른 소금물이 모여서 전체 농도를 이룬다.

	부분의 비 ($\frac{y_n}{x_n}$)	전체의 비 ($\frac{Y}{X}$)
경쟁률	개별 직렬의 경쟁률	전체 경쟁률
주식의 수익률	주식별 이익률	전체 이익률
주식의 단가	구매 시 단가	평균 단가
소금물	개별 소금물의 농도	섞은 소금물의 농도

앞에서 배운 '평균'은 각 항목이 주는 영향력이 모두 동일한 경우이다. (※ 영향력 = 분모의 크기) 그러나 '가중평균'은 이름처럼 각 항목이 주는 영향력(가중치, 분모)이 다른 경우 평균을 의미한다. 따라서 가중평균의 사각형은 평균의 사각형과 다르게 밑변의 길이(영향력)가 다르다.

Q 가중평균에 관점 적용하기

.가중평균도 평균처럼 '모든 값을 동일하게 만들면'이라는 가정을 함축한다.
따라서 '공통'영역이 발생한다. 이제 관점에서 배운 것처럼 공통을 소거하여 계산량을 줄이자.

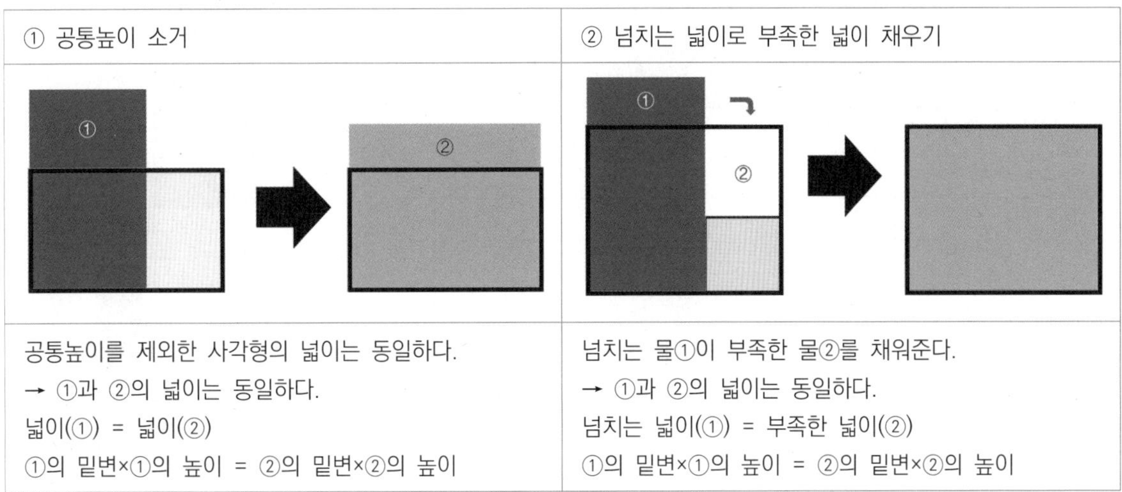

① 공통높이 소거	② 넘치는 넓이로 부족한 넓이 채우기
공통높이를 제외한 사각형의 넓이는 동일하다. → ①과 ②의 넓이는 동일하다. 넓이(①) = 넓이(②) ①의 밑변×①의 높이 = ②의 밑변×②의 높이	넘치는 물①이 부족한 물②를 채워준다. → ①과 ②의 넓이는 동일하다. 넘치는 넓이(①) = 부족한 넓이(②) ①의 밑변×①의 높이 = ②의 밑변×②의 높이

② 넘치는 넓이로 부족한 넓이를 채워주는 관점 생각해보면
밑변의 비율이 크면 클수록, 적은 높이차이로도 더 많은 물의 양을 채워 줄 수 있다.
따라서, ③ 밑변 비율에 따른 높이라는 관점을 생각할 수 있다.

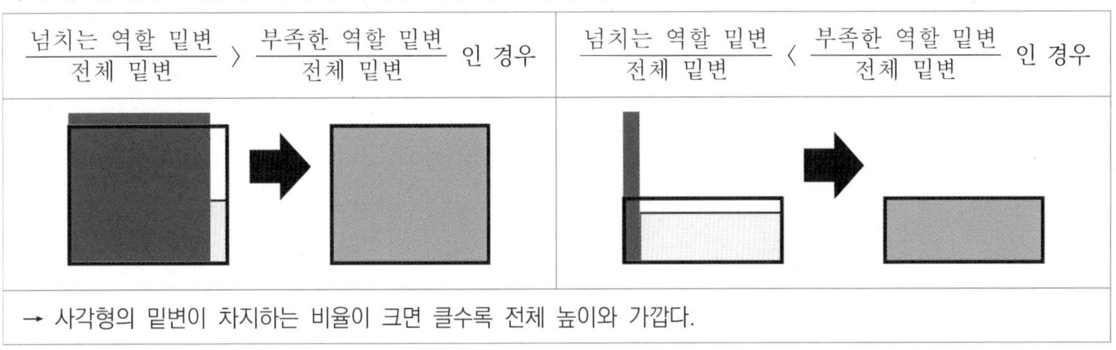

$\frac{\text{넘치는 역할 밑변}}{\text{전체 밑변}} > \frac{\text{부족한 역할 밑변}}{\text{전체 밑변}}$ 인 경우	$\frac{\text{넘치는 역할 밑변}}{\text{전체 밑변}} < \frac{\text{부족한 역할 밑변}}{\text{전체 밑변}}$ 인 경우
→ 사각형의 밑변이 차지하는 비율이 크면 클수록 전체 높이와 가깝다.	

설명만으로는 이해가 쉽지 않으므로, 뒷장에 있는 예제를 통해 적용하며 이해를 확장하자..

Q 가중평균 요약하기

가중평균을 요약하면,

• 높이에 대해서 물어보는 경우

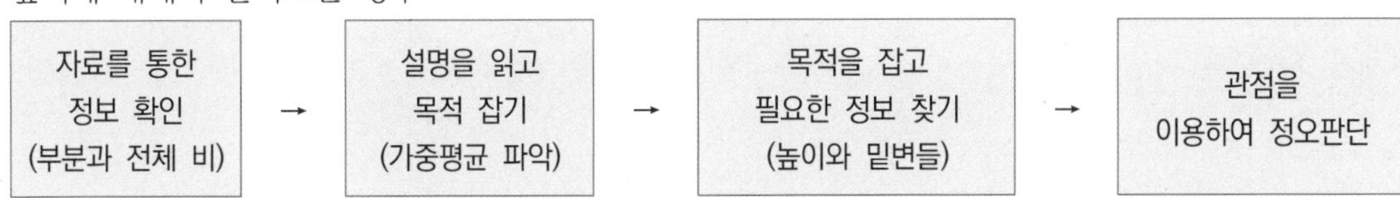

• 밑변에 대해서 물어보는 경우

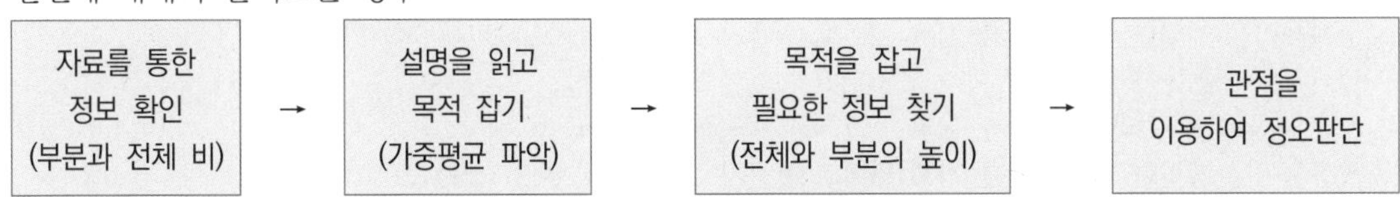

※ 고정값이 주어졌다면 ② 관점을 이용하고, 고정값이 주어지지 않았다면 ① + ② 관점을 이용하자.

예제 [가중평균 이해하기]

아래의 〈표〉를 보고, 이에 대한 〈설명〉에 대해 답하시오.

〈표〉 소금물 A~E의 소금물의 양 및 농도

소금물 종류 / 항목	A	B	C	D	E
소금물의 양(g)	100	200	150	250	300
소금물의 농도(%)	12	6	14	6	9

설명

1. A, B를 혼합했을 때의 농도는?

2. C, D를 혼합했을 떄의 농도는?

3. B, D, E를 혼합했을 때의 농도는?

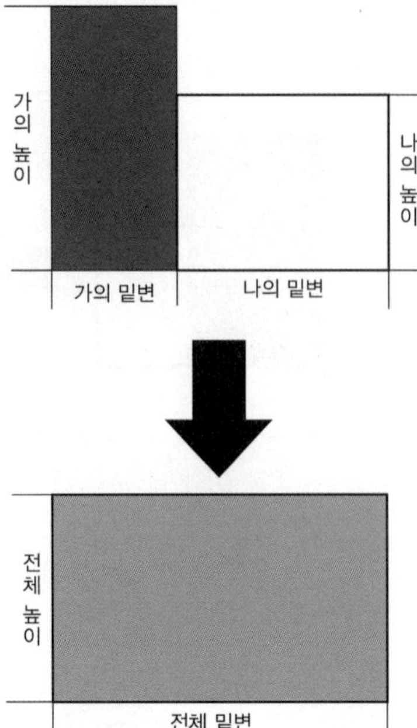

높이 = 소금물의 농도
밑변 = 소금물의 양
넓이 = 소금의 양

관점 적용하기

혼합한 소금물의 농도 = $\frac{\sum 소금의\ 양}{\sum 소금물의\ 양}$으로 구성된다. 따라서, 부분의 비가 모여서 전체의 비를 구성한다.

1. A의 높이 = 12, B의 높이 = 6 → 공통 높이 6
   공통높이를 제외한 A의 넓이를 전체 넓이로 만들자. 100×6 = (100+200) × (?) → (?) = 2
   따라서, 전체 높이 = 공통 높이 + (?) = 8
2. C의 높이 = 14, D의 높이 = 6 → 공통 높이 6
   공통높이를 제외한 C의 넓이를 전체 넓이로 만들자 150×8 = (150+250) × (?) → (?) = 3
   따라서, 전체 높이 = 공통 높이 + (?) = 9
3. B의 높이 = 6, D의 높이 = 6, E의 높이 = 9 → 공통 높이 6
   공통높이를 제외한 E의 넓이를 전체 넓이로 만들자 300×3 = (200+250+300) × (?) → (?) = 1.2
   따라서, 전체 높이 = 공통 높이 + (?) = 7.2

답 8%, 9%, 7.2%

예제 [가중평균 이해하기]

아래의 〈표〉를 보고, 이에 대한 〈설명〉에 대해 답하시오.

〈표〉 소금물

항목 \ 소금물 종류	A	B	C	D	E
소금물의 양(g)	300	( )	200	( )	( )
소금물의 농도(%)	10	6	8	3	7

설명

1. A, B를 혼합했을 때, 농도가 9%라면, B 소금물의 양은?

2. C, D를 혼합했을 때, 농도가 7%라면, D 소금물의 양은?

3. D, E를 혼합했을 때, 농도가 6%라면, D 소금물과 E소금물의 비율은?

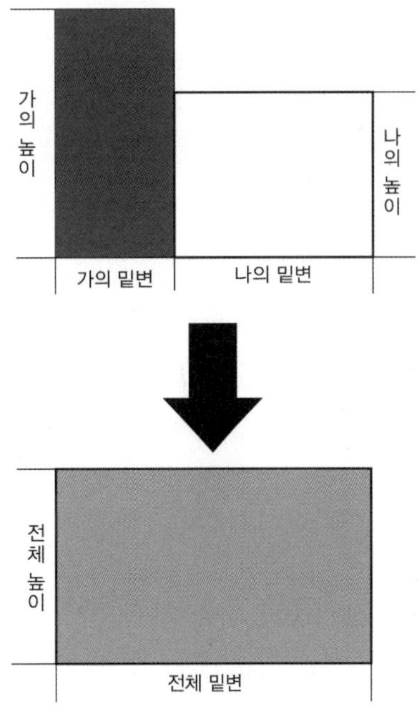

높이 = 소금물의 농도
밑변 = 소금물의 양
넓이 = 소금의 양

관점 적용하기

혼합한 소금물의 농도 = $\frac{\sum 소금의\ 양}{\sum 소금물의\ 양}$으로 구성된다. 따라서, 부분의 비가 모여서 전체의 비를 구성한다.

1. A의 높이 = 10, B의 높이 = 6, 전체 높이 = 9 → 넘치는 높이(A) = 1 부족한 높이(B) = 3
   전체 높이를 기준으로 넘치는 넓이(A)와 부족한 넓이(B)는 같다. → (300)×1 = (?)×3 → ? = 100
   따라서, B 소금물의 양은 100g이다.
2. C의 높이 = 8, D의 높이 = 3, 전체 높이 = 7 → 넘치는 높이(C) = 1 부족한 높이(D) = 4
   전체 높이를 기준으로 넘치는 넓이(A)와 부족한 넓이(B)는 같다. → 200×1 = (?)×4 → (?) = 50
   따라서, D 소금물의 양은 50g이다.
3. D의 높이 = 3, E의 높이 = 7, 전체 높이 = 6 → 넘치는 높이(E) = 1 부족한 높이(D) = 3
   전체 높이를 기준으로 넘치는 넓이(E)와 부족한 넓이(D)는 같다. → (E)×1 = (D)×3 → E = 3D
   따라서, E는 D의 3배이다.

답 100g, 50g, 1:3

예제 [가중평균 이해하기]

아래의 〈표〉를 보고, 이에 대한 〈설명〉에 대해 답하시오.

〈표〉 공무원 선발 경쟁률

소금물 종류 / 항목	행정직렬		기술직렬		전체
	일행	그외	기계	그 외	
선발인원	600	300	250	150	1300
경쟁률	44	32	30	22	( )

※ 경쟁률(%) = $\frac{\text{응시인원}}{\text{선발인원}} \times 100$

설명

1. 행정직렬의 경쟁률은 얼마인가?

2. 기술직렬의 경쟁률은 얼마인가?

3. 전체 공무원의 경쟁률은 얼마인가?

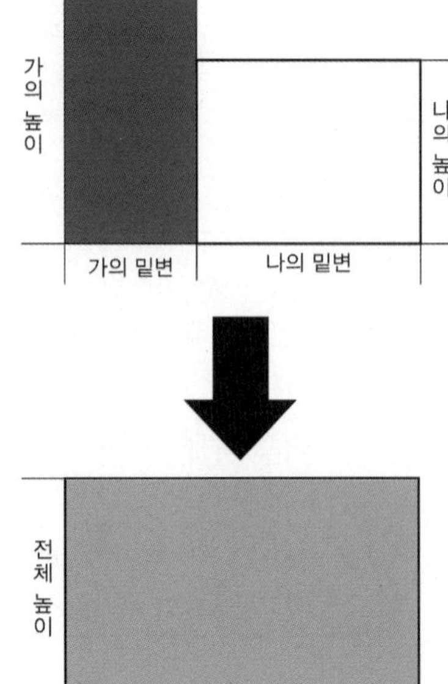

높이 = 경쟁률
밑변 = 선발인원
넓이 = 응시인원

관점 적용하기

합쳐진 경쟁률 = $\frac{\sum \text{응시인원}}{\sum \text{선발인원}}$ 으로 구성된다. 따라서, 부분의 비가 모여서 전체의 비를 구성한다.

1. 일행 높이 = 44, 그외 = 32, 공통 높이 = 32
   공통높이를 제외한 일행의 넓이를 전체 넓이로 만들자 600×12 = (600+300) × (?) → (?) = 8
   따라서, 전체 높이 = 공통 높이 + (?) = 40
2. 기계 높이 = 30, 그외 = 22, 공통 높이 = 22
   공통높이를 제외한 기계의 넓이를 전체 넓이로 만들자 250×8 = (250+150) × (?) → (?) = 5
   따라서, 전체 높이 = 공통 높이 + (?) = 27
3. 행정 높이 = 40, 기술 높이 = 27, 공통 높이 = 27
   공통높이를 제외한 행정의 넓이를 전체 넓이로 만들자 900×13 = (900+400) × (?) → (?) = 9
   따라서, 전체 높이 = 공통 높이 + (?) = 36

답 40, 27, 36

예제 [가중평균 이해하기]

〈표〉 '갑' 가구의 자녀별 평균 사교육비 현황

	첫째	둘째	전체
평균 사교육비	63	48	( )
등록 학원수	( )	( )	10

※ 평균 사교육비 = $\frac{\text{총 사교육비}}{\text{등록 학원수}}$

설명

1. 둘째의 등록 학원수가 6개라면, 전체 평균 사교육비는?

2. 전체 평균 사교육비가 51만원이라면, 첫째의 등록 학원수는?

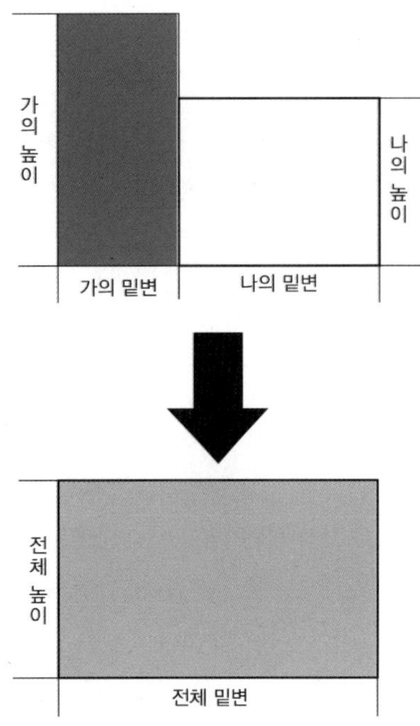

높이 = 평균 사교육비
밑변 = 등록 학원수
넓이 = 총 사교육비

관점 적용하기

합쳐진 평균 사교육비 = $\frac{\sum \text{총 사교육비}}{\sum \text{등록 학원수}}$으로 구성된다. 따라서, 부분의 비가 모여서 전체의 비를 구성한다.

1. 첫째의 높이 = 63, 둘째의 높이 = 48, 공통 높이 = 48
   공통 높이를 제외한 첫째의 넓이를 전체 넓이로 만들자. 4×15= (10) × (?) → (?) = 6
   따라서, 전체 높이 = 공통높이 + (?) = 54
2. 풀이.1
   첫째의 높이 = 63, 둘째의 높이 = 48, 전체 높이 = 51 → 넘치는 높이(첫째) = 12 부족한 높이(둘째) = 3
   전체 높이를 기준으로 넘치는 넓이(첫째)와 부족한 넓이(둘째)는 같다. → (첫째)×12 = (둘째)×3 → 4첫째=둘째
   따라서, 둘째는 첫째보다 4배 더 많은 학원을 등록했다. → 첫째 = 2개 , 둘째 = 8개
   풀이.2
   첫째의 높이 = 63, 둘째의 높이 = 48, 전체 높이 = 51 → 공통 높이 48 소거
   공통 높이를 제외한 첫째의 넓이 = 전체 넓이 → (첫째)×15= (전체)×3 → 5첫째=전체
   따라서, 첫째의 등록학원수는 전체의 1/5이므로, 2개이다. → 첫째 = 2개 , 둘째 = 8개

답 54, 2개

예제 [높이(분수)에 대해서]

다음 〈표〉는 A~C기업의 지원자 및 합격률 현황을 나타낸 것이다. 이에 대한 〈설명〉의 정오는?

〈표〉 A~C 기업의 지원자 및 합격률 현황

구분 / 기업	남성		여성	
	지원자수	합격률	지원자수	합격률
A	551	13.3	713	7.8
B	378	5.8	1,422	17.8
C	1768	17.2	632	2.2

※ 합격률 = $\frac{\text{합격자 수}}{\text{지원자 수}} \times 100$

설명

1. A 기업 지원자의 전체 합격률은 10% 이상이다. (O, X)

2. 전체 합격률은 C기업이 B기업보다 낮다. (O, X)

자료

설명

▸ 목적 파트는?

▸ 설명의 유형은?

▸ 풀이의 방법은?

간단 퀴즈

Q C기업과 B기업의 합격률을 비교할 때, 높이를 구하지 않을순 없을까?

A 넘치는 역할이 부족한 역할을 얼마나 채워줄지 생각해보자.

관점 적용하기

전체 합격률 = $\frac{\text{전체 합격자 수}}{\text{전체 지원자 수}} = \frac{\text{남성 합격자 수} + \text{여성 합격자 수}}{\text{남성 지원자 수} + \text{여성 지원자 수}}$

→ 부분의 비(남성 합격율과 여성 합격률)가 모여서 전체의 비(전체 합격률)를 이룸

→ 가중평균이 가능한 형태 → 높이 = 합격률, 밑변 = 지원자, 넓이 = 밑변 × 높이

1. (O) 높이(합격률)에 대해서 물어보며 고정값이 주어진 형태이다.
   따라서, ② 넘치는 것으로 부족한 것 채우기로 접근하자.
   고정값인 10%를 기준으로 남성은 넘치는 역할이고 여성은 부족한 역할이다.
   전체가 10% 이상이라면, 넘치는 넓이(남성)가 부족한 넓이(여성)보다 크다.
   넘치는 넓이(남성) 〉? 부족한 넓이(여성) → 밑변×(높이의 차이) 〉? 밑변×(높이의 차이)
   → 551 × (13.3−10.0) 〉? 713 × (10.0−7.8) → 551 × (3.3) 〉 713 × (2.2)
   넘치는 넓이가 더 크므로, 전체 합격률은 10% 이상이다.
2. (O) 높이(합격률)에 대해서 물어보며 고정값이 없는 형태 → ① 공통높이 소거
   B기업 → 공통높이: 남성 5.8소거 → 남은 사각형의 넓이(여성) = 전체 사각형의 넓이
   → 1422 × (17.8−5.8) = (378+1422) × ? → ? = 1422×12% / 1800 = 9.48%
   → 전체 높이 = ? + 공통높이 = 9.48+5.8 = 15.28%
   C기업 → 공통높이: 남성 2.2소거 → 남은 사각형의 넓이(남성) = 전체 사각형의 넓이
   → 1768 × (17.2−2.2) = (1768+632) × ? → ? = 1768×15% / 2400 = 11.05%
   → 전체 높이 = ? + 공통높이 = 11.05+2.2 = 13.25%
   따라서, 전체 합격률은 C기업이 B기업보다 낮다.

답 (O, O)

예제 [밑변(분모)에 대해서]

다음 〈표〉는 2021년 전년 동분기 대비 신규가입자 증가율을 나타낸 것이다. 이에 대한 〈설명〉의 정오는?

〈표〉 2021년 전년 동분기 대비 신규가입자 증가율

구분 / 분기	남성	여성	전체
1분기	3.5	5.6	4.0
2분기	2.7	6.1	5.6
3분기	3.2	5.3	4.1
4분기	3.1	6.1	5.6

설명

1. 2020년 1분기 신규가입자는 남성이 여성의 3배 이상이다.
(O, X)

2. 2020년 각 분기별 신규 가입자 중 여성이 차지하는 비중은 2분기가 4분기보다 높다.
(O, X)

자료

설명

▸ 목적 파트는?

▸ 설명의 유형은?

▸ 풀이의 방법은?

간단 퀴즈

Q 하나의 부분의 높이가 변했음에도, 전체의 값이 변하지 않은 것은 무엇을 의미할까?

A 높이가 변한 친구의 비중이 변화했다.

관점 적용하기

$$\text{전체 증가율} = \frac{\text{신규가입자 증가폭}}{\text{20년 신규가입자}} = \frac{\text{남성 증가폭} + \text{여성 증가폭}}{\text{20년 남성 신규} + \text{20년 여성 신규}}$$

→ 부분의 비(남성 증가율과 여성 증가률)가 모여서 전체의 비(전체 증가율)를 이룸

→ 가중평균이 가능한 형태 → 높이 = 증가율, 밑변 = 20년 신규가입자, 넓이 = 밑변 × 높이

1. (O) 밑변(20년 신규가입자)에 대해서 물어보며 고정값이 주어진 형태이다.
따라서, ② 넘치는 것으로 부족한 것 채우기로 접근하자.
전체 4%를 기준으로 여성은 넘치는 역할이고 남성은 부족한 역할이다.
넘치는 넓이(여성) = 부족한 넓이(남성) → 밑변×(높이의 차이) = 밑변×(높이의 차이)
→ 신규여성 × (5.6−4.0) = 신규남성 × (4.0−3.5) → 신규여성 × (1.6) = 신규남성 × (0.5)
신규남성이 신규여성보다 3배 이상 크다.
2. (O) 밑변(20년 신규가입자)에 대해서 물어보며 고정값이 없는 형태 → ① 공통높이 소거
2분기 → 공통높이: 남성 2.7소거 → 남은 사각형의 넓이(여성) = 전체 사각형의 넓이
→ 신규여성 × (6.1−2.7) = 전체 신규 × (5.6−2.7) → 신규여성 = 2.9/3.4 × 신규 전체 ≒ 85%
4분기 → 공통높이: 남성 3.1소거 → 남은 사각형의 넓이(여성) = 전체 사각형의 넓이
→ 신규여성 × (6.1−3.1) = 전체 신규 × (5.6−3.1) → 신규여성 = 2.5/3.0 × 신규 전체 = 83.3%
따라서, 여성이 차지하는 비중은 2분기가 4분기보다 높다.

답 (O, O)

적용문제-01 (5급 16-38)

다음 〈표〉 A시 30대와 50대 취업자의 최종학력 분포이다. 이에 대한 〈설명〉의 정오는?

〈표〉 A시 30대와 50대 취업자의 최종학력 분포

(단위: %)

구분 \ 최종학력		미취학	초등학교 졸업	중학교 졸업	고등학교 졸업	대학 졸업 이상
전체	30대	0.10	0.10	0.40	14.50	84.90
	50대	0.76	9.55	16.56	41.92	31.21
남성	30대	0.10	0.10	0.50	15.50	83.80
	50대	0.60	6.60	12.80	39.30	40.70
여성	30대	0.10	0.10	0.30	13.50	86.00
	50대	0.90	12.00	19.70	44.10	23.30

※ 주어진 값은 소수점 아래 셋째 자리에서 반올림한 값임.

설명

1. 50대 취업자 수는 남성이 여성보다 적다.

(O, X)

✓ 자료

✓ 설명

▸ 목적 파트는?

▸ 설명의 유형은?

▸ 풀이의 방법은?

관점 적용하기

1. (O) 학력 분포 = $\frac{\text{전체 해당 최종학력 인원}}{\text{전체 인원}} = \frac{\text{해당 최종학력 남성} + \text{해당 최종학력 여성}}{\text{전체 남성} + \text{전체 여성}}$

→ 부분의 비(남성 학력분포와 여성 학력분포)가 모여서 전체의 비(전체 학력분포)를 이룸

→ 가중평균이 가능한 형태 → 높이 = 분포, 밑변 = 인원, 넓이 = 밑변 × 높이

③ 밑변 비율에 따른 전체 높이

남성인원이 여성인원보다 적다면, 남성과 전체와의 높이 차이가 여성과 전체와의 높이 차이보다 크다.

미취학 학력 분포를 이용해서 보면

남성과 전체의 높이 차이 → 0.76−0.60 = 0.16 여성과 전체의 높이 차이 → 0.90−0.76 = 0.14

남성과 전체의 높이 차이가 더 크다. 따라서 밑변은 남성이 더 적다.

답 (O)

적용문제-02 (5급 12-39)

다음 〈표〉는 대학생 1,000명을 대상으로 성형수술에 대해 설문조사한 결과이다. 이에 대한 〈설명〉의 정오는?

〈표 〉 성형수술 희망 응답자의 성별 비율

(단위: %)

남성	여성	전체
30.0	37.5	33.0

※ 설문조사 대상자 중 미응답자는 없음.

설명

1. 설문조사에 참여한 여성응답자 수가 남성응답자 수보다 많다. (O, X)
2. 성형수술을 희망하는 여성응답자 수가 성형수술을 희망하는 남성응답자 수보다 많다. (O, X)

✓ 자료

✓ 설명

▸ 목적 파트는?

▸ 설명의 유형은?

▸ 풀이의 방법은?

관점 적용하기

성형수술 희망률 = $\frac{\text{전체 희망 응답자}}{\text{전체 참여 응답자}} = \frac{\text{남성 희망 응답자} + \text{여성 희망 응답자}}{\text{남성 참여 응답자} + \text{여성 참여 응답자}}$

→ 부분의 비(남성 희망률, 여성희망률)가 모여 전체의 비(전체 희망율)를 이루는 형태이다.

→ 즉, 가중평균이 가능한 형태 → 높이 = 희망률, 밑변 = 참여 응답자, 넓이 = 밑변 × 높이

1. (X) 밑변(참여 응답자)에 대해서 물어보며 고정값(1:1)이 주어진 형태 → ② 넘치는 것으로 부족한 것 채우기
   넘치는 넓이(여성) = 부족한 넓이(남성) → 밑변×(높이의 차이) = 밑변×(높이의 차이)
   → 여성 참여 응답자 × (37.5−33.0) = 남성 참여 응답자 × (33.0−30.0)
   → 여성 참여 응답자 × 4.5 = 남성 참여 응답자 × 3.0 → 남성 참여 응답자 = 1.5 × 여성 참여 응답자
   여성 참여 응답자는 남성 참여 응답자보다 적다.
   (※ ③ 밑변 비율에 따른 전체 높이와의 차이를 이용해서도 답을 도출할 수 있다.)
2. (X) 희망 응답자(분자) 즉, 넓이의 크기를 구해야 한다.
   넓이 = 밑변(참여 응답자) × 높이(희망률)
   남성 넓이(희망응답자): 남성 참여 응답자 × 30.0 = (1.5 × 여성 참여 응답자) × 30.0
   → 여성 참여 응답자 × 45.0
   여성 넓이(희망응답자): 여성 참여 응답자 × 37.5
   따라서 여성 희망 응답자가 남성 희망 응답자보다 적다.

답 (X, X)

적용문제-03 (5급 16-37)

다음 〈표〉는 A국의 2012년 의원 유형별, 정당별 전체 의원 및 여성 의원에 관한 자료이다. 이에 대한 〈설명〉의 정오는?

〈표〉 2012년 의원 유형별, 정당별 전체 의원 및 여성 의원

(단위: 명, %)

의원 유형	구분 \ 정당	가	나	다	라	기타	전체
비례대표 의원	전체 의원 수	34	42	18	17	74	185
	여성 의원 비율	41.2	54.8	27.8	35.3	40.5	42.2
지역구 의원	전체 의원 수	222	242	60	58	344	926
	여성 의원 비율	7.2	12.4	10.0	13.8	4.1	8.0

※ 1) 의원 유형은 비례대표의원과 지역구의원으로만 구성됨.
　2) 비율은 소수점 둘째 자리에서 반올림한 값임.

설명

1. 2012년 A국 전체 의원 중 여성 의원의 비율은 15% 이하이다. (O, X)

✓ 자료

✓ 설명

▸ 목적 파트는?

▸ 설명의 유형은?

▸ 풀이의 방법은?

관점 적용하기

1. (O) A국 전체 여성 의원비율 = $\frac{\text{A국 전체 여성의원수}}{\text{A국 전체 의원수}} = \frac{\text{비례대표 여성의원} + \text{지역구 여성의원}}{\text{비례대표 전체 의원} + \text{지역구 전체 의원}}$

→ 부분의 비(비례대표 여성비율, 지역구 여성비율)가 모여 전체의 비(전체 여성비율)를 이루는 형태이다.
→ 즉, 가중평균이 가능한 형태 → 높이 = 여성 비율, 밑변 = 의원수, 넓이 = 밑변 × 높이
높이(전체 여성비율)에 대해서 물어보며 고정값이 주어진 형태 → ② 넘치는 것으로 부족한 것 채우기
전체가 15% 이하라면, 넘치는 넓이(비례대표)가 부족한 넓이(지역구)보다 작다.
넘치는 넓이(비례대표) 〈? 부족한 넓이(지역구) → 밑변×(높이의 차이) 〈? 밑변×(높이의 차이)
→ 185 × (42.2−15.0) 〈? 926 × (15.0−8.0) → 185 × (27.2) 〈 926 × (7.0)
넘치는 넓이가 부족한 넓이보다 작다. 따라서 15% 이하이다.

답 (O)

적용문제-04 (5급 17-06)

다음 〈표〉는 2016년 1 ~ 6월 월말종가기준 A, B사의 주가와 주가지수에 대한 자료이다. 이에 대한 〈설명〉의 정오는?

〈표〉 A, B사의 주가와 주가지수(2016년 1 ~ 6월)

구분		1월	2월	3월	4월	5월	6월
주가(원)	A사	5,000	(　)	5,700	4,500	3,900	(　)
	B사	6,000	(　)	6,300	5,900	6,200	5,400
주가지수		100.00	(　)	109.09	(　)	91.82	100.00

※ 1) 주가지수 = $\frac{\text{해당 월 A사의 주가 + 해당 월 B사의 주가}}{\text{1월 A사의 주가 + 1월 B사의 주가}} \times 100$

2) 해당 월의 주가 수익률(%) = $\frac{\text{해당 월의 주가 - 전월의 주가}}{\text{전월의 주가}} \times 100$

설명

1. 2월 A사의 주가가 전월 대비 20% 하락하고 B사의 주가는 전월과 동일하면, 2월의 주가지수는 전월 대비 10% 이상 하락한다.

(O, X)

자료

설명

▸ 목적 파트는?

▸ 설명의 유형은?

▸ 풀이의 방법은?

관점 적용하기

1. (X) 주가지수 = $\frac{\text{해당 월 주가의 합}}{\text{1월 주가의 합}} = \frac{A\text{사 해당 월 주가} + B\text{사 해당 월 주가}}{A\text{사 1월 주가} + B\text{사 1월 주가}}$

(※ $\frac{\text{해당 월 주가}}{\text{1월 주가}}$ → 증가율로 포섭하자.)

→ 부분의 비(A사의 증가율, B사의 증가율)가 모여 전체의 비(주가지수)를 이루는 형태이다.

→ 즉, 가중평균이 가능한 형태 → 높이 = 증가율, 밑변 = 1월 주가, 넓이 = 밑변 × 높이

높이(전체 증가율)에 대해서 물어보며 고정값이 주어진 형태 → ② 넘치는 것으로 부족한 것 채우기

전체가 10% 이상 감소한다면(증가율 -10%), 넘치는 넓이(A사)가 부족한 넓이(B사)보다 크다.

넘치는 넓이(A사) 〉? 부족한 넓이(B사) → 밑변×(높이의 차이) 〉? 밑변×(높이의 차이)

→ 5,000 × (20−10) 〉? 6,000 × (10−0) → 5,000 × (10) 〉 6,000 × (10)

넘치는 넓이가 부족한 넓이보다 작다. 따라서 10% 이하 하락했다.

답 (X)

적용문제-05 (5급 20-09)

다음은 2014 ~ 2018년 부동산 및 기타 재산 압류건수 관련 정보가 일부 훼손된 서류이다. 이에 대한 〈설명〉의 정오는?

2014~2018년 부동산 및 기타 재산 압류건수

(단위: 건)

연도 \ 구분	부동산	기타 재산	전체
2014	122,148	6,148	128,296
2015	136	27,783	146,919
2016	743	34,011	158,754
2017	9	34,037	163,666
2018		29,814	151,211

설명

1. 2019년 부동산 압류건수가 전년 대비 30% 감소하고 기타 재산 압류건수는 전년과 동일하다면, 전체 압류건수의 전년 대비 감소율은 25% 미만이다. (O, X)

✓ 자료

✓ 설명

▸ 목적 파트는?

▸ 설명의 유형은?

▸ 풀이의 방법은?

관점 적용하기

1. (O) 감소율 = $\frac{\text{감소폭}}{\text{과거값}}$ 이므로

$$\text{전체 감소율} = \frac{\text{전체 감소폭}}{\text{전체 과거값}} = \frac{\text{부동산 감소폭} + \text{기타재산 감소폭}}{\text{부동산 과거값} + \text{기타재산 과거값}}$$

→ 부분의 비(부동산의 감소율, 기타재산의 감소율)가 모여 전체의 비(전체 감소율)를 이루는 형태이다.

→ 즉, 가중평균이 가능한 형태 높이 → 감소율, 밑변 = 과거값(2018년), 넓이 = 밑변 × 높이

높이(전체 감소율)에 대해서 물어보며 고정값이 주어진 형태 → ② 넘치는 것으로 부족한 것 채우기

전체가 25%미만 감소한다면, 넘치는 넓이(부동산)가 부족한 넓이(기타재산)보다 작다.

넘치는 넓이(부동산) 〈? 부족한 넓이(기타재산) → → 밑변×(높이의 차이) 〈 ? 밑변×(높이의 차이)

→ 122,--- × (30-25) 〈 ? 29,--- × (25-0)

→ 122,--- × 5 〈 ? 29,--- × 25

→ 배수비교법에 의하여 29,---×25가 더 크다. → 부족한 넓이가 더 크다.

따라서 전체 감소율은 25% 미만이다.

답 (O)

적용문제-06 (제작 문제)

다음 〈표〉는 A의 2021년 소득구성현황에 대한 자료이다. 이에 대한 〈설명〉의 정오는?

〈표〉 A의 2021년 소득 구성현황

(단위: 천원,%)

항목		수익	전년대비 증감율
근로 소득		33,121	15.3
	기본급	23,889	(　　)
	수당	9,232	10.3
투자 소득		19,317	-14.7

※ 근로 소득과 투자 소득 외의 소득은 없음.

┤설명├

1. A의 2021년 전체 소득의 전년 대비 증가율은 5% 이상이다. (O, X)

2. A의 2021년 기본급의 전년 대비 증가율은 17% 이상이다. (O, X)

✔ 자료

✔ 설명

▸ 목적 파트는?

▸ 설명의 유형은?

▸ 풀이의 방법은?

관점 적용하기

전년대비 증가율 = $\frac{\sum 증가폭}{\sum 과거값}$ 으로 구성된다.

가중평균을 구할땐, 항상 높이(증가율)와 밑변(과거값)이 필요하다.
주어진 자료는 과거값이 아닌 현재값이 주어졌으므로, 단순한 가중 평균으로 접근해서는 안되는 형태이다.

1. (X) 정확한 과거값을 구하기 전에, 과거값과 현재값의 관계부터 생각해보자.
투자: 감소율이므로 과거값은 현재값보다 더 크다. / 근로: 증가율이므로 과거값은 현재값보다 더 작다.
현재값을 이용하여 5%를 기준으로 넘치는 넓이(근로소득)와 부족한 넓이(투자소득)를 비교하자.
넘치는 넓이(근로소득) 〉? 부족한 넓이(투자소득)
$\rightarrow 331\downarrow \times (15.3-5)$ 〉? $193\uparrow \times (5-(-14.7)) \rightarrow 331\downarrow \times (10.3)$ 〉? $193\uparrow \times (19.7)$
넘치는 넓이가 부족한 넓이보다 작으므로, 전체 소득은 5% 이하 증가했다.
2. (O) 정확한 과거값을 구하기 전에, 과거값과 현재값의 관계부터 생각해보자.
기본급: 17% 이상 증가라면, 증가율이므로 과거값은 현재값보다 더 작다.
수당: 증가율이므로 과거값은 현재값보다 더 작다.
기본급과 수당중에, 기본급의 증가율이 더 크므로, 기본급의 과거값의 감소비율이 더 크다.
즉, 기본급이 수당보다 감소비율이 더 크므로, 기본급만 밑변만 작아진다고 생각하여 판단하자.
15.3%를 기준으로 넘치는 넓이(기본금)와 부족한 넓이(수당)를 비교하자.
넘치는 넓이(기본급) VS 부족한 넓이(수당)
$\rightarrow 238\downarrow \times (17-15.3)$ VS $92 \times (15.3-10.3) \rightarrow 238\downarrow \times 1.7$ 〈 92×5이다.
넘치는 넓이가 부족한 넓이보다 작다. 15.3%를 기준으로 넘치는 넓이와 부족한 넓이는 같아야 한다.
따라서 넘치는 넓이가 더 커지기 위해서는 기본급의 증가율은 17% 이상이어야 한다.

답 (X, O)

적용문제-07 (5급 15-16)

다음 〈표〉는 군별, 연도별 A소총의 신규 배치량에 관한 자료이다. 이에 대한 〈설명〉의 정오는?

〈표〉 군별, 연도별 A소총의 신규 배치량

(단위: 정)

군 \ 연도	2011	2012	2013	2014
육군	3,000	2,450	2,000	0
해군	600	520	450	450
공군	0	30	350	150
전체	3,600	3,000	2,800	600

설명

1. A소총 1정당 육군은 590만원, 해군은 560만원, 공군은 640만원으로 매입하여 배치했다면, 육·해·공군 전체의 A소총 1정당 매입가격은 2011년이 2014년보다 낮다.

(O, X)

✓ 자료

✓ 설명

▸ 목적 파트는?

▸ 설명의 유형은?

▸ 풀이의 방법은?

관점 적용하기

1. (X) 1정당 매입가격 $= \dfrac{\text{전체 소총 가격}}{\text{전체 소총 배치량}} = \dfrac{x\text{군 전체 소총 가격}+y\text{군 전체 소총 가격}}{x\text{군 소총 배치량}+y\text{군 소총 배치량}}$

→ 부분의 비(x군의 1정당 가격, y군의 1정당 가격)가 모여 전체의 비(전체 1정당 가격)를 이루는 형태이다.
→ 즉, 가중평균이 가능한 형태 → 높이 = 1정당 매입가격, 밑변 = 소총 배치량, 넓이 = 밑변 × 높이
높이(전체 여성비율)에 대해서 물어보며 고정값이 없는 형태 → ① 공통 높이 소거로 접근하자.

2011년 (육군과 해군) (① 공통높이 소거)
공통높이(560만원) 소거 [(넓이(①) = 넓이(②)) → 밑변×(높이의 차이) = 밑변×(높이의 차이)
→ 3000×(590−560) = 3600×?(=높이−높이)

→ $? = 30\times\dfrac{3,000}{3,600} = 25$ → 전체 1정당 매입가격 = 25+560 = 585만원

2014년 (해군과 공군) (① 공통높이 소거)
공통높이(560만원) 소거 [(넓이(①) = 넓이(②)) → 밑변×(높이의 차이) = 밑변×(높이의 차이)
→ 150×(640−560) = 600×?

→ $? = 80\times\dfrac{450}{600} = 20$ → 전체 1정당 매입가격 = 20+560 = 580만원

1정당 매입가격은 11년(585만원)이 14년(580만원)보다 높다.

답 (X)

적용문제-08 (민 18-24)

다음 〈표 1〉은 창의경진대회에 참가한 팀 A, B, C의 '팀 인원수' 및 '팀 평균점수'이며, 〈표 2〉는 〈표 1〉에 기초하여 '팀 연합 인원수' 및 '팀 연합 평균점수'를 각각 산출한 자료이다. (가)와 (나)에 들어갈 값을 바르게 나열한 것은?

〈표 1〉 팀 인원수 및 팀 평균점수

(단위: 명, 점)

팀	A	B	C
인원수	( )	( )	( )
평균점수	40.0	60.0	90.0

※ 1) 각 참가자는 A, B, C팀 중 하나의 팀에만 속하고, 개인별로 점수를 획득함.

2) 팀 평균점수 = $\frac{\text{해당 팀 참가자 개인별 점수의 합}}{\text{해당 팀 참가자 인원수}}$

〈표 2〉 팀 연합 인원수 및 팀 연합 평균점수

(단위: 명, 점)

팀 연합	A + B	B + C	C + A
인원수	80	120	(가)
평균점수	52.5	77.5	(나)

※ 1) A + B는 A팀과 B팀, B + C는 B팀과 C팀, C + A는 C팀과 A팀의 인원을 합친 연합임.

2) 팀 연합 평균점수 = $\frac{\text{해당 팀 참가자 개인별 점수의 합}}{\text{해당 팀 연합 참가자 인원수}}$

	(가)	(나)
①	90	72.5
②	90	75.0
③	100	72.5
④	100	75.0
⑤	110	72.5

✔ 자료

✔ 설명

▸ 목적 파트는?

▸ 설명의 유형은?

▸ 풀이의 방법은?

관점 적용하기

평균점수 = $\frac{\text{전체 점수의 합}}{\text{전체 인원}} = \frac{x\text{팀 점수의 합}+y\text{팀 점수의 합}}{x\text{팀 인원}+y\text{팀 인원}}$

→ 부분의 비(x팀 평균점수와 y팀 평균점수)가 모여서 전체의 비(전체 평균점수)를 이룸

→ 가중평균이 가능한 형태 → 높이 = 평균 점수, 밑변 = 인원, 넓이 = 밑변 × 높이

팀별 인원수 구하기 → A팀과 B팀 그리고 A+B팀 (① 공통높이 소거)

공통높이(40점) 소거 [(넓이(①) = 넓이(②)) → 밑변×(높이의 차이) = 밑변×(높이의 차이)

→ B팀 인원×(60−40) = A+B팀의 인원 × (52.5−40)

→ B팀 인원 = 80×$\frac{12.5}{20}$ = 50명, A팀 인원 = 전체−B팀 = 30명

B+C팀의 인원이 120명이므로, C팀 인원은 120−50=70명 → (가) = 30+70 = 100명

평균점수 구하기 → A팀과 C팀 그리고 A+C팀 (① 공통높이 소거)

공통높이(40점) 소거 [(넓이(①) = 넓이(②)) → 밑변×(높이의 차이) = 밑변×(높이의 차이)

→ C팀 인원 × (90−40) = A+C팀 인원 × ?(=높이−높이) → 70×50 = 100×? → ? = 35

?은 공통을 소거한 높이이므로, 전체 높이는 35+40이다. 따라서 전체 높이(평균 점수)(나) = 75

답 ④

적용문제-09 (민 18-08)

다음 〈표〉는 2019년 주요 7개 지역(A ~ G)의 재해 피해 현황이다. 이에 대한 〈설명〉의 정오는?

〈표〉 2019년 주요 7개 지역의 재해 피해 현황

지역 \ 구분	피해액 (천 원)	행정면적 (㎢)	인구 (명)	1인당 피해액(원)
전국	187,282,994	100,387	51,778,544	3,617
A	2,898,417	1,063	2,948,542	983
B	2,883,752	10,183	12,873,895	224
C	3,475,055	10,540	3,380,404	1,028
D	7,121,830	16,875	1,510,142	4,716
E	24,482,562	8,226	2,116,770	11,566
F	86,648,708	19,031	2,691,706	32,191
G	(　　)	7,407	1,604,432	36,199

※ 피해밀도(원/km^2) = $\frac{\text{피해액}}{\text{행정면적}}$

설명

1. D 지역과 F 지역을 합친 지역의 1인당 피해액은 전국 1인당 피해액의 5배 이상이다.

(O, X)

2. 주요 7개 지역을 합친 지역의 1인당 피해액은 나머지 전체 지역의 1인당 피해액보다 크다.

(O, X)

✓ 자료

✓ 설명

▸ 목적 파트는?

▸ 설명의 유형은?

▸ 풀이의 방법은?

관점 적용하기

$$1\text{인당 피해액} = \frac{\sum \text{해당지역 피해액}}{\sum \text{해당지역 인구}}$$ 이므로,

→ 부분의 비(지역별 1인당 피해액)가 모여 전체의 비(1인당 피해액)를 이루는 형태이다.
→ 즉, 가중평균이 가능한 형태 높이 → 1인당 피해액, 밑변 = 인구, 넓이 = 밑변 × 높이

1. (O) 1인당 피해액 = 높이 구하기이며, 고정값이 주어진 형태이다.
따라서 ② 넘치는 것으로 부족한 것 채우기으로 접근하자.
D와 F지역의 가중평균이 전국의 5배 3,600×5 = 18,000보다 큰가?
넘치는 넓이(F) 〉? 부족한 넓이(D) → 밑변×(높이의 차이) = 밑변×(높이의 차이)
→ 269 × (32,--- − 18,000) 〉? 151 × (18,000 − 4,7--)
→ = 269 × (14,---) 〉? 151 × (13,3--)
→ 넘치는 넓이(F)가 부족한 넓이(D)보다 크므로, D, F 지역의 높이는 전국의 5배 이상이다.

2. (O) 1인당 피해액 = 높이 구하기이며, 고정값이 주어진 형태이다.
따라서 ② 넘치는 것으로 부족한 것 채우기으로 접근하자.

주요 7개 지역과 나머지 지역의 가중평균 → 전국 1인당 피해액
주요 7개 지역의 1인당 피해액이 나머지 지역의 1인당 피해액보다 큰 것이 참이라면,
나머지 지역과 주요 7개 지역의 가중평균에서 주요 7개 지역은 채워주는 역할이다.
(※ 높이의 순서 → 주요 7개 〉 전국 〉 그 외)
주요 7개 지역이 채워주는 역할이라면, 주요 7개 지역의 1인당 피해액 〉 전국 1인당 피해액이다.
주요 7개 지역이 전국보다 큰지 확인하기 위해, 주요 7개 지역의 가중평균값을 구해보자.

주요 7개 지역의 가중평균 구하기
전국 1인당 피해액(3,617)을 기준으로,
넘치는 넓이(D, E, F, G) 〉? 부족한 넓이(A, B, C) → Σ밑변×(높이의 차이) = Σ밑변×(높이의 차이)
부족한 넓이의 구성을 보면, B지역을 제외하고는 채우기 충분한 것을 쉽게 볼 수 있다.
B지역의 부족한 넓이를 G지역이 채워준다고 생각해보자.
→ 160 × (36,000−3,600) 〉? 1,287 × (3,600 − 200)
→ 160 × (32,400) 〉? 1,287 × (3,400)
→ 넘치는 넓이가 부족한 넓이보다 크다. → 주요 7개 지역의 1인당 피해액은 3,617보다 높다.
→ 따라서, 주요 7개 지역이 넘치는 역할, 나머지 전체 지역이 부족한 역할이다.
→ 주요 7개 지역을 합친 지역의 1인당 피해액은 나머지 전체 지역의 1인당 피해액보다 크다.

답 (O, O)

적용문제-10 (민 18-08)

다음 〈그림〉은 어느 대학의 A ~ G 전공분야별 과목 수와 영어강의 과목 비율을 나타낸 것이다. 이에 대한 〈설명〉의 정오는?

〈그림 1〉 전공분야별 과목 수

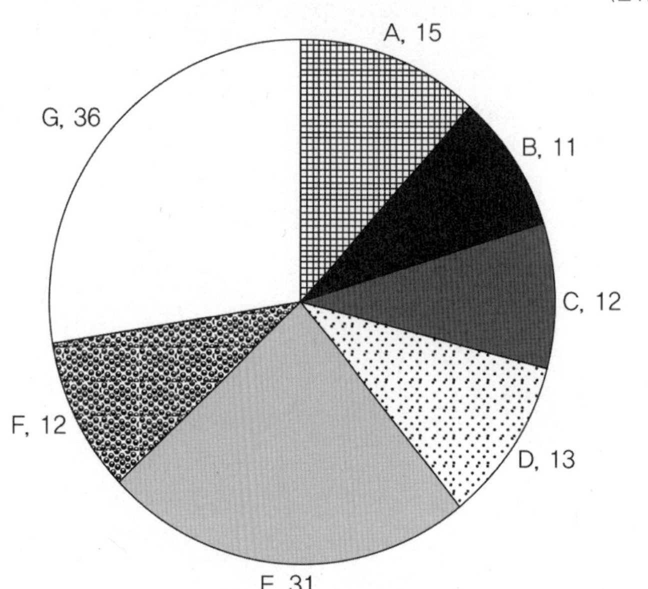

〈그림 2〉 전공분야별 영어강의 과목 비율

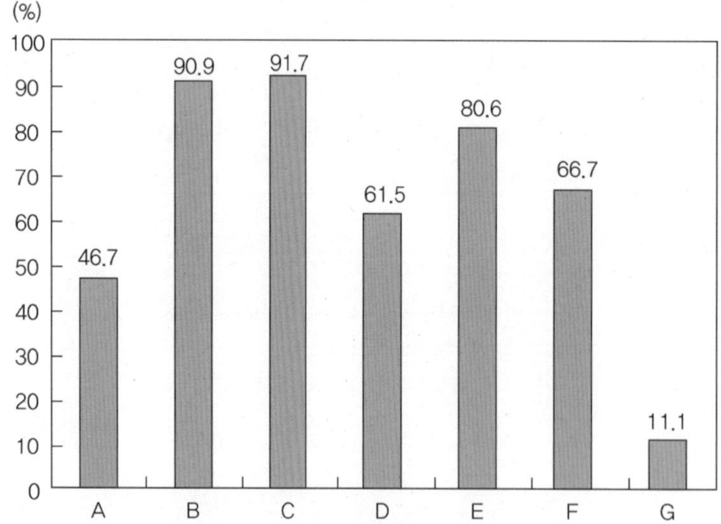

※ 1) 영어강의 과목은 전공분야 과목 중 영어로 진행되는 과목임.

2) 영어강의 과목 비율(%) = $\frac{\text{전공분야별 영어강의 과목수}}{\text{전공분야별 과목수}} \times 100$

3) 영어강의 과목 비율은 소수점 아래 둘째 자리에서 반올림 함.

4) 이 대학에 A ~ G 전공분야 과목 이외의 과목은 없음.

설명
1. 영어강의 과목 수는 이 대학 전체 과목 수의 50% 이상이다. (O, X)

✓ 자료

✓ 설명

▸ 목적 파트는?

▸ 설명의 유형은?

▸ 풀이의 방법은?

관점 적용하기

1. (O) 전체 영어과목의 비율 = $\frac{\text{전체 영어과목수}}{\text{전체 과목수}} = \frac{\sum \text{전공별 영어과목수}}{\sum \text{전공별 과목수}}$ 이므로,

→ 부분의 비(전공별 영여 과목 비율)가 모여 전체의 비(전체 영어과목 비율)를 이루는 형태이다.
→ 즉, 가중평균이 가능한 형태 → 높이 = 영어 비율, 밑변 = 과목 수, 넓이 = 밑변 × 높이
높이(영어과목 비율)에 대해서 물어보며 고정값이 주어진 형태 → ② 넘치는 것으로 부족한 것 채우기
전체가 50% 이상이라면 넘치는 넓이가 부족한 넓이보다 크다.
넘치는 넓이(B, C, D, E, F) 〉? 부족한 넓이(A, G) → Σ밑변×(높이의 차이) 〉? Σ밑변×(높이의 차이)
→ G의 부족한 넓이 = (50−11.1) × 36 = 38.9 × 36
→ 계산의 2단계를 활용하자.
실제값을 계산하는 것이 아니라 어림셈을 하자.
B, C, E의 넘치는 넓이면 G의 부족한 넓이를 채우기 충분하다.
→ A의 부족한 넓이 = (50−46.7) × 15
→ 계산의 2단계를 활용하자.
실제값을 계산하는 것이 아니라 어림셈을 하자.
D의 넘치는 넓이면 A의 부족한 넓이를 채우기 충분하다.
따라서, 영어강의 과목 수는 이 대학 전체 과목 수의 50% 이상이다.

답 (O)

적용문제-11 (7급 모의-19)

다음 〈표〉는 A사에서 실시한 철근강도 평가 샘플 수 및 합격률에 관한 자료이다. 이에 대한 〈설명〉의 정오는?

〈표〉 철근강도 평가 샘플 수 및 합격률

(단위: 개, %)

구분 \ 종류		SD400	SD500	SD600	전체
샘플 수		35	( )	25	( )
평가항목별 합격률	항복강도	100.0	95.0	92.0	96.0
	인장강도	100.0	100.0	88.0	( )
최종 합격률		100.0	( )	84.0	( )

※ 1) 평가한 철근 종류는 SD400, SD500, SD600뿐임.
2) 항복강도와 인장강도 평가에서 모두 합격한 샘플만 최종 합격임.
3) 합격률(%) = $\frac{\text{합격한 샘플 수}}{\text{샘플 수}} \times 100$
4) 평가 결과는 합격 또는 불합격임.

설명

1. SD500 샘플 수는 50개 이상이다.

(O, X)

✓ 자료

✓ 설명

▸ 목적 파트는?

▸ 설명의 유형은?

▸ 풀이의 방법은?

관점 적용하기

1. (X) 합격률 = $\frac{\sum \text{합격한 샘플수}}{\sum \text{샘플수}}$

→ 부분의 비(개별 샘플의 합격률)가 모여 전체의 비(전체 샘플의 합격률)를 이루는 형태이다.
→ 즉, 가중평균이 가능한 형태 → 높이 = 합격률, 밑변 = 샘플수, 넓이 = 밑변 × 높이
밑변(샘플)에 대해서 물어보며 고정값이 주어진 형태 → ② 넘치는 것으로 부족한 것 채우기
항복강도의 전체 샘플의 합격률이 96%이므로, 96%를 기준으로 넘치는 넓이와 부족한 넓이가 같다.
넘치는 넓이(SD400) = 부족한 넓이(SD500, SD600) → 밑변×(높이의 차이) = Σ밑변×(높이의 차이)
35×(100−96) = ?×(96−95) + 25×(96−92)
→ SD400과 SD600의 높이 차이가 동일하므로 SD600 25개를 먼저 채워주자.
10×4 = ?×1 → ? = 40 → 따라서 SD500은 40개이다.

답 (X)

적용문제-12 (5급 16-18)

다음 〈표〉는 A도시 주민 일일 통행 횟수의 통행목적에 따른 시간대별 비율을 정리한 자료이다. 이에 대한 〈설명〉의 정오는?

〈표〉 일일 통행 횟수의 통행목적에 따른 시간대별 비율

(단위: %)

시간대 \ 통행목적	업무	여가	쇼핑	전체통행
00:00 ~ 03:00	3.00	1.00	1.50	2.25
03:00 ~ 06:00	4.50	1.50	1.50	3.15
06:00 ~ 09:00	40.50	1.50	6.00	24.30
09:00 ~ 12:00	7.00	12.00	30.50	14.80
12:00 ~ 15:00	8.00	9.00	31.50	15.20
15:00 ~ 18:00	24.50	7.50	10.00	17.60
18:00 ~ 21:00	8.00	50.00	14.00	16.10
21:00 ~ 24:00	4.50	17.50	5.00	6.60
계	100.00	100.00	100.00	100.00

※ 1) 전체통행은 업무, 여가, 쇼핑의 3가지 통행목적으로만 구성되며, 각각의 통행은 하나의 통행목적을 위해서만 이루어짐.
2) 모든 통행은 각 시간대 내에서만 출발과 도착이 모두 이루어짐.

설명

1. 일일 통행목적별 통행 횟수는 '업무', '쇼핑', '여가' 순으로 많다. (O, X)

자료

설명

▸ 목적 파트는?

▸ 설명의 유형은?

▸ 풀이의 방법은?

관점 적용하기

1. (O) 시간대 비율 = $\frac{\text{해당시간대 전체통행}}{\text{전체통행}} = \frac{\text{해당시간대(업무통행+여가통행+쇼핑통행)}}{\text{업무통행+여가통행+쇼핑통행}}$

→ 부분의 비(목적별 시간대 비율)가 모여 전체의 비(전체 시간대 비율)를 이루는 형태이다.

→ 즉, 가중평균이 가능한 형태 → 높이 = 시간대 비율, 밑변 = 통행 횟수, 넓이 = 밑변 × 높이

밑변(통행량)에 대해서 물어보며 고정값이 없는 형태 → ① 공통높이 소거

넓이(①) = 넓이(②) → 밑변×(높이의 차이) = Σ밑변×(높이의 차이)

1) 시간대 03:00~06:00 (여가와 쇼핑의 높이가 동일하므로, 공통높이를 소거하기 좋다.)

공통높이(1.5) 소거 후 넓이 동일 → 업무 통행×(4.5−1.5) = 전체 통행×(3.15−1.5)

→ $\frac{\text{업무 통행}}{\text{전체 통행}} = \frac{1.65}{3.0}$ → 업무 통행비율 = 0.55 = 55%

2) 시간대 00:00~03:00 (숫자 값이 간단)

공통높이(1.0) 소거 후 넓이 동일

업무 통행 × (3.0−1.0) + 쇼핑 통행 × (1.5−1.0) = 전체 통행 × (2.25−1.0)

→ $\frac{\text{업무 통행}}{\text{전체 통행}}\times 2.0 + \frac{\text{쇼핑 통행}}{\text{전체 통행}}\times 0.5 = 1.25$ → → 0.55×2.0 + 쇼핑 통행 비중×0.5 = 1.25

→ 쇼핑 통행 비중×0.5 = = 1.25−1.1 → 쇼핑 통행 비중 = $\frac{0.15}{0.5}$ = 0.3 = 30%

업무 통행 비중 = 55%, 여가 통행 비중 = 15% 쇼핑 통행 비중 = 30%

비중은 횟수는 비례하므로, 통행 횟수는 업무, 쇼핑, 여가순이다.

답 (O)

적용문제-13 (5급 18-37)

다음 〈표〉는 18세기 조선의 직업별 연봉 및 품목별 가격에 관한 자료이다. 이에 대한 〈설명〉의 정오는?

〈표 1〉 18세기 조선의 직업별 연봉

구분		곡물(섬)		면포(필)	현재 원화가치(원)
		쌀	콩		
관료	정1품	25	3	-	5,854,400
	정5품	17	1	-	3,684,800
	종9품	7	1	-	1,684,800
궁녀	상궁	11	1	-	(　　)
	나인	5	1	-	1,284,800
군인	기병	7	2	9	(　　)
	보병	3	-	9	1,500,000

〈표 2〉 18세기 조선의 품목별 가격

품목	곡물(1섬)		면포(1필)	소고기(1근)	집(1칸)	
	쌀	콩			기와집	초가집
가격	5냥	7냥 1전 2푼	2냥 5전	7전	21냥 6전 5푼	9냥 5전 5푼

※ 1냥 = 10전 = 100푼

설명

1. '기병' 연봉은 '종9품' 연봉보다 많고 '정5품' 연봉보다 적다.

(O, X)

✔ 자료

✔ 설명

▸ 목적 파트는?

▸ 설명의 유형은?

▸ 풀이의 방법은?

관점 적용하기

1. (O) 기병 VS 종9품의 연봉 비교

공통으로 쌀 7섬과 콩 1섬을 소거하면,
기병은 콩 1섬과 면포 9필이 남고 종9품은 남는게 없으므로 기병의 연봉이 더 많다.

기병 VS 정5품의 연봉 비교
공통으로 쌀 10섬을 소거하면, 기병은 콩 1섬과 면포 9필이 남고, 정5품은 쌀 10섬이 남는다.
총합과 평균에서 배운 것처럼 항의 개수가 같다면 '평균'처럼 취급할 수 있다.
콩 1섬과 면포 9필의 1개당 가격과 쌀 10섬의 1개당 가격을 비교하자.
콩+면포의 1개당 가격과 쌀 1개당 가격 비교
쌀의 가격인 5냥을 기준으로 ② 넘치는 것으로 부족한 것 채우기
넘치는 넓이(콩) 〈? 부족한 넓이(면포) → 밑변×(높이의 차이) 〈? 밑변×(높이의 차이)
→ 1×(7.12−5) 〈? 1×(5−2.5) → 1×(2.12) 〈? 1×(2.5)
넘치는 넓이가 부족한 넓이보다 작다.
따라서 1개당 가격은 콩+면포(5↓)가 쌀(5)보다 적다. 그러므로, 기병의 연봉이 정5품의 연봉보다 적다.

답 (O)

적용문제-14 (5급 20-17)

다음 〈표〉는 유통업체 '가' ~ '바'의 비정규직 간접고용 현황에 대한 자료이다. 이에 대한 〈설명〉의 정오는?

〈표〉 유통업체 '가' ~ '바'의 비정규직 간접고용 현황

(단위: 명, %)

유통업체	사업장	업종	비정규직 간접고용 인원	비정규직 간접고용 비율
가	A	백화점	3,408	74.9
나	B	백화점	209	31.3
다	C	백화점	2,149	36.6
	D	백화점	231	39.9
	E	마트	8,603	19.6
라	F	백화점	146	34.3
	G	마트	682	34.4
마	H	마트	1,553	90.4
바	I	마트	1,612	48.7
	J	마트	2,168	33.6
전체			20,761	29.9

※ 비정규직 간접고용 비율(%) = $\frac{\text{비정규직 간접고용 인원}}{\text{비정규직 간접고용 인원} + \text{비정규직 직접고용 인원}} \times 100$

설명

1. 비정규직 직접고용 인원은 A가 H의 10배 이상이다.

(O, X)

✓ 자료

✓ 설명

▸ 목적 파트는?

▸ 설명의 유형은?

▸ 풀이의 방법은?

간단 퀴즈

Q 가중평균 말고 다른 개념으로 접근할 수는 없을까?

A 여집합의 개념도 있다.

관점 적용하기

1. (X) 비정규직 간접고용 비율 = $\frac{\text{비정규직 간접고용인원} + 0}{\text{비정규직 간접고용인원} + \text{비정규직 직접고용인원}}$ 으로 생각하면 가중평균이 가능한 형태이다.

넘치는 부분 = $\frac{\text{간접고용인원}}{\text{간접고용인원}}$ =100%, 부족한 부분 = $\frac{0}{\text{직접고용인원}}$ =0% 으로 고정된다.

A는 74.9%를 기준으로 생각하면 밑변(분모)을 구할 수 있다.

넘치는 넓이(간접고용) = 부족한 넓이(직접고용)이므로,

3,408×(100−74.9) = 직접고용인원×(74.9−0) → 3,408×(25.1) = 직접고용인원×(74.9)

→ A의 직접고용 인원 = $3,408 \times \frac{25.1}{74.9} = 3,408 \times \frac{1}{3}\uparrow = 1,130\uparrow$

H는 90.4%를 기준으로 생각하면 밑변(분모)을 구할 수 있다.

넘치는 넓이(간접고용) = 부족한 넓이(직접고용)이므로,

1,553×(100−90.4) = 직접고용인원×(90.4−0) → 1,553×(9.6) = 직접고용인원×(90.4)

→ A의 직접고용 인원 = $1,553 \times \frac{9.6}{90.4} = 1,553 \times \frac{1}{10}\uparrow = 150\uparrow$

따라서 A는 H의 10배 이하이다.

답 (X)

5 가중치 총합

Q 가중치 총합은 어떻게 판단 할 수 있나요?

아래와 같은 자료과 설명의 형태를 지닌 유형을 가중치 총합 유형이라고 부른다.

〈표〉 학생 A~C의 과목별 점수 현황

연도 / 항목	언어	수리	외국어	사탐	과탐
학생 A	85	75	70	65	80
학생 B	80	80	65	75	85
학생 C	70	90	75	75	75
과목별 가중치	0.1	0.3	0.2	0.15	0.25

설명

1. 학생 A의 평균 점수는 75점 이상이다. (O, X)

2. 평균 점수가 70점 보다 낮은 학생은 없다. (O, X)

가중치 총합 유형은
① 자료에 가중치와 항목별 점수가 주어짐
② 설명의 목적이 가중치×항목별 점수의 합으로 주어짐

Q 가중치 총합의 정의

위 Q가 이번에 배울 유형인 '가중치총합'이다.
앞에서 배운 일반적인 총합의 경우는 단순히 개별영역의 점수를 더한 형태이다.
그러나 가중치총합은 영역마다 다른 가중치가 부과되어 영역 점수와 가중치를 곱한 값들을 더한 형태이다.
$X = \sum(x_i \times n_i)$ (X = 가중치총합, x = 영역의 점수, n = 가중치)
앞에서 배웠듯 곱셈은 사각형의 넓이로 나타낼 수 있다. 따라서 가중치총합도 사각형의 넓이로 나타낼 수 있다.

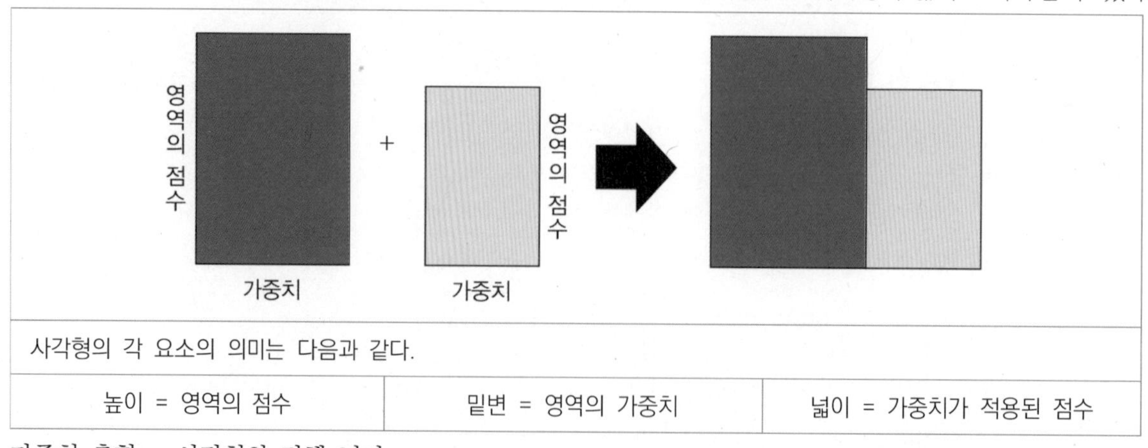

사각형의 각 요소의 의미는 다음과 같다.

높이 = 영역의 점수	밑변 = 영역의 가중치	넓이 = 가중치가 적용된 점수

가중치 총합 = 사각형의 전체 넓이
(※ 가중치들의 합이 100% 또는 1인 경우는 가중 평균과 같다.)

Q 가중치 총합에 관점 적용하기

'가중치총합 풀어보기를 통해 알 수 있듯 관점을 적용하지 않고 문제를 풀기에는 계산량이 많다. 계산량을 줄이기 위해서 공통과 차이라는 관점을 적용하여 계산량을 줄이자.

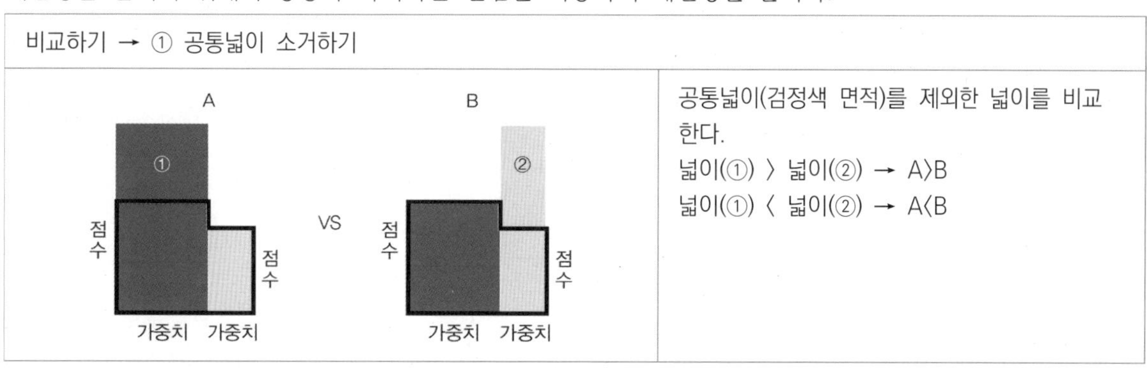

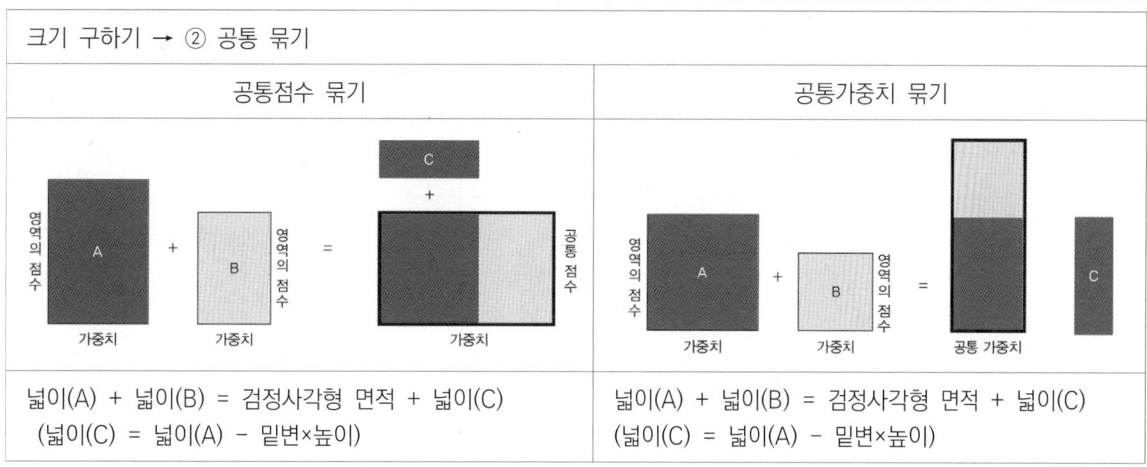

Q 가중치 총합 요약하기

가중치 총합 요약

• 비교하기

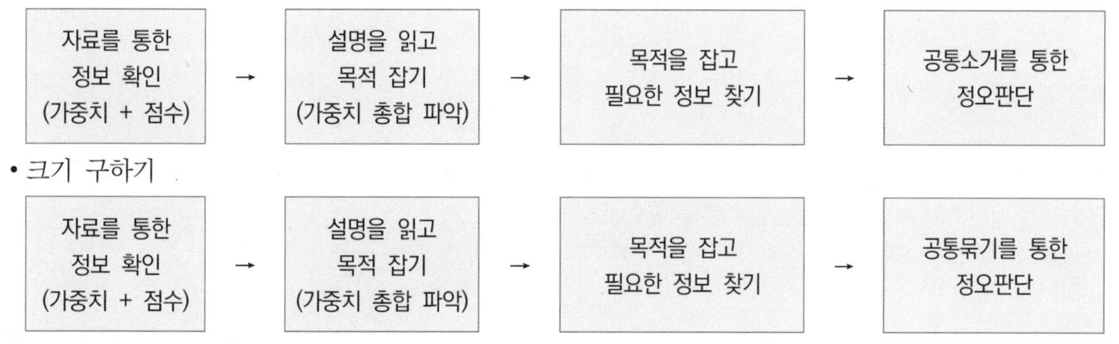

• 가중치의 합이 1인 경우 → 가중평균으로 생각 가능

예제 [가중치 총합 이해하기]

아래의 〈표〉를 보고, 이에 대한 〈설명〉에 대해 답하시오.

〈표〉 A~E음식점별 평가점수

항목 \ 학생	A	B	C	D	E
맛	3	2	5	4	3
가격	5	5	3	4	2
서비스	3	4	2	3	5

〈표〉 학생별 음식 가중치

항목 \ 대학교	가	나	다	라	마
맛	4	2	1	3	3
가격	5	2	4	6	4
서비스	3	5	3	2	7

※ 최종점수는 각 항목의 평가점수×가중치의 합임.

설명

1. 가 가중치를 기준으로 A학생과 B학생 중 최종 점수가 더 높은 학생은?

2. 나 가중치를 기준으로 가장 높은 점수를 준 학생은?

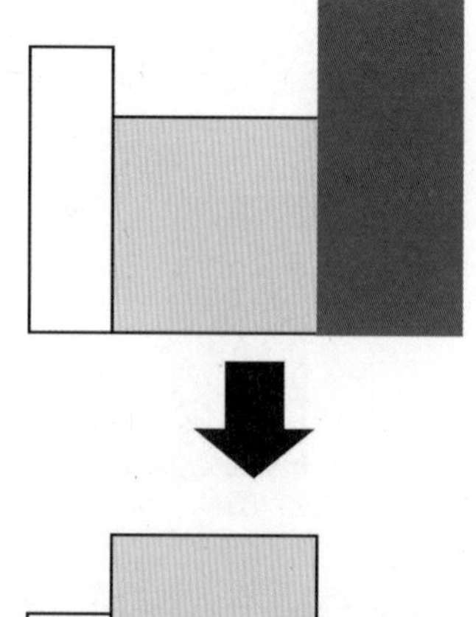

가중치가 동일하다면 밑변의 크기가 동일하다.
따라서 차이는 오직 높이뿐이다.

관점 적용하기

1. 가중치가 '가'로 동일하다. 또한, '비교'에 대해서 물어본다.
따라서, A학생과 B학생의 점수의 차이에 집중하자. (※ A가 더 높으면 +, B가 더 높으면 -로 표현한다.)
맛: +1 가격: 0 서비스: -1 → 맛의 가중치가 서비스의 가중치보다 높으므로, A학생의 최종 점수가 더 높다.

2. 가중치가 '가'로 동일하다. 또한, '비교'에 대해서 물어본다. 따라서, 점수의 차이에 집중하자.
나 가중치를 보면 맛과 가격의 가중치는 같으므로, 하나의 덩어리로 생각하고,
서비스의 가중치가 가장 높으므로 서비스 점수가 가장 높은 학생을 기준으로 생각하자.
서비스 점수를 가장 높게 준 E를 기준으로 살펴보며 E가 더 높으면 +, E가 더 낮으면 -로 표현한다.
맛+가격 A~D까지 -3~-4, 서비스는 +1~3사이
맛+가격에 가중치를 같이 생각하면 6~-8이고, 5~20이다.
서비스가 +1인 경우에 E보다 더 높아질 수 있다. → B도 E보다 낮으므로 E가 가장 크다.

답 A학생, E학생

예제 [가중치 총합 이해하기]

아래의 〈표〉를 보고, 이에 대한 〈설명〉에 대해 답하시오.

〈표〉 A~E음식점별 평가점수

항목 \ 학생	A	B	C	D	E
맛	3	2	5	4	3
가격	5	5	3	4	2
서비스	3	4	2	3	5

〈표〉 학생별 음식 가중치

항목 \ 대학교	가	나	다	라	마
맛	4	2	1	3	3
가격	5	2	4	6	4
서비스	3	5	3	2	7

※ 최종점수는 각 항목의 평가점수×가중치의 합임.

설명

1. 마 가중치를 기준으로 E학생의 최종 점수는?

2. 라 가중치를 기준으로 D학생의 최종 점수는?

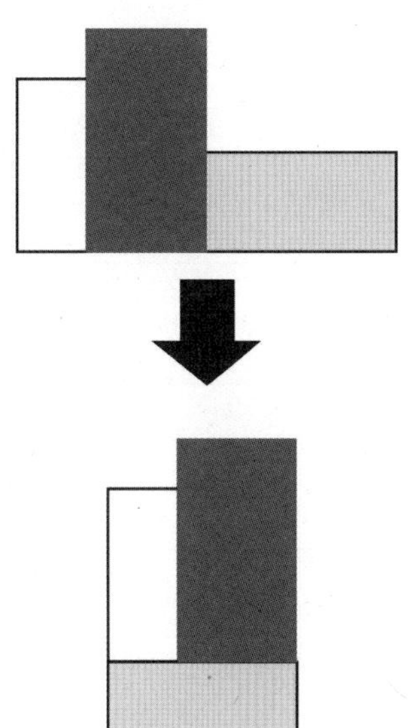

가중치들을 묶어서 계산하면, 계산량을 줄일 수 있다.

관점 적용하기

1. 마의 가중치를 보면 맛+가격 = 서비스이다. 따라서 맛+가격을 한덩어리로 생각해서 보자.
   E의 맛과 가격 중 2만큼이 동일하므로, 맛+가격으로 2점, 맛으로 1점으로 나누어 생각하자.
   따라서, (맛+가격)과 서비스로 총 7점, 가중치 7, 맛으로 1점 가중치 3 → $7\times7 + 1\times3 = 52$점이다.

2. 라의 가중치를 보면, 가격의 가중치를 3로 생각하고 가격의 점수를 2배로 만들어 줄 수 있다.
   즉, 맛과 가격의 가중치를 동일하게 3으로 만들고, 점수는 맛 4점 , 가격 8점으로 생각할 수 있다.
   따라서, $(4+8)\times3 + 3\times2 = (4+8+2)\times3 = 14\times3 = 42$점이다.

답 52점, 42점

예제 [가중치의 합이 1인 경우]

다음 〈표〉는 학생 A~C의 과목별 점수 현황을 나타낸 것이다. 이에 대한 〈설명〉의 정오는?

〈표〉 학생 A~C의 과목별 점수 현황

항목 \ 연도	언어	수리	외국어	사탐	과탐
학생 A	85	75	70	65	80
학생 B	80	80	65	75	85
학생 C	70	90	75	75	75
과목별 가중치	0.1	0.3	0.2	0.15	0.25

설명

1. 학생 A의 평균 점수는 75점 이상이다. (O, X)

2. 평균 점수가 70점 보다 낮은 학생은 없다. (O, X)

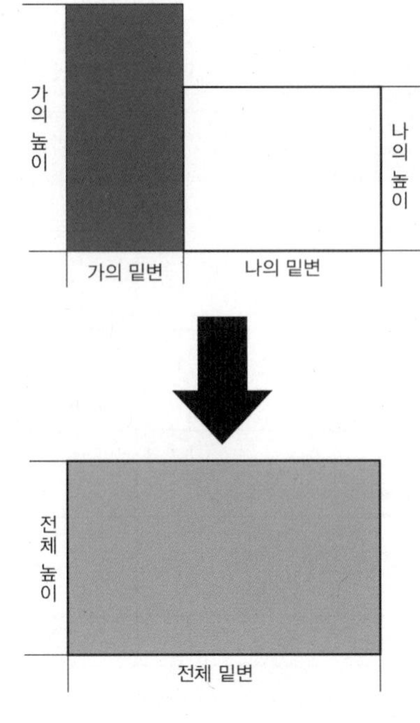

관점 적용하기

1. (X) 과목별 가중치의 합이 1으로 구성됐으므로, 가중평균처럼 생각할 수 있다.
따라서, 75를 기준으로 넘치는 넓이와 부족한 넓이를 비교하자.
넘치는 넓이: 언어, 과탐 → 10×0.1 + 5×0.25 = 2.25
부족한 넓이: 외국어, 사탐 → 5×0.2 + 10×0.15 = 2.5
부족한 넓이가 더 넓다. 따라서, 평균은 75점 이하이다.

2. (O) 과목별 가중치의 합이 1으로 구성됐으므로, 가중평균처럼 생각할 수 있다.
70을 기준으로 살펴보면, 학생 C는 70보다 낮은 점수가 없으므로, 당연히 평균은 70 이상이다.
A의 부족한 넓이는 5×0.15이므로, 넘치는 넓이가 훨씬 크다.
B의 부족한 넓이는 5×0.20이므로, 넘치는 넓이가 훨씬 크다.

답 (X, O)

적용문제-01 (7급 21-08)

다음 〈표〉는 학생 '갑' ~ '무'의 중간고사 3개 과목 점수에 관한 자료이다. 이에 대한 〈설명〉의 정오는?

〈표〉 '갑' ~ '무'의 중간고사 3개 과목 점수

(단위: 점)

과목 \ 학생 / 성별	갑	을	병	정	무
	남	여	( )	여	남
국어	90	85	60	95	75
영어	90	85	100	65	100
수학	75	70	85	100	100

설명

1. 국어, 영어, 수학 점수에 각각 0.4, 0.2, 0.4의 가중치를 곱한 점수의 합이 가장 큰 학생은 '정'이다.

(O, X)

✔ 자료

✔ 설명

▸ 목적 파트는?

▸ 설명의 유형은?

▸ 풀이의 방법은?

간단 퀴즈

Q 100점에서 감소한 점수를 확인해보는 것은 어떨까?

A 좋은 생각이다.

관점 적용하기

1. (O) 비교를 시키고 있다. → ① 공통넓이 소거
   '정'이 가장 큰지에 대해서 물어봤으므로 공통넓이 소거하기를 이용해보자.
   정의 점수인 국어 95, 영어 65 수학 100을 소거하여 생각하자.
   학생들 간 정과의 영어의 점수 차이는 최대 35점이다. (정 65점, 무 100점)
   학생들 간 정과의 국어의 점수 차이는 최소 5점이다.
   학생들 간 정과의 수학의 점수 차이는 최소 15점이다. (무는 정과 동점이므로 일단 제외한다.)
   국어와 수학의 가중치가 영어 가중치의 2배이므로,
   정은 다른 학생들에 비하여 최대 35점(영어)가 낮지만, 최소 $(15+5)\times2=40$점(국어+수학)이 높기에,
   정이 가장 높다.

답 (O)

적용문제-02 (민 13-08)

다음 〈표〉는 '갑'사 공채 지원자에 대한 평가 자료이다. 이에 대한 〈설명〉의 정오는?

〈표〉 '갑'사 공채 지원자 평가 자료

(단위: 점)

구분 지원자	창의성 점수	성실성 점수	체력 점수	최종 학위	평가 점수
가	80	90	95	박사	( )
나	90	60	80	학사	310
다	70	60	75	석사	300
라	85	( )	50	학사	255
마	95	80	60	학사	295
바	55	95	65	학사	280
사	60	95	90	석사	355
아	80	( )	85	박사	375
자	75	90	95	석사	( )
차	60	70	( )	학사	290

〈평가점수와 평가등급의 결정방식〉

- 최종학위점수는 학사 0점, 석사 1점, 박사 2점임.
- 지원자 평가점수
  = 창의성점수 + 성실성점수 + 체력점수 × 2 + 최종학위점수 × 20
- 평가등급 및 평가점수

평가등급	평가점수
S	350점 이상
A	300점 이상 350점 미만
B	300점 미만

설명

1. '가'의 평가점수는 400점으로 지원자 중 가장 높다.

(O, X)

자료

설명

▸ 목적 파트는?

▸ 설명의 유형은?

▸ 풀이의 방법은?

관점 적용하기

1. (O) 비교를 시키고 있다. → ① 공통넓이 소거
   〈표〉의 주어진 정보 중 평가 점수가 나타나지 않은 지원자는 '가'와 '자'이다.
   자의 경우, 모든 부분에서 가보다 낮거나 같은 점수를 받았다. 따라서 '가'의 최종점수가 '자'보다 높다.
   주어진 정보 중 점수가 가장 높은 지원자는 '아'이다. 그러나 성실성점수에 빈칸이 존재하므로,
   그 다음으로 높은 지원자인 '사'를 이용하자.
   '가'와 '사'의 공통을 소거하면
   가 = 창의성 20점, 체력 5점, 최종학위 1점 사 = 성실성 5점이다.
   차이부분의 넓이를 구해보면 가 = 20 + 5×2 + 20 = 50점, 사 = 5점이다.
   사에서 차이 나는 넓이가 5인데, 사의 점수가 355점이다.
   공통넓이는 350점이다. 따라서 가의 넓이는 350+50 = 400점이다.
   즉, '가'의 점수는 400점으로 가장 높은 점수를 받았다.

답 (O)

적용문제-03 (5급 10-40)

다음 〈표〉는 어느 전공과목의 점수산출자료이다. 제시된 자료를 참고할 때, 경신과 근우의 학점을 바르게 짝지은 것은?

〈표 1〉 학년 및 항목별 평가 비중

학년 \ 평가항목	중간고사	기말고사	출석	보고서	발표	합
2학년	0.2	0.2	0.3	0.1	0.2	1.0
4학년	0.3	0.3	0.1	0.3	0	1.0

※ 최종점수는 평가점수에 가중치를 곱하여 더한 값임.

〈표 2〉 학생별 평가 점수

(단위: 점)

학생명	학년	평가항목				
		중간고사	기말고사	출석	보고서	발표
경신	2학년	60	50	100	90	80
근우	4학년	80	70	100	90	80

※ 개인평가: 항목별 100점 만점 기준임.

〈표 3〉 학년별 · 점수별 학점 부여기준

학년 \ 점수구간	100 ~ 91점	90 ~ 81점	80 ~ 71점	70 ~ 61점	60점 이하
2학년	A		B		C
4학년	A	B	C	D	F

	경신	근우
①	A	B
②	B	B
③	B	C
④	C	B
⑤	C	C

✔ 자료

✔ 설명

▸ 목적 파트는?

▸ 설명의 유형은?

▸ 풀이의 방법은?

간단 퀴즈

Q 가중평균을 이용하여 풀 수 있는가?

A YES

관점 적용하기

크기에 대해 묻고 있다. → ② 공통 묶기
경신의 공통점수는 50점이다.
공통점수를 제외한 남은 넓이를 확인해보면 10×0.2 + 50×0.3 + 40×0.1 + 30×0.2 = 2 + 15 + 4 + 6 = 27
50 + 27 = 77점이므로 경신의 학점은 B이다.
근우의 공통점수는 70점이다.
공통점수를 제외한 남은 넓이를 확인해보면 10×0.3 + 30×0.1 + 20×0.3 = 3+3+6 = 12
70 + 12 = 82점이므로 근우의 학점은 B이다.

답 ②

적용문제-04 (5급 11-31)

다음 〈표〉는 주요국의 RFID 기술별 기술수준과 연구개발단계 비중에 대한 자료이다. 통신기술의 연구개발단계지수 산출공식을 이용하여 〈표〉에 제시된 국가 중 세 번째로 값이 큰 국가는?

〈표〉 주요국의 RFID 통신기술별 연구개발단계 비중

(단위: %)

연구 개발단계	미국	일본	독일	한국	대만	중국	인도
기초연구	0.0	1.4	0.0	1.4	31.6	30.1	39.7
응용연구	17.8	39.7	26.0	28.7	43.8	50.7	42.5
선행개발	31.5	28.8	50.7	60.3	20.5	19.2	16.4
상용화개발	50.7	30.1	23.3	9.6	4.1	0.0	1.4
소계	100.0	100.0	100.0	100.0	100.0	100.0	100.0

연구개발단계지수 산출공식

- 연구개발단계지수 = 1 × (기초연구 비중) + 2 × (응용연구 비중) + 3 × (선행개발 비중) + 4 × (상용화개발 비중)

① 일본 ② 독일 ③ 한국
④ 대만 ⑤ 중국

✓ 자료

✓ 설명

▸ 목적 파트는?

▸ 설명의 유형은?

▸ 풀이의 방법은?

간단 퀴즈

Q 가중치를 다른 방식으로 가공할 수는 없을까?

A 다양한 방법이 있다.

관점 적용하기

크기에 대해 묻고 있다. → ② 공통 묶기
공통 묶기중 중 공통 가중치를 묶어서 생각해보자.
주어진 산출공식에 의하여 공통가중치로 묶을 수 있는 부분은 1뿐이나, 1로 묶으면 생략되는 계산의 양이 적다.
따라서 가중평균에서 배운, 부족한 넓이를 넘치는 넓이가 채워준다는 개념을 이용하여,
가중치 2를 공통으로 묶어 보자. → 가중치 1은 부족한 넓이, 가중치 3과 가중치 4는 넘치는 넓이
넓이는 (가중치×비중) 순서로 기재한다.
미국의 경우 (1−2)× 0.0 + (2−2)×17.8 + (3−2)×31.5 + (4−2)×50.7 = 1×31.5 + 2×50.7
→ 공통가중치 묶기의 기준을 2로 생각한 결과를 보면
가중치 3과 가중치 4의 점수가 높은 국가 위주로 생각하여 3등을 찾으면 된다는 것을 알 수 있다.
대만과 중국의 경우 가중치 3,4의 점수가 매우 낮다.
일본의 경우 (1−2)× 1.4 + (2−2)×39.7 + (3−2)×28.8 + (4−2)×30.1
= −1×1.4 + 1×28.8 + 2×30.1 = −1.4 + 28.8 + 60.2 = 90↓
독일의 경우 (1−2)× 0.0 + (2−2)×26.0 + (3−2)×50.7 + (4−2)×23.3
= 1×50.7 + 2×23.3 = 50.7 + 46.6 = 90 ↑
한국의 경우 (1−2)× 1.4 + (2−2)×28.7 + (3−2)×60.3 + (4−2)× 9.6
= −1×1.4 + 1×60.3 + 2× 9.6 = −1.4 + 60.3 + 19.2 = 일본↓
독 〉 일 〉 한 순이므로, 일본이 3등이다.

답 ①

적용문제-05 (5급 19-30)

다음 〈표〉와 〈그림〉은 '갑'요리대회 참가자의 종합점수 및 항목별 득점기여도 산정 방법과 항목별 득점 결과이다. 이에 대한 〈설명〉의 정오는?

〈표〉 참가자의 종합점수 및 항목별 득점기여도 산정 방법

• 종합점수 = (항목별 득점 × 항목별 가중치)의 합계

• 항목별 득점기여도 = $\frac{\text{항목별 득점} \times \text{항목별 가중치}}{\text{종합점수}}$

항목	가중치
맛	6
향	4
색상	4
식감	3
장식	3

〈그림〉 전체 참가자의 항목별 득점 결과

(단위: 점)

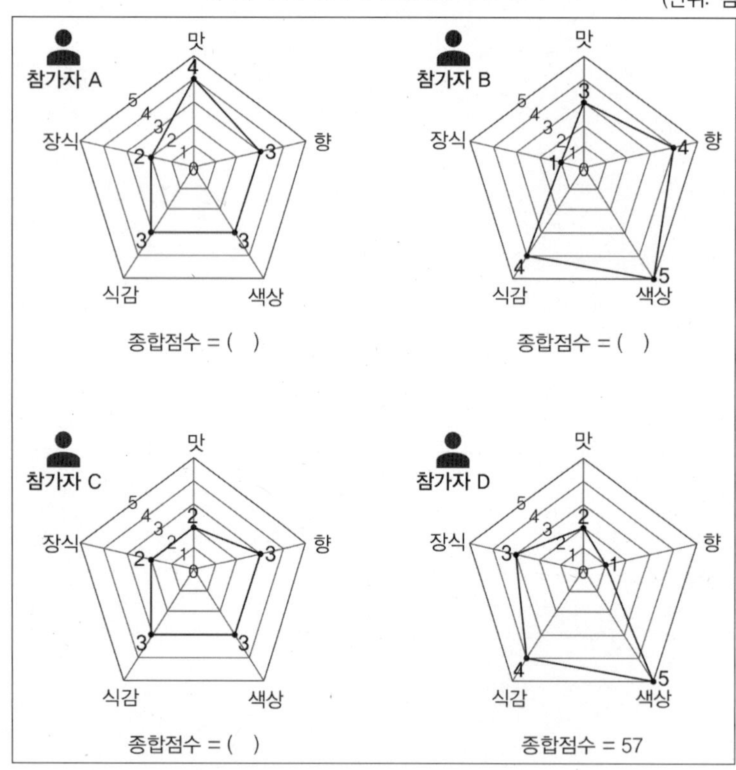

※ 종합점수가 클수록 순위가 높음.

설명

1. 참가자 C는 모든 항목에서 1점씩 더 득점하더라도 가장 높은 순위가 될 수 없다.

(O, X)

2. 참가자 A의 '색상' 점수와 참가자 D의 '장식' 점수가 각각 1점씩 상승하여도 전체 순위에는 변화가 없다.

(O, X)

✓ 자료

✓ 설명

▸ 목적 파트는?

▸ 설명의 유형은?

▸ 풀이의 방법은?

간단 퀴즈

Q 다른 방법은 없을까?

A 참가자 D를 이용하자.

관점 적용하기

크기에 대해 묻고 있다. → ② 공통 묶기
공통 묶기중 중 공통 가중치를 묶어서 생각해보자.
가중치의 구성은 6/4/4/3/3이므로 4와 4를 하나로, 3과 3을 묶어서 생각하면,
가중치의 구성이 6/4/3 으로 변화한다. 공통가중치가 3 이므로 3을 기준으로 모두 묶자.
가중치 6 = 3+3, 가중치 4 = 3+1이 된다.
6의 경우 3+3으로 3이 하나 더 존재하므로, 3이 두 개라고 생각하자.
(※ 넓이는 (가중치×점수) 순서로 서술)
참가자 A의 점수: 6×4 + 4×(3+3) + 3×(3+2)
= (3+3)×4 + (3+1)×(3+3) + 3×(3+2) = 3×(4+4+3+3+3+2)+6 = 3×19+6 = 63점
참가자 B의 점수: 3×(3+3+4+5+4+1)+9 = 3×20+9 = 69점
참가자 C의 점수: 3×(2+2+3+3+3+2)+6 = 3×15+6 = 51점
참가자 D의 점수: 3×(2+2+1+5+4+3)+6 = 3×17+6 = 57점

1. (X)
   참가자 C가 모든 항목에서 1점씩 더 득점하면 20점이 추가된다. 71점이므로 1등이 된다.
   즉, 전체 순위에 변화가 있다.
2. (O)
   참가자 A에게 색상 1점 → 67점, 참가자 D에게 장식 1점 → 60점이다. 즉, 전체 순위에 변화가 없다.

답 (X, O)

관점 익히기

1) 범위성 정보는 극단으로 생각하기
2) 이상 → 최솟값도 큰지 확인
3) 이하 → 최댓값도 작은지 확인

1 극단으로

Q 극단으로 유형은 어떻게 판단 할 수 있나요?

아래와 같은 자료과 설명의 형태를 지닌 문제를 극단으로 유형이라고 판단한다.

〈표〉 A대학교의 학년별 통학 소요시간

(단위: 명)

소요시간 / 학년	0분 이상 30분 미만	30분 이상 1시간 미만	1시간 이상 2시간 미만	전체
1학년	45	352	752	1,149
2학년	652	452	145	1,249
3학년	721	351	85	1,157
4학년	442	525	78	1,045
전체	1,860	1,680	1,060	4,600

설명

1. 통학 소요시간이 1시간 30분 이하인 A대학교 학생은 3,700명 이하이다.

(O, X)

극단으로 유형은
① 설명의 목적의 결과가 단 1개의 값 아닌 범위의 값으로 주어짐.
② 추가적으로 자료에서 주어진 정보도 한 개의 정보가 아니라 범위로 주어진 경우

Q 극단으로 정의

극단으로 유형의 정의는 다음과 같다.
목적을 만족하는 값이 하나의 값이 아닌 범위값으로 주어지는 경우

예를 들어 섭취시 체내 흡수율 33.3~75%의 약물이 있다고 가정해보자.
해당 약물이 체내에 3mg 이상이 존재할 때 약효가 발휘 한다면, 값은 해당 약물을 얼마나 섭취해야 할까?
흡수율이 높아서 75%인 사람이라면 4mg만 먹어라도 체내에 3mg을 존재하게 할 수 있다.
반면, 흡수율이 낮아서 33.3%인 사람은 9mg은 먹어야 체내에 3mg을 존재하게 할 수 있다.
이때, 약사는 약물을 얼마나 처방해야할까?

만약, 해당 약물이 고용량을 복용함에 따른 부작용이 없다면
약사는 모든 사람에게 효과가 나타나기 하기 위해 적어도 9mg 이상을 처방할 것이다.

반면에, 체내에 4.5mg 이상이 존재하면 부작용이 생긴다면,
흡수율이 높은 사람을 기준으로 부작용이 생기지 않는 범위로 조절해야 할 것이다.
즉, 약사는 75% 흡수율을 기준으로 4.5mg이 넘지 않도록 6mg 이하의 약을 처방할 것이다.

위의 예시처럼 선택의 값이 범위로 주어지는 경우,
내가 주어진 설명에 따라서 선택해야할 수치가 달라지는 것이 극단으로 유형이다.

Q 극단으로에 관점 적용하기

'4가지 관점 중 첫 번째 관점인 '후보군'에서 배운 것처럼 우리가 해야할 것은 오직 설명의 '정오판단'뿐이므로, 57~108의 모든 숫자가 중요한 것이 아니라, 설명의 정오가 맞는지만 따지면 된다.

1) A은 n 이상이다. 라는 형태라면, (A=목적)

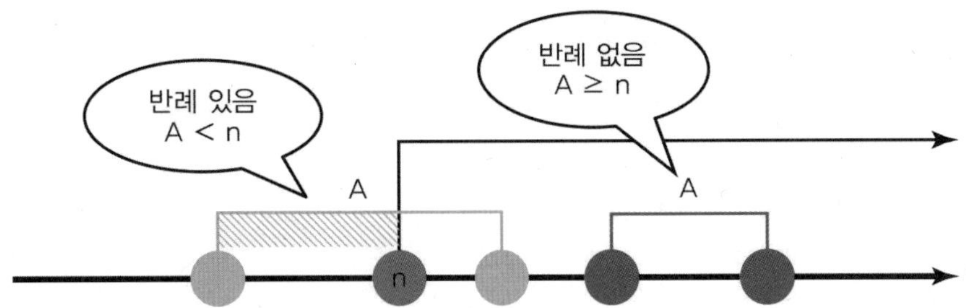

반례없음 영역에서는 설명이 옳은 것이고, 반례 있음의 영역에서는 설명이 옳지 않은 것이다.
따라서, 반례를 찾기 위해 주어진 범위 중 최솟값을 생각하여 반례를 찾는다.
→ 'A는 n 이상인가?'의 정오판단 = A의 최솟값도 n보다 큰가?

2) A는 n이하이다. 라는 형태라면, (A = 목적)

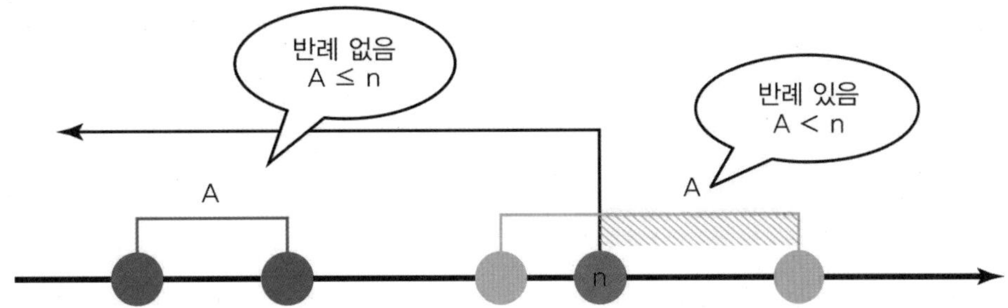

반례없음 영역에서는 설명이 옳은 것이고, 반례 있음의 영역에서는 설명이 옳지 않은 것이다.
따라서, 반례를 찾기 위해 주어진 범위 중 최솟값을 생각하여 반례를 찾는다.
→ 'A는 n 이하인가?'의 정오판단 = A의 최댓값도 n보다 작은가?

Q 극단으로를 요약해주세요

극단으로 요약하기

• 설명의 목적이 내용이 범위성을 가지고 있다면,

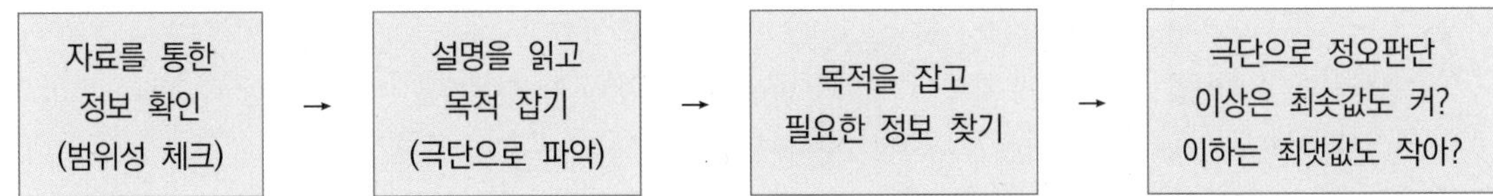

예제

다음 〈표〉는 A대학교의 학년별 통학 소요시간에 대한 자료이다. 이에 대한 〈설명〉의 정오는?

〈표〉 A대학교의 학년별 통학 소요시간

(단위: 명)

소요시간 / 학년	0분 이상 30분 미만	30분 이상 1시간 미만	1시간 이상 2시간 미만	전체
1학년	45	352	752	1,149
2학년	652	452	145	1,249
3학년	721	351	85	1,157
4학년	442	525	78	1,045
전체	1,860	1,680	1,060	4,600

설명

1. 통학 소요시간이 1시간 30분 이하인 A대학교 학생은 3,700명 이하이다. (O, X)

✓ 자료

✓ 설명

▸ 목적 파트는?

▸ 설명의 유형은?

▸ 풀이의 방법은?

관점 적용하기

1. (X) 통학 소요시간 1시간 30분 이하인 학생은 범위성 정보이다.
통학시간 소요시간 1시간 이상 2시간 미만의 학생 중 몇 명이 1시간 30분 이하인지 알 수 없다.
1시간 30분 이하인 학생 = 1,860+1680~1,860+1680+1060 = 3,540~4,600

이 설명의 유형은 'A는 n이하'이다. → 'A는 n이하'의 판별법은 A의 최댓값이 n보다 작은지 생각하는 것이다.
A = 통학시간 1시간 30분 이하의 학생, n = 3700
통학시간 1시간 30분 이하인 학생의 범위는 3,540~4,600으로 최댓값이 3700보다 크므로 옳지 않다.

답 (X)

예제

다음 〈표〉는 '갑'의 PSAT 성적에 대한 자료이다. 이에 대한 〈설명〉의 정오는?

〈표〉 '갑'의 PSAT 성적

(단위: 점)

언어논리	자료해석	상황판단	평균
50	(　　)	80	(　　)

※ 1) 갑은 과락 및 평락이 없음.
2) 과락은 과목 점수가 40점 미만을 의미함.
3) 평락은 평균 점수가 60점 미만을 의미함.

설명

1. 자료해석 점수는 50점 이상이다.

(O, X)

자료

설명

▸ 목적 파트는?

▸ 설명의 유형은?

▸ 풀이의 방법은?

관점 적용하기

1. (O) '갑'의 자료해석 점수로 가능한 범위는 각주를 통해 확인할 수 있다.
과락조건에 따르면 갑의 자료해석 점수 범위는 40~100점이다.
평락조건에 따르면 갑의 PSAT 성적의 총합은 180점 이상이다.
따라서 자료해석의 점수 범위는 50~100점이다.
두 조건을 동시에 만족시키는 자료해석의 점수는 50~100점 사이이다.

설명의 유형은 'A는 n 이상'이다. → 'A는 n 이상'의 판별법은 A의 최솟값이 n보다 큰지 생각하는 것이다.
A = 갑의 자료해석점수, n = 40
갑의 자료해석 점수의 범위는 50~100으로 최솟값이 40보다 크므로 옳다.

답 (O)

적용문제-01 (민 16-23)

다음 〈표〉는 A지역의 저수지 현황에 대한 자료이다. 이에 대한 〈설명〉의 정오는?

〈표 1〉 관리기관별 저수지 현황

(단위: 개소, 천㎥, ha)

관리기관 \ 구분	저수지 수	총 저수용량	총 수혜면적
농어촌공사	996	598,954	69,912
자치단체	2,230	108,658	29,371
전체	3,226	707,612	99,283

〈표 2〉 저수용량별 저수지 수

(단위: 개소)

저수용량 (㎥)	10만 미만	10만 이상 50만 미만	50만 이상 100만 미만	100만 이상 500만 미만	500만 이상 1,000만 미만	1,000만 이상	합
저수지 수	2,668	360	100	88	3	7	3,226

설명

1. 저수용량이 '50만 이상 100만 미만'인 저수지의 저수용량 합은 전체 저수지 총 저수용량의 5% 이상이다.

(O, X)

✔ 자료

✔ 설명

▸ 목적 파트는?

▸ 설명의 유형은?

▸ 풀이의 방법은?

관점 적용하기

1. (O) 〈표 2〉에 주어진 저수용량은 범위성 정보이다.
50만 이상 100만 미만의 합이 5% 이상이야? → A가 n 이상이야?
'A는 n 이상'이다. → 판별법은 A의 최솟값이 n보다 큰지 생각하는 것이다.
(A = 저수용량, n = 5%)

저수용량이 50만 이상 100만 미만인 저수지의 저수용량은 모두 50만이라고 생각하자.
최소 저수용량은 50만 × 100= 5,000만㎥이다.

〈표 1〉에 주어진 전체 저수용량값을 만㎥으로 변환하면, $\frac{5,000(만m^3)}{70,761(만m^3)}$ 〉 5% 이다.

저수용량의 최솟값이 5%보다 크므로 옳다.

답 (O)

적용문제-02 (5급 15-26)

다음 〈표〉는 통근 소요시간에 따른 5개 지역(A ~ E) 통근자 수의 분포를 나타낸 자료이다. 이에 대한 〈설명〉의 정오는?

〈표〉 통근 소요시간에 따른 지역별 통근자 수 분포

(단위: %)

지역 \ 소요시간	30분 미만	30분 이상 1시간 미만	1시간 이상 1시간 30분 미만	1시간 30분 이상 3시간 미만	합
A	30.6	40.5	22.0	6.9	100.0
B	40.6	32.8	17.4	9.2	100.0
C	48.3	38.8	9.7	3.2	100.0
D	67.7	26.3	4.4	1.6	100.0
E	47.2	34.0	13.4	5.4	100.0

설명

1. E지역 통근자의 평균 통근 소요시간은 22분 이상이다. (O, X)

자료

설명

▸ 목적 파트는?

▸ 설명의 유형은?

▸ 풀이의 방법은?

간단 퀴즈

Q 넘치는 넓이가 부족한 넓이를 채워주는 개념으로 접근하는 것은 어떨까?

A 좋은 생각이다.

관점 적용하기

1. (O) 주어진 통근 소요시간이 범위성 정보이다.
E지역 평균 통근 시간이 22분 이상이야? → A가 n 이상이야?
'A는 n 이상'이다. → 판별법은 A의 최솟값이 n보다 큰지 생각하는 것이다.
A = 평균 통근시간, n = 22분

각 소요시간을 각각의 최솟값으로 생각하자.
통근 소요시간분포는 다음과 같다.
0분: 47.2%, 30분: 34.0%, 60분: 13.4%, 90분: 5.4%
이 중, 30분, 60분, 90분을 곱셈찢기를 이용해서 30분씩 따로 묶어 계산하자.
30분 × (1×34% + 2×13.4% + 3×5.4%) = 30분 × (34% + 26.8% + 16.2%)
= 30분 × (77%) = 23.1분
최솟값이 22분보다 크다. 따라서 E지역 통근자의 평균 통근 소요시간은 22분 이상이다.

답 (O)

적용문제-03 (5급 22-26)

다음 〈표〉는 2021년 A시 자녀장려금 수급자의 특성별 수급횟수를 조사한 자료이다. 이에 대한 〈설명〉의 정오는?

〈표〉 자녀장려금 수급자 특성별 수급횟수 비중

(단위: 명, %)

수급자 특성		수급자 수	수급횟수			
대분류	소분류		1회	2회	3회	4회 이상
연령대	20대 이하	8	37.5	25.0	0.0	37.5
	30대	583	37.2	30.2	19.0	13.6
	40대	347	34.9	27.7	23.9	13.5
	50대 이상	62	29.0	30.6	35.5	4.8
자녀수	1명	466	42.3	28.1	19.7	9.9
	2명	459	31.2	31.8	22.2	14.8
	3명	66	27.3	22.7	27.3	22.7
	4명 이상	9	11.1	11.1	44.4	33.3
주택보유 여부	무주택	732	35.0	29.5	22.0	13.5
	유주택	268	38.4	28.7	20.5	12.3
전체		1,000	35.9	29.3	21.6	13.2

설명

1. 자녀수가 2명인 수급자의 자녀장려금 전체 수급횟수는 자녀수가 1명인 수급자의 자녀장려금 전체 수급횟수보다 많다.
(O, X)

2. 자녀장려금 수급자의 전체 수급횟수는 2,000회 이상이다.
(O, X)

✔ 자료

✔ 설명

▸ 목적 파트는?

▸ 설명의 유형은?

▸ 풀이의 방법은?

관점 적용하기

수급 횟수가 4회 이상으로 계구간이므로 범위성 정보이다. 따라서 설명의 목적이 수급횟수라면 극단으로 유형이다.

1. (X) 자녀장려금 전체 수급횟수 = Σ 수급자 × 수급횟수 비중 × 수급 횟수 → 극단으로 유형임.
자녀 2명이 자녀 1명보다 많다. → 자녀 2명은 가장 작게, 자녀 1명은 가장 크게 만들어도, 자녀 2명이 큰가?
자녀 2명은 가장 작게 → 4회 이상을 4회로 생각, 자녀 1명은 가장 크게 → 4회 이상을 ∞로 생각
자녀 2명은 가장 작게, 자녀 1명은 가장 크게 만들면 자녀 1명이 더 크다.
2. (O) 자녀장려금 전체 수급횟수 = Σ 수급자 × 수급횟수 비중 × 수급 횟수 → 극단으로 유형임.
2000회 이상이다. → 'A는 n 이상'이다. → 판별법은 A의 최솟값이 n보다 큰지 생각하는 것이다.
A를 최솟값으로 만들기 위해 4회 이상을 4회로 생각하자.
총합과 평균 개념을 이용하면 수급자 1천명의 전체 수급횟수가 2000이라면, 평균 값은 2이다.
가중평균에서 배운 넘치는 넓이로 부족한 넓이 채워주기 관점을 이용하자.
부족한 넓이: 수급횟수가 1회 = 35.9×1, 넘치는 넓이: 수급횟수 3회와 4회 = 21.6×1 + 13.2×2
넘치는 넓이가 부족한 넓이보다 크므로, 평균 값은 2 이상이다. 따라서, 최솟값이 2,000회 이상이다.

답 (X, O)

적용문제-04 (제작문제)

다음 〈표〉는 '갑'시의 아파트의 크기별 평당 가격에 대한 자료이다. 이에 대한 〈설명〉의 정오는?

〈표〉 아파트 크기별 평당 가격

(단위: 만원)

아파트명 \ 평형	28	33	39
이자 아파트	1,000~1,200	900~950	800~820
안미레 아파트	1,100~1,300	700~860	830~860

설명

1. 28평형 이자아파트의 가격은 33평형 안미레 아파트보다 비싸다
(O, X)
2. 33평형 이자아파트의 가격은 39평형 안미레 아파트보다 싸다.
(O, X)

자료

설명

▸ 목적 파트는?

▸ 설명의 유형은?

▸ 풀이의 방법은?

관점 적용하기

1. (X) 주어진 아파트의 가격은 모두 범위성 정보이다.
28평형 이자는 33평형 안미레보다 비싸다.
→ 28평형 이자는 가장 저렴하게, 33평형 안미레는 가장 비싸게, 만들어도 28평형 이자가 비싼가?
가장 저렴한 28평형 이자 = 28×1,000 가장 비싼 33평형 안미레 = 33×860
→ 사각 테크닉을 통해서 비교해보자. (공통 = 28×860)
28×140 VS 5×860 → 5×860이 더 크다. (28×140 = 2×14×140 = 2×1,960 = 4,000↓)
→ 이자보다 안미레가 비싼 경우가 존재한다.

2. (O) 주어진 아파트의 가격은 모두 범위성 정보이다.
33평형 이자는 39평형 안미레보다 싸다
→ 33평형 이자는 가장 비싸게, 39평형 안미레는 가장 싸게, 만들어도 33평형 이자가 싼가?
가장 비싼 33평형 이자 = 33×950 가장 저렴한 39평형 안미레 → 39×830
→ 사각 테크닉을 통해서 비교해보자. (공통 = 33×830)
33×120 VS 6×830 → 6×830이 더 크다. (33×12 = 396이기 때문)
→ 이자보다 안미레가 싼 경우는 없으므로 33평형 이자는 39평형 안미레보다 싸다.

답 (X, O)

적용문제-05 (민 실험-19)

다음 〈표〉는 A, B, C, D, E 지역으로만 이루어진 어떤 나라의 어린이 사망률에 대한 자료이다. 이에 대한 〈설명〉의 정오는?

〈표〉 2010년 지역별 어린이 사고 사망률

(단위: 명)

지역	사고 사망률	운수사고 사망률
A	4.5	2.0
B	5.0	2.5
C	12.0	6.0
D	15.0	8.0
E	12.0	8.0
전체	6.7	( )

※사망률은 인구 십만명당 사망자수를 의미함.

설명

1. 2010년 A, B 지역의 인구의 합계는 C, D, E 지역 인구의 합계보다 많다. (O, X)

✓ 자료

✓ 설명

▸목적 파트는?

▸설명의 유형은?

▸풀이의 방법은?

관점 적용하기

1. (O) 사망률 = $\frac{\text{전체 사망자수}}{\text{전체 인구}/100{,}000} = \frac{\sum(\text{지역별 사망자수})}{\sum(\text{지역별 인구}/100{,}000)}$

→ 부분의 비(A, B, C, D, E 지역)가 모여 전체의 비(전체)를 이루는 형태이다. → 즉, 가중평균이 가능한 형태
A, B지역은 채워지는 역할, C, D, E는 채워주는 역할
→ 넘치는 넓이 = 채워주는 넓이 → (※ 넓이 = 밑변 × 높이)
높이에 대한 정보는 있으나 밑변(인구수)에 대한 정보는 불확실하다. → 즉, 범위성 정보

A, B지역의 인구 합계가 C, D, E지역의 인구 합계보다 많다.
→ A, B의 밑변은 가장 작게, C, D, E는 밑변은 가장 크게 만들어도 A, B의 밑변이 길까?
→ A, B의 밑변을 가장 작게 만들기 위해서는, 우선 채움받는 넓이는 작아야 한다.
→ C, D, E는 전체 높이와의 차이값은 가장 작게, 12.0 → 12.0−6.7 = 5.3
→ 채움받는 넓이가 고정됐다면, 높이가 크면 클수록 너비가 작아지므로, 높이의 차이값은 커야 한다.
→ A, B는 전체 높이와의 차이값은 가장 크게, 4.5 → 6.7−4.5 = 2.2
→ 밑변을 가장 작게 만들어도 A, B지역 인구 합계가 C, D, E지역의 인구 합계보다 많다.

답 (O)

적용문제-06 (5급 19-06)

다음 〈표〉는 가정용 정화조에서 수집한 샘플의 수중 질소 성분 농도를 측정한 자료이다. 이에 대한 〈설명〉의 정오는?

〈표〉 수집한 샘플의 수중 질소 성분 농도

(단위: mg/L)

항목 / 샘플	총질소	암모니아성 질소	질산성 질소	유기성 질소	TKN
A	46.24	14.25	2.88	29.11	43.36
B	37.38	6.46	( )	25.01	( )
C	40.63	15.29	5.01	20.33	35.62
D	54.38	( )	( )	36.91	49.39
E	41.42	13.92	4.04	23.46	37.38
F	( )	( )	5.82	( )	34.51
G	30.73	5.27	3.29	22.17	27.44
H	25.29	12.84	( )	7.88	20.72
I	( )	5.27	1.12	35.19	40.46
J	38.82	7.01	5.76	26.05	33.06
평균	39.68	( )	4.34	( )	35.34

※ 1) 총질소 농도 = 암모니아성 질소 농도 + 질산성 질소 농도 + 유기성 질소 농도
2) TKN 농도 = 암모니아성 질소 농도 + 유기성 질소 농도

설명

1. 샘플 F는 암모니아성 질소 농도가 유기성 질소 농도보다 높다. (O, X)

자료

설명

▸ 목적 파트는?

▸ 설명의 유형은?

▸ 풀이의 방법은?

관점 적용하기

1. (X) 샘플 F의 암모니아성 질소와 유기성 질소의 경우 TKN과의 관계를 통한 방정식은 1개만 나오는데, 빈칸은 2개가 존재한다.
즉, 빈칸이 방정식보다 적으므로 부정방정식이다. 부정방정식의 빈칸은 범위성 정보이다.
샘플 F의 암모니아성 질소와 유기성 질소는 범위성 정보이다.

암모니아성 질소가 유기성 질소 높다 → A(암모니아성 질소)가 n(유기성 질소) 이상이다.
→ A(암모니아성 질소)가 n(유기성 질소)보다 작아질 수 있을까?
암모니아성 질소와 유기성 질소에 대한 추가 제약이 없으므로 작아질 수 있다.

답 (X)

적용문제-07 (5급 18-13)

다음 〈표〉는 대학 평판도에 관한 자료이다. 이에 대한 〈설명〉의 정오는?

〈표 1〉 대학 평판도 지표별 가중치

지표	지표 설명	가중치
가	향후 발전가능성이 높은 대학	10
나	학생 교육이 우수한 대학	5
다	입학을 추천하고 싶은 대학	10
라	기부하고 싶은 대학	5
마	기업의 채용선호도가 높은 대학	10
바	국가·사회 전반에 기여가 큰 대학	5
사	지역 사회에 기여가 큰 대학	5
가중치 합		50

〈표 2〉 A ~ H 대학의 평판도 지표점수 및 대학 평판도 총점

(단위: 점)

지표 \ 대학	A	B	C	D	E	F	G	H
가	9	8	7	3	6	4	5	8
나	6	8	5	8	7	7	8	8
다	10	9	10	9	( )	9	10	9
라	4	6	6	6	( )	( )	( )	6
마	4	6	6	6	( )	( )	8	6
바	10	9	10	3	6	4	5	9
사	8	6	4	( )	7	8	9	5
대학 평판도 총점	( )	( )	( )	( )	410	365	375	( )

※ 1) 지표점수는 여론조사 결과를 바탕으로 각 지표별로 0 ~ 10 사이의 점수를 1점 단위로 부여함.
2) 지표환산점수(점) = 지표별 가중치 × 지표점수
3) 대학 평판도 총점은 해당 대학 지표환산점수의 총합임.

설명

1. 지표 '라'의 지표점수는 F 대학이 G 대학보다 높다. (O, X)

✓ 자료

✓ 설명

▸ 목적 파트는?

▸ 설명의 유형은?

▸ 풀이의 방법은?

관점 적용하기

1. (O) F대학의 경우, 총점과 지표의 관계를 통해 도출할 수 있는 방정식은 1개이다. 그러나 빈칸은 2개이다.
즉, 빈칸이 방정식보다 적으므로 부정방정식이다. 부정방정식의 빈칸은 범위성 정보이다. F대학의 빈칸은 범위성 정보이다.
F대학이 G대학보다 높다 → A(F대학)가 n(G대학) 이상이야? → A(F대학)가 n(G대학)보다 작아질 수 있을까?
공통과 차이를 생각하여 공통을 소거하자.
차이는 G가 가=1, 나=1, 다=1, 바=1, 사=1점 더 높고, 총점은 10점 더 높다.
가~사의 가중치를 고려하면 G는 10+5+10+5+5 = 35점이 높아야 한다.
즉, 라와 마에서 25점의 감점이 있다.
정오판단을 위해서는 F대학의 '라' 지표점수가 G대학보다 작아질 수 있는지 확인하면 된다.
따라서 마의 차이값을 최대로 만들자. → 지표의 최대점수가 10점이므로 F의 마를 10점으로 생각하자.
F와 G의 마 차이값은 20점이다. 여기에 25점 감점이 필요하다. 그런데 20점만 감소되었으므로
라 지표는 F대학이 G대학보다 작아질 수 없다. 따라서 F대학이 G대학보다 높다.

답 (O)

적용문제-08 (7급 21-07)

다음 〈표〉는 학생 '갑' ~ '무'의 중간고사 3개 과목 점수에 관한 자료이다. 이에 대한 〈설명〉의 정오는?

〈표〉 '갑' ~ '무'의 중간고사 3개 과목 점수

(단위: 점)

과목 \ 학생	갑	을	병	정	무
성별	남	여	( )	여	남
국어	90	85	60	95	75
영어	90	85	100	65	100
수학	75	70	85	100	100

설명

1. '갑' ~ '무'의 성별 수학 평균 점수는 남학생이 여학생보다 높다. (O, X)

✔ 자료

✔ 설명

▸ 목적 파트는?

▸ 설명의 유형은?

▸ 풀이의 방법은?

간단 퀴즈

Q 알 수 없다고 생각했는가? 왜 그렇게 생각했는가? 다음에 그러지 않기 위해 무엇이 필요한가?

관점 적용하기

1. (O) 병의 성별을 알 수 없으므로 평균점수는 범위성 정보이다.
남학생이 여학생보다 높다. → 남학생은 최소로, 여학생은 최대로
병을 제외한 남학생의 수학 평균점수: 87.5점
병을 제외한 여학생의 수학 평균점수: 85점
병의 19점수는 85점이다. 따라서 병이 남학생이라고 가정하면 남학생의 평균점수를 낮춘다.
87.5점과 85점을 가중평균하면 85점보다 높다.
즉, 남학생 점수를 최소로, 여학생 점수를 최대로 하여도 남학생이 여학생보다 높다.

답 (O)

적용문제-09 (7급 21-21)

다음 〈표〉는 직원 '갑' ~ '무'에 대한 평가자 A ~ E의 직무평가 점수이다. 이에 대한 〈설명〉의 정오는?

〈표〉 직원 '갑' ~ '무'에 대한 평가자 A ~ E의 직무평가 점수

(단위: 점)

직원 \ 평가자	A	B	C	D	E	종합점수
갑	91	87	( )	89	95	89.0
을	89	86	90	88	( )	89.0
병	68	76	( )	74	78	( )
정	71	72	85	74	( )	77.0
무	71	72	79	85	( )	78.0

※ 1) 직원별 종합점수는 해당 직원이 평가자 A ~ E로부터 부여받은 점수 중 최댓값과 최솟값을 제외한 점수의 평균임.
2) 각 직원은 평가자 A ~ E로부터 각각 다른 점수를 부여받았음.
3) 모든 평가자는 1 ~ 100점 중 1점 단위로 점수를 부여하였음.

설명

1. '병'의 종합점수로 가능한 최댓값과 최솟값의 차이는 5점 이상이다. (O, X)

자료

설명

▸ 목적 파트는?

▸ 설명의 유형은?

▸ 풀이의 방법은?

관점 적용하기

1. (X) 병의 종합점수의 최댓값과 최솟값을 알기 위해 C의 점수를 '극단적으로' 생각하자.
C의 점수를 극단적으로 큰 100점인 경우와 극단적으로 작은 1점인 경우로 나누어 생각하자.
C의 점수가 100점이라면 C와 A를 제외한 나머지 B, D, E의 평균 점수가 종합점수이다.
C의 점수가 1점이라면 C와 E를 제외한 나머지 A, B, D의 평균 점수가 종합점수이다.
B와 D는 공통이므로 차이인 A와 E의 점수를 확인하면 A의 점수와 E의 점수는 10점이 차이난다.
따라서 최댓값과 최솟값의 종합점수는 3.333점 차이가 난다.

답 (X)

적용문제-10 (5급 11-04)

다음은 2010년 F-1 자동차 경주대회에 대한 자료이다. 이에 대한 〈설명〉의 정오는?

2010년 F-1 자동차 경주대회 방식

- 2010년 F-1 자동차 경주대회는 연 19회의 그랑프리 대회를 통하여 획득한 점수를 합산하여 시상한다.
- 2010 코리아 그랑프리 대회는 2010년 F-1 자동차 경주대회의 17번째 그랑프리 대회이다.
- 누적점수가 높은 순으로 드라이버 순위를 선정한다.

〈표 1〉 2010 코리아 그랑프리 대회 전의 상위권 드라이버 순위

순위	드라이버	누적점수(점)
1	웨버	220
2	알론소	207
3	베텔	206
4	해밀턴	192
5	버튼	189
6	마사	128
7	로스버그	122
8	쿠비차	114
9	슈마허	54
10	수틸	47

〈표 2〉 2010 코리아 그랑프리 대회의 기록

순위	드라이버	1위와의 기록차이(초)	획득점수(점)
1	알론소	-	25
2	해밀턴	+14.9	18
3	마사	+30.8	15
4	슈마허	+39.6	12
5	쿠비차	+47.7	10
6	리우찌	+53.5	8
7	바리첼로	+69.2	6
8	가무이	+77.8	4
9	하이트펠트	+80.1	2
10	훌켄버그	+80.8	1

※ 1) 동명이인의 드라이버는 없다.
2) 그랑프리의 순위별 획득점수는 모든 대회가 동일 함.

설명

1. 2010년 F-1 자동차 경주대회의 18, 19번째 그랑프리 대회 결과에 따라 최종 드라이버 순위 1위가 될 수 있는 드라이버는 모두 5명이다. (O, X)

자료

설명

▸ 목적 파트는?

▸ 설명의 유형은?

▸ 풀이의 방법은?

관점 적용하기

1. (O) 18, 19번째의 대회의 결과는 정확한 값을 알 수 없는 범위성 정보이다.
→ 즉, 극단적으로 생각하자.
18, 19번째 대회에서 모두 1등이라고 가정하면 최대로 받을 수 있는 점수는 50점이다.
따라서 50점을 추가 획득 시 우승이 가능한 드라이버를 생각하자.
〈표 1〉은 코리아 그랑프리 대회전, 즉 16번째까지의 경기의 누적점수이고,
〈표 2〉는 17번째 대회의 점수이다. 17번째 대회 이후의 1등은 207+25=232점의 알론소이다.
알론소를 외의 다른 선수가 최종 1등을 하기 위한 최소 점수는 233점이다.
즉, 17번째 대회 이후 점수는 (233−50=) 183점 이상이어야 한다.
〈표 1〉과 〈표 2〉에 따르면 17번째 대회까지 183점 이상인 선수는 5명이다.

답 (O)

적용문제-11 (5급 11-04)

다음 〈표〉는 농구대회의 중간 성적에 대한 자료이다. 이에 대한 〈설명〉의 정오는?

〈표〉 농구대회 중간 성적(2012년 2월 25일 현재)

순위	팀	남은 경기 수	전체		남은 홈 경기 수	홈 경기		최근 10경기		최근 연승 연패
			승수	패수		승수	패수	승수	패수	
1	A	6	55	23	2	33	7	9	1	1 패
2	B	6	51	27	4	32	6	6	4	3 승
3	C	6	51	27	3	30	9	9	1	1 승
4	D	6	51	27	3	16	23	5	5	1 승
5	E	5	51	28	2	32	8	7	3	1 패
6	F	6	47	31	3	28	11	7	3	1 패
7	G	6	47	31	4	20	18	8	2	2 승
8	H	6	46	32	3	23	16	6	4	2 패
9	I	6	40	38	3	22	17	4	6	2 승
10	J	6	39	39	2	17	23	3	7	3 패
11	K	5	35	44	3	16	23	2	8	4 패
12	L	6	27	51	3	9	30	2	8	6 패
13	M	6	24	54	3	7	32	1	9	8 패
14	N	6	17	61	3	7	32	5	5	1 승
15	O	6	5	73	3	1	38	1	9	3 패

※ 1) '최근 연승 연패'는 최근 경기까지 몇 연승(연속으로 이김), 몇 연패(연속으로 짐)를 했는지를 뜻함. 단, 연승 또는 연패하지 않은 경우 최근 1경기의 결과만을 기록함.
2) 각 팀은 홈과 원정 경기를 각각 42경기씩 총 84경기를 하며, 무승부는 없음.
3) 순위는 전체 경기 승률이 높은 팀부터 1위에서 15위까지 차례로 결정되며, 전체 경기 승률이 같은 경우 홈 경기 승률이 낮은 팀이 해당 순위보다 하나 더 낮은 순위로 결정됨
4) $전체(홈경기)\ 승률 = \frac{전체(홈\ 경기)\ 승수}{전체(홈\ 경기)\ 승수 + 전체(홈\ 경기)\ 패수}$

설명

1. I팀의 최종 순위는 남은 경기 결과에 따라 8위가 될 수 있다. (O, X)

2. 남은 경기 결과에 따라 1위 팀은 변경될 수 있다. (O, X)

자료

설명

▸목적 파트는?

▸설명의 유형은?

▸풀이의 방법은?

관점 적용하기

1. (O) 현재 I팀은 40승, 8위인 H팀은 46승이다.
   이제 '극단적으로' 생각하여 I는 남은 경기를 모두 승리하고, H는 모두 패배한다고 가정하자.
   I는 총 46승, 홈경기는 25승을 하였고, H는 총 46승, 홈경기는 23승을 하였다.
   즉, I가 H를 이기는 경우가 존재한다.

2. (O) 현재 1위 팀의 승리 횟수는 55승이다. 그런데 1위 팀이 남은 경기를 모두 지고,
   2~5위 팀 중 한 팀이라도 남은 경기를 모두 이긴다면 1위가 될 수 있다.

답 (O, O)

적용문제-12 (제작문제)

다음 〈표〉는 '고릴라'배 테니스 시합 결과에 대한 자료이다. 이에 대한 〈설명〉의 정오는?

〈표〉 갑과 을의 테니스 시합결과

(단위: 점)

세트 / 참가자	1세트	2세트	3세트	총득점
갑	( )	( )	( )	8점
을	( )	( )	( )	7점

※ 1) 3점을 득점하면 1세트를 승리한다.
2) 2개의 세트를 승리하면 최종 승리한다.

설명

1. 테니스 시합은 갑이 최종 승리하였다.

(O, X)

2. 을은 3세트에서 2점을 득점하였다.

(O, X)

✓ 자료

✓ 설명

▸ 목적 파트는?

▸ 설명의 유형은?

▸ 풀이의 방법은?

관점 적용하기

1. (O) 각 세트의 득점 결과는 숫자 0~3으로 구성된다.
갑의 경우, 8점을 득점하였으므로 0~3의 숫자로 구성할 수 있는 경우의 수는 (2,3,3) 뿐이다.
즉, 갑은 무조건 2번의 승리를 해야 한다. 따라서 갑이 최종 승리한다.

2. (O) 각 세트의 득점 결과는 숫자 0~3으로 구성된다.
을의 경우, 7점을 득점하였으므로 0~3의 숫자로 구성할 수 있는 경우의 수는 (1,3,3), (2,2,3)이다.
갑이 최종 승리하였으므로 을은 1세트만 이겨야 한다. 따라서 숫자의 구성은 (2,2,3)이 된다.
만약 갑이 1,2세트를 승리했다면, 3세트 경기는 치러질 수 없다.
즉, 3세트는 무조건 갑이 이겨야 하기 때문에 3세트 을의 점수는 2점이다.

답 (O, O)

적용문제-13 (5급 22-33)

다음 〈표〉는 총 100회 개최된 사내 탁구대회에 매회 모두 참가한 사원 A, B, C의 라운드별 승률에 관한 자료이다. 〈표〉와 〈탁구대회 운영방식〉에 근거한 〈설명〉의 정오는?

〈표〉 사원 A, B, C의 사내 탁구대회 라운드별 승률

(단위: %)

사원 \ 라운드	16강	8강	4강	결승
A	80.0	100.0	( )	( )
B	100.0	90.0	( )	( )
C	96.0	87.5	( )	( )

탁구대회 운영방식

- 매회 사내 탁구대회는 16강, 8강, 4강, 결승 순으로 라운드가 치러지고, 라운드별 경기 승자만 다음 라운드에 진출하며, 결승 라운드 승자가 우승한다.
- 매회 16명이 대회에 참가하고, 각 라운드에서 참가자는 한 경기만 치른다.
- 모든 경기는 참가자 1 : 1 방식으로 진행되며 무승부는 없다.

설명

1. A가 8번 우승했다면, A의 결승 라운드 승률 최솟값은 10%이다.

(O, X)

2. 16강에서 A와 B 간 또는 B와 C 간 경기가 있었던 대회 수는 24회 이하이다.

(O, X)

✓ 자료

✓ 설명

▸ 목적 파트는?

▸ 설명의 유형은?

▸ 풀이의 방법은?

관점 적용하기

총 100회의 경기를 주어진 자료에 대입하면, 다음과 같다.
16강 승리 (8강 진출) → A: 80회, B: 100회 C: 96회
8강 승리 (4강 진출) → A: 80회, B: 90회 C: 84회 (96×87.5%)

1. (O) A의 결승 라운드 승률$\left(=\frac{\text{결승의 승리수}}{\text{결승의 경기수}}\right)$의 최솟값을 구하기 위해서는 A가 결승을 최대한 많이 올라가야 한다.
A가 결승을 최대한 많이 올라가게 하기 위해서, 4강에서 모두 승리했다고 가정하자. (4강 승리 = 결승 진출)
그렇다면 A의 결승 진출 횟수는 80회이고, 이중 8번을 우승 했다고 가정했으므로, 승률의 최솟값은 10%이다.

2. (O) A와 B의 경기 또는 B와 C의 경기의 경기는 24회 이하인가? → 경기수를 최대로 생각해도 24회 이하인가?
두 사원이 경기를 했다는 것은 사원간의 승패가 갈렸다는 것을 의미함.
승패가 갈렸다는 것은 둘 중에 한명은 패배, 한명은 승리했다는 것이다.
A와 B → 승패가 갈리는 경기는 최소 0회, 최대 20회 / B와 C → 승패가 갈리는 경기는 최소 0회, 최대 4회
따라서, 최소 0회에서 최대 24회이다. 최대로 생각해도 24회 이하이다.

답 (O, O)

2 순위 <Day.9>

Q 극단으로 순위 어떻게 판단 할 수 있나요?

아래와 같은 자료과 설명의 형태를 지닌 유형을 극단으로 - 순위 유형이라고 부른다.

〈표〉 신재생 에너지 지역별 생산량

순위	태양광		태양열	
	지역	생산량	지역	생산량
1위	A	8,948	A	1,984
2위	B	4,896	B	1,578
3위	C	(　　)	F	785
4위	D	1,587	D	532
5위	E	595	G	(　　)

설명

1. C지역에서 생산한 태양광 에너지는 G지역에서 생산한 태양열 에너지의 3배 이상이다. (O, X)
2. 태양광 에너지 생산량은 6위지역은 태양열생산량 6위 지역보다 높다. (O, X)

극단으로 - 순위 유형은
① 자료에 순위자료가 주어짐.
② 설명의 목적이 주어진 순위를 벗어나 단 1개의 값이 아닌 범위의 값으로 주어짐.

Q 극단으로 순위의 정의

순위라는 것은 '점수' 혹은 '크기'에 비례한다. 따라서, 아래의 그림처럼 2등과 4등의 점수의 범위를 알 수 있다.

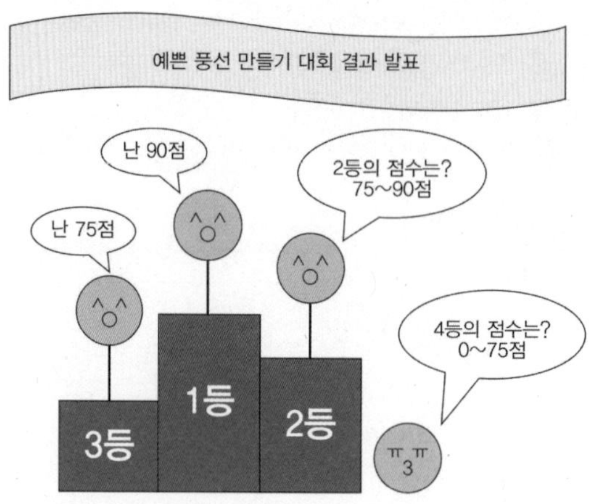

이렇듯, 순위 자료가 주어지면 범위성 정보가 만들어지고, 이것은 앞에서 배운 극단으로의 유형과 유사하다. 따라서, 순위 정보는 범위성 정보를 제시하기 때문에 설명의 정오판단시에 '극단적으로' 생각해야 한다.
'A는 n 이상'이다. → A의 최솟값이 n보다 큰가?
'A는 n 이하'이다. → A의 최댓값이 n보다 작은가?

Q 극단으로에 순위에 관점 적용하기

'4가지 관점 중 첫 번째 관점인 '후보군'에서 배운 것처럼 우리가 해야할 것은 오직 설명의 '정오판단'뿐이므로, 57~108의 모든 숫자가 중요한 것이 아니라, 설명의 정오가 맞는지만 따지면 된다.

1) A은 n 이상이다. 라는 형태라면, (A=목적)

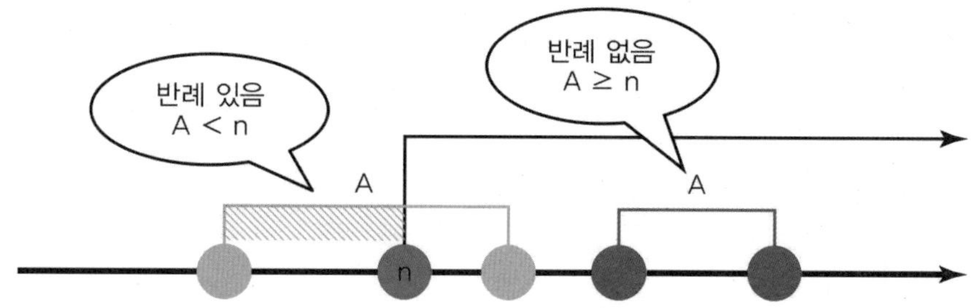

반례없음 영역에서는 설명이 옳은 것이고, 반례 있음의 영역에서는 설명이 옳지 않은 것이다.
따라서, 반례를 찾기 위해 주어진 범위 중 최솟값을 생각하여 반례를 찾는다.
→ 'A는 n 이상인가?'의 정오판단 = A의 최솟값도 n보다 큰가?

2) A는 n 이하이다. 라는 형태라면, (A = 목적)

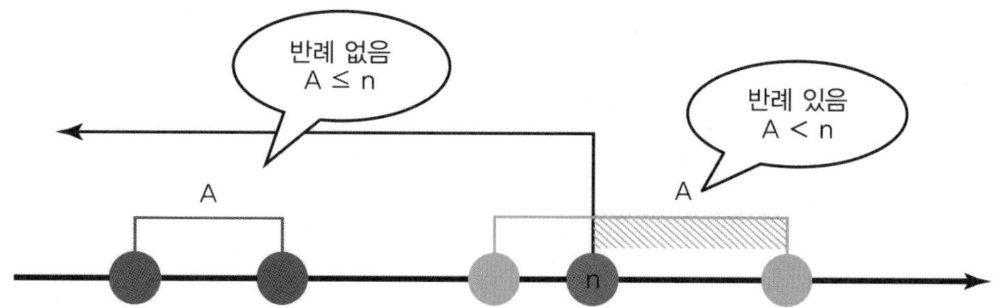

반례없음 영역에서는 설명이 옳은 것이고, 반례 있음의 영역에서는 설명이 옳지 않은 것이다.
따라서, 반례를 찾기 위해 주어진 범위 중 최솟값을 생각하여 반례를 찾는다.
→ 'A는 n 이하인가?'의 정오판단 = A의 최댓값도 n보다 작은가?

Q 극단으로-순위를 요약해주세요

극단으로-순위 요약하기

• 설명의 목적이 내용이 범위성을 가지고 있다면,

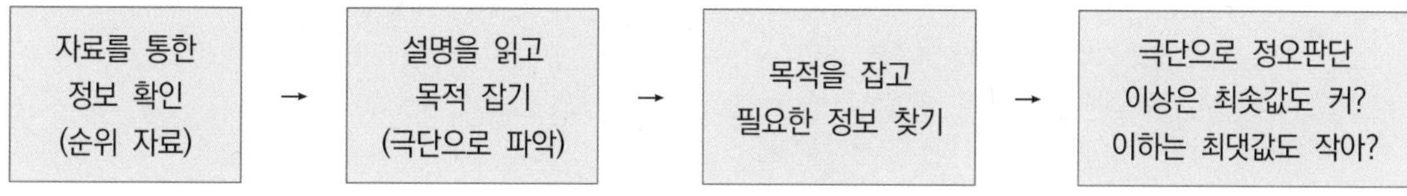

예제

다음 〈표〉는 지역별 태양 에너지 생산량 순위에 관한 자료이다. 이에 대한 〈설명〉의 정오는?

〈표〉 지역별 태양 에너지 생산량 순위

(단위: mW)

순위	태양광		태양열	
	지역	생산량	지역	생산량
1위	A	8,948	A	1,984
2위	B	4,896	B	1,578
3위	C	(　　)	F	785
4위	D	1,587	D	532
5위	E	595	G	(　　)

설명

1. C지역에서 생산한 태양광 에너지는 G지역에서 생산한 태양열 에너지의 3배 이상이다.

(O, X)

✓ 자료

✓ 설명

▸ 목적 파트는?

▸ 설명의 유형은?

▸ 풀이의 방법은?

관점 적용하기

자료는 순위 관련이고, 설명의 목적은 C지역과 G지역 각각 빈칸, 즉 범위성 정보이다.

1. (X) C지역은 태양광 3위이므로 생산량은 1,587~4,896이고, G지역은 태양열 5위이므로 0~532이다.
   C지역/G지역이 3배 이상인지 물었으므로 → 설명의 유형은 'A는 n 이상'이다.
   따라서, A의 최솟값이 n보다 큰지 생각하자.
   A = C지역/G지역, n = 3
   A를 최솟값으로 만들기 위해 분자(C지역)는 가장 작게, 분모(G지역)는 가장 크게 만들자.
   C지역을 가장 작게 만들면 1,587이고, G지역을 가장 크게 만들면 532이다.
   $\frac{1,587}{532} < 3$이므로, A의 최솟값이 3보다 작으므로 옳지 않다.

답 (X)

적용문제-01 (5급 12-26)

다음 〈표〉는 A기업 직원의 직무역량시험 영역별 점수 상위 5명의 자료이다. 이에 대한 〈설명〉의 정오는?

〈표〉 A기업 직원의 직무역량시험 영역별 점수 상위 5명

(단위: 점)

순위	논리		추리		윤리	
	이름	점수	이름	점수	이름	점수
1	하선행	94	신경은	91	양선아	97
2	성혜지	93	하선행	90	박기호	95
3	김성일	90	성혜지	88	황성필	90
4	양선아	88	황성필	82	신경은	88
5	황성필	85	양선아	76	하선행	84

설명

1. 신경은의 총점은 260점을 초과하지 못한다.
(O, X)

2. A기업 직원 중 총점이 가장 높은 직원은 하선행이다.
(O, X)

✓ 자료

✓ 설명

▸ 목적 파트는?

▸ 설명의 유형은?

▸ 풀이의 방법은?

관점 적용하기

순위 관련 자료로, 영역별 6위 이하의 점수는 범위성 정보이다.

1. (X) 신경은 260점을 초과해? → 신경은의 점수를 최댓값으로 만들자
논리 84점, 추리 91점, 윤리 88점 → 총점이 263점이다. 즉, 신경은이 260점을 넘는 경우가 있다.

2. (O) 하선행의 총점이 가장 높아? → 하선행보다 높은 사람은 없는가? → 하선행은 최솟값, 나머지는 최댓값으로 가정
하선행: 논리 94점, 추리 90점, 윤리 84점 → 총점 268점
→ 하선행보다 높은 점수를 얻으려면 3과목 중 적어도 1과목 이상에서 더 높은 점수를 받아야 한다.
하선행: 논리 1등, 추리 2등, 윤리 5등이다.
더 높은 점수를 받아야 하므로, 논리와 추리보다는 윤리가 더 높은 점수를 받기 용이하다.
따라서 윤리에서 하선행보다 높은 점수를 받은 직원과 비교하자. (공통과 차이를 생각하면 좋다.)
양선아: 논리 88점, 추리 76점, 윤리 97점 → 총점 261점
박기호: 논리 84점, 추리 75점, 윤리 95점 → 총점 254점
황성필: 논리 85점, 추리 82점, 윤리 90점 → 총점 257점
모두 하선행보다 낮기 때문에, 하선행이 가장 높다.

답 (X, O)

적용문제-02 (5급 16-08)

다음 〈표〉는 우리나라의 시·군 중 2013년 경지 면적, 논 면적, 밭 면적 상위 5개 시·군에 대한 자료이다. 이에 대한 〈설명〉의 정오는?

〈표〉 경지 면적, 논 면적, 밭 면적 상위 5개 시·군

(단위: ha)

구분	순위	시·군	면적
경지 면적	1	해남군	35,369
	2	제주시	31,585
	3	서귀포시	31,271
	4	김제시	28,501
	5	서산시	27,285
논 면적	1	김제시	23,415
	2	해남군	23,042
	3	서산시	21,730
	4	당진시	21,726
	5	익산시	19,067
밭 면적	1	제주시	31,577
	2	서귀포시	31,246
	3	안동시	13,231
	4	해남군	12,327
	5	상주시	11,047

※ 1) 경지 면적 = 논 면적 + 밭 면적
2) 순위는 면적이 큰 시·군부터 순서대로 부여함.

설명

1. 서산시의 밭 면적은 김제시 밭 면적보다 크다.

(O, X)

2. 상주시의 논 면적은 익산시 논 면적의 90% 이하이다.

(O, X)

✓ 자료

✓ 설명

▸ 목적 파트는?

▸ 설명의 유형은?

▸ 풀이의 방법은?

간단 퀴즈

Q 서산과 김제의 밭 면적을 비교를 더 쉽게 하는 방법은 없을까?

A 폭폭폭을 이용하자.

관점 적용하기

순위 자료이며, 6위 이하는 범위성 정보이다. 단, 경지 = 논+밭이므로, 6위 이하중 범위성이 아닌 경우도 있다.

1. (O) 서산시와 김제시의 밭은 6위 이하지만 경지 = 논+밭으로 밭을 추론할 수 있다.
서산시 밭: 27,2---21,7-- = 5,5-- 김제시 밭: 28,5---23,4-- = 5,1-- → 서산이 더 크다.

2. (O) 상주시의 논은 6위이하이고, 밭만 주어져 있으므로 범위성 정보이다.
익산시의 논은 5위(19,067)이다. 상주시의 논은 범위성 정보이므로 '극단으로' 생각하자.
상주시의 논이 익산시의 논의 90% 이하이다 → 상주시 논이 최댓값이여도 90%이하인지 확인하자.
상주시는 밭 면적이 있으므로 고려해야 한다.
만약 단순하게 논의 6등의 최댓값인 19,066으로 가정하면 경지(논+밭)가 서산시보다 커진다.
따라서, 상주시의 논의 최댓값은 경지의 최댓값과 밭의 차이이다.
논의 최댓값 = 27,2---11,0-- = 16,2— → $\frac{16,2--}{19,067}$ 이다. 따라서 90% 이하이다.

답 (O, O)

적용문제-03 (5급 21-33)

다음 〈표〉는 2020년 '갑'시의 오염물질 배출원별 배출량에 대한 자료이다. 이에 대한 〈설명〉의 정오는?

〈표〉 2020년 오염물질 배출원별 배출량 현황

(단위: 톤, %)

오염물질 / 배출원	PM10		PM2.5		CO		NOx		SOx		VOC	
구분	배출량	배출비중	배출량	배출비중	배출량	배출비중	배출량	배출비중	배출량	배출비중	배출량	배출비중
선박	1,925	61.5	1,771	64.0	2,126	5.8	24,994	45.9	17,923	61.6	689	1.6
화물차	330	10.6	304	11.0	2,828	7.7	7,427	13.6	3	0.0	645	1.5
건설장비	253	8.1	233	8.4	2,278	6.2	4,915	9.0	2	0.0	649	1.5
비산업	163	5.2	104	3.8	2,501	6.8	6,047	11.1	8,984	30.9	200	0.5
RV	134	4.3	123	4.5	1,694	4.6	1,292	2.4	1	0.0	138	0.3
계	2,805	( )	2,535	( )	11,427	( )	44,675	( )	26,913	( )	2,321	( )

※ 1) PM10 기준 배출량 상위 5개 오염물질 배출원을 선정하고, 6개 오염물질 배출량을 조사함.

2) 배출비중(%) = $\frac{\text{해당 배출원의 배출량}}{\text{전체 배출원의 배출량}} \times 100$

설명

1. PM2.5 기준 배출량 상위 5개 배출원의 PM2.5 배출비중 합은 90% 이상이다.

(O, X)

2. NOx의 전체 배출원 중에서 '건설장비'는 네 번째로 큰 배출비중을 차지한다.

(O, X)

자료

설명

▸ 목적 파트는?

▸ 설명의 유형은?

▸ 풀이의 방법은?

간단 퀴즈

Q NOx의 배출비중이 가장 큰 배출원을 알 수 있는가?

A 그렇다.

관점 적용하기

주어진 자료는 PM10을 기준으로 한 순위이므로 다른 오염물질의 순위는 명확하게 알 수 없다.

1. (O) PM2.5 의 배출원별 순위는 알 수 없지만
   배출원들의 배출비중의 합은 64+11+8.4+3.8+4.5 = 91.7이다.
   상위 5위로 확정할 수 없는 5개 배출원의 합이 90%보다 크다.
   따라서 상위 5개의 합은 당연히 90%보다 크다.
2. (X) NOx의 배출원별 순위를 알 수 없다.
   또한, 배출비중의 합이 45.9+13.6+9.0+11.1+2.4 = 82이므로, 상위 1등만 확정지을 수 있다.
   따라서 건설장비가 네 번째로 큰 배출 비중을 차지하는지 알 수 없다.

답 (O, X)

적용문제-04 (5급 22-17)

다음 〈표〉는 2020년 기준 글로벌 전기차 시장 점유율 상위 10개 업체의 2015 ~ 2020년 전기차 판매량에 관한 자료이다. 이에 대한 〈설명〉의 정오는?

〈표〉 2020년 기준 글로벌 전기차 시장 점유율 상위 10개 업체의 전기차 판매량 및 시장 점유율

(단위: 대, %)

업체 \ 연도	2015	2016	2017	2018	2019	2020
T사	43,840 (15.9)	63,479 (14.4)	81,161 (10.8)	227,066 (17.4)	304,353 (19.8)	458,385 (22.1)
G사	2,850 (1.0)	3,718 (0.8)	39,454 (5.2)	56,294 (4.3)	87,936 (5.7)	218,626 (10.6)
V사	5,190 (1.9)	12,748 (2.9)	18,424 (2.5)	24,093 (1.8)	69,427 (4.5)	212,959 (10.3)
R사	60,129 (21.8)	78,048 (17.7)	85,308 (11.3)	140,441 (10.8)	143,780 (9.4)	184,278 (8.9)
H사	1,364 (0.5)	6,460 (1.5)	26,841 (3.6)	53,138 (4.1)	98,737 (6.4)	146,153 (7.1)
B사	9,623 (3.5)	46,909 (10.6)	42,715 (5.7)	103,263 (7.9)	147,185 (9.6)	130,970 (6.3)
S사	412 (0.1)	1,495 (0.3)	10,490 (1.4)	34,105 (2.6)	52,547 (3.4)	68,924 (3.3)
P사	1,543 (0.6)	5,054 (1.1)	4,640 (0.6)	8,553 (0.7)	6,855 (0.4)	67,446 (3.3)
A사	-	-	-	15 (0.0)	40,272 (2.6)	60,135 (2.9)
W사	-	-	-	5,245 (0.4)	38,865 (2.5)	56,261 (2.7)

※ 괄호 안의 수치는 글로벌 전기차 시장에서 해당 업체의 판매량 기준 점유율임.

설명

1. H사의 전기차 판매량 순위는 2015년 7위에서 2016년 5위로 상승하였으며, 2019년에는 4위로 오른 후 2020년에 다시 5위를 기록하였다.

(O, X)

✓ 자료

✓ 설명

▸ 목적 파트는?

▸ 설명의 유형은?

▸ 풀이의 방법은?

관점 적용하기

주어진 자료는 2020년을 기준으로 한 순위이므로 다른 연도의 순위는 명확하게 알 수 없다.

1. (X) 주어진 자료를 통해서는 15, 16, 19년의 정확한 순위를 알 수 없다.

답 (X)

적용문제-05 (입 18-39)

다음 〈표〉는 2014년 세계 수산물 생산규모 상위 15개국 현황에 대한 자료이다. 이에 대한 〈설명〉의 정오는?

〈표〉 세계 수산물 생산현황 및 생산규모 순위(2014년)

(단위: 천M/T)

순위	국가명	수산물 생산규모			비중(%)
		합계	어획규모	양식규모	
1	중국	76,149	17,352	58,797	38.9
2	인도네시아	20,884	6,508	14,376	10.7
3	인도	9,603	4,719	4,884	4.9
4	베트남	6,331	2,919	3,412	3.2
5	미국	5,410	4,984	426	2.8
6	미얀마	5,048	4,083	965	2.6
7	일본	4,773	3,753	1,020	2.4
8	필리핀	4,692	2,354	2,338	2.4
9	러시아	4,396	4,233	163	2.2
10	칠레	3,820	2,593	1,227	2.0
11	노르웨이	3,788	2,456	1,332	1.9
12	페루	3,714	3,599	115	1.9
13	방글라데시	3,548	1,591	1,957	1.8
14	한국	3,308	1,737	1,571	1.7
15	태국	2,704	1,770	934	1.4
상위 15개국 합계		158,168	64,651	93,517	80.8
전세계 합계		195,784	94,645	101,139	100.0

※ M/T: 무역거래에서 중량을 사용할 때 1,000㎏을 1톤으로 하는 수량단위

설명

1. 2014년도 세계 수산물 생산에 있어, 어획규모와 양식규모 각각의 순위를 명확히 확정할 수 있는 국가는 중국, 인도네시아, 인도, 베트남뿐이다. (O, X)

자료

설명

▸ 목적 파트는?

▸ 설명의 유형은?

▸ 풀이의 방법은?

간단 퀴즈

Q 수산물 생산 국가는 적어도 몇 개국 이상인가?

A 29개국

관점 적용하기

1. (O) 주어진 자료의 순위는 수산물 생산규모의 합계 기준이다.
   즉, 16위 이하 국가 생산규모의 최댓값은 2,704이다
   또한 생산규모 = 어획규모 + 양식규모이므로 어획규모와 양식규모의 최댓값도 2,704이다.
   어획규모와 양식규모 모두 2,704 보다 큰 국가는 중국, 인도네시아, 인도, 베트남 4개국뿐이다.

답 (O)

적용문제-06 (민 15-24)

다음 〈표〉는 '가'국의 스마트폰 기반 웹 브라우저 이용에 대한 설문조사를 바탕으로, 2013년 10월 ~ 2014년 1월 동안 매월 이용률 상위 5종 웹 브라우저의 이용률 현황을 정리한 자료이다. 이에 대한 〈설명〉의 정오는?

〈표〉 스마트폰 기반 웹 브라우저

(단위: %)

조사시기 / 웹 브라우저 종류	2013년 10월	2013년 11월	2013년 12월	2014년 1월
사파리	55.88	55.61	54.82	54.97
안드로이드 기본 브라우저	23.45	25.22	25.43	23.49
크롬	6.85	8.33	9.70	10.87
오페라	6.91	4.81	4.15	4.51
인터넷 익스플로러	1.30	1.56	1.58	1.63
상위 5종 전체	94.39	95.53	95.68	95.47

※ 무응답자는 없으며, 응답자는 1종의 웹 브라우저만을 이용한 것으로 응답함.

설명

1. 2013년 10월 전체 설문조사 대상 스마트폰 기반 웹 브라우저는 10종 이상이다.

(O, X)

✔ 자료

✔ 설명

▸ 목적 파트는?

▸ 설명의 유형은?

▸ 풀이의 방법은?

간단 퀴즈

Q 브라우저의 종류에 대해서 n개 이하인지에 대해서 물어본다면, 어떻게 처리해야 하는가?

A n보다 크게 만들어보자.

관점 적용하기

1. (O) 2013년 10월 상위 5종 외 웹 브라우저의 이용률은 0~1.62의 범위성을 지니고 있다.
'A는 n 이상'이다. → 선지의 재구성: A가 n보다 작은 경우 없어?
웹 브라우저의 개수를 10개보다 작게 만들 수 없어?
→ 웹 브라우저의 개수를 작게 만들기 위해 상위 5종 외의 웹 브라우저 이용률이 최대여야 한다.
상위 5종의 이용률이 94.39%이므로 나머지 값은 5.61%이다.
상위 5종 외 웹 브라우저의 이용률을 최대로 생각해야 하므로 1.3이 몇 개 들어가는지 확인하자.
5.61/1.3 = 4.XXX 이다. 즉, 적어도 5개 웹 브라우저가 더 필요하다.
(1.3개 4개만 있으면, 1.3+1.3+1.3+1.3=5.2이므로, 0.41을 채우지 못하기 때문에 1개 더 필요하다.)
웹 브라우저의 최솟값은 상위 5종 외에 추가로 5개가 필요하므로 총 10종이다.
브라우저의 개수를 10개보다 작게 만들 수 없어? → 10개보다 작게 만들 수 없으므로 옳다.

답 (O)

적용문제-07 (제작문제)

다음 〈표〉는 교내 매점의 판매량 하위 5개의 연도별 점유율에 대한 자료이다. 이에 대한 〈설명〉의 정오는?

〈표〉 교내 매점의 판매량 하위 5개의 연도별 점유율

(단위: %)

조사연도 / 점유율 하위 5개품목	2019년	2020년
생수	3.3	4.1
꼬마김밥	5.2	6.2
흰우유	6.1	8.2
샌드위치	8.1	9.5
햄버거	10.2	10.2
하위 5개의 합	32.9	38.2

설명

1. 2019년 교내 매점에서 판매하는 품목은 11개 이하이다.

(O, X)

✓ 자료

✓ 설명

▸ 목적 파트는?

▸ 설명의 유형은?

▸ 풀이의 방법은?

관점 적용하기

1. (O) 하위 5개 외의 품목은 10.2~67.1(100−32.9)의 범위성을 지니고 있다.
'A는 n이하'이다. → 선지의 재구성: A가 n보다 큰 경우 없어?
품목의 개수를 12개보다 크게 만들 수 없어?
→ 품목의 개수를 크게 만들기 위해 하위 5개 외의 품목의 점유율은 최소화해야 한다.
하위 5개의 점유율이 32.9%이므로 남은 값은 67.1%이다.
하위 5개 외 품목의 점유율을 최소로 생각해야하므로 10.2가 몇 개 들어가는지 확인해야 한다.
67.1/10.2 = 6.XXX이므로 많아도 6개 품목이 더 필요하다.
(※ 10.2가 6개만 있으면, 61.2%이므로, 5.9%가 남게 된다. 그런데, 범위성이 10.2~67.1이므로 5.9%를 더 채우기 위해서는 10.2보다 더 커지는 선택 외에 존재하지 않는다.)
품목의 최댓값은 하위 5개 외에 추가로 6개가 더 필요하다. 즉, 총 11개이다.
품목의 개수를 11개보다 크게 만들 수 없어? → 11개보다 크게 만들 수 없으므로 옳다.

답 (O)

3 집합

Q 극단으로 - 집합 어떻게 판단 할 수 있나요?

아래와 같은 자료과 설명의 형태를 지닌 유형을 극단으로 - 집합 유형이라고 부른다.

〈표〉 성별, 장애 유형별 등록 장애인 현황

(단위: 명)

성별		장애 유형		합계
남성	여성	신체	정신	
154,802	101,225	197,962	58,065	256,027

설명

1. 등록장애인 중 남성이면서 신체적 장애를 지닌 장애인은 96,000명 이상이다. (O, X)

2. 등록장애인 중 여성이거나 정신적 장애를 지닌 장애인은 100,000명 이하이다. (O, X)

극단으로 - 집합 유형은

① 자료에서 하나의 전체를 여러 형태의 구분으로 나누어 제공함.

② 설명의 목적이 교집합, 합집합 등 집합에 대한 내용임.

Q 극단으로 집합의 정의

아래의 내용은 데이터를 자료의 형태로 바꾼 것이다.

〈데이터〉 A질병 환자의 데이터 베이스

갑: 남성 / 흡연 O / 음주 O / 운동 O
을: 여성 / 흡연 X / 음주 O / 운동 O
병: 남성 / 흡연 X / 음주 O / 운동 O
정: 남성 / 흡연 O / 음주 X / 운동 X
무: 남성 / 흡연 X / 음주 X / 운동 O
기: 여성 / 흡연 O / 음주 O / 운동 X
경: 여성 / 흡연 X / 음주 O / 운동 X

→

〈표〉 A질병 환자별의 특성

구분		인원수
흡연	O	3
	X	4
음주	O	5
	X	2
운동	O	4
	X	3

흡연과 음주를 동시에 하는 인원수에 대해서 설명에서 물어본다고 가정해보자.
〈데이터〉를 통해서 확인한다면 갑과 기라고 명확하게 말할 수 있지만,
〈표〉를 통해서 본다면 정확히 몇 명이라고 말할 수 없게 된다.
단지, 흡연O ∩ 음주O라는 사실을 통해서 최소 1명, 최대 3명이라는 사실을 알 수 있을 뿐이다.
이러한 현상은 데이터가 자료로 변환됨에 따라 탈락되는 정보가 존재하기 때문이다.
이렇듯 하나의 전체가 여러 형태의 구분으로 나누어지는 경우에 정모의 탈락 때문에 범위성 정보가 발생한다.

Q 극단으로 - 집합에 관점 적용하기

교집합 (A∩B) → A와 B가 겹치는 부분 → 설명의 형태: A이면서 B이다.
교집합 범위는 최소 교집합 ~ 최대 교집합으로 구성된다.

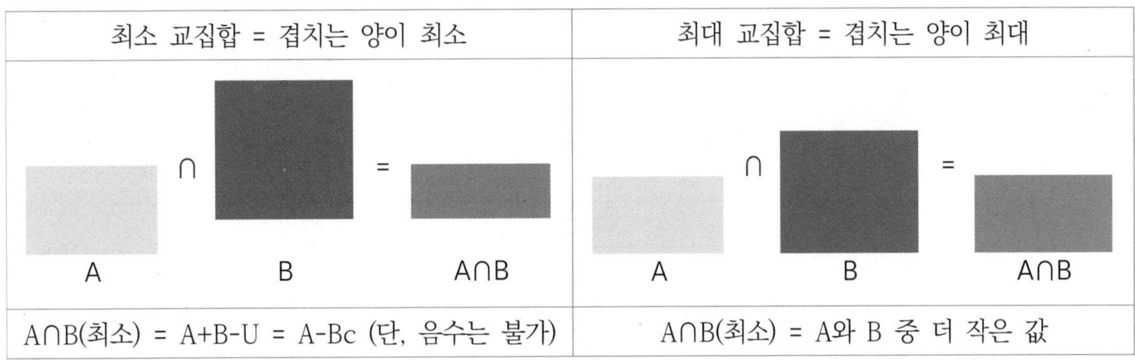

최소 교집합 = 겹치는 양이 최소	최대 교집합 = 겹치는 양이 최대
A ∩ B = A∩B	A ∩ B = A∩B
A∩B(최소) = A+B-U = A-Bc (단, 음수는 불가)	A∩B(최소) = A와 B 중 더 작은 값

→ 최소 교집합에서 여집합의 양이 적다면, A-Bc 사용하기 좋은 자료의 구조이다.

합집합 (AUB) → A나 B 둘중 하나라도 포함되는 부분 → 설명의 형태: A이거나 B이다.

최소 합집합 = 겹치는 양이 최소	최대 교집합 = 겹치는 양이 최대
A U B = A∩B	A U B = A∩B
AUB(최소) = A와 B중 더 큰 값	AUB(최대) = A+B (단, 전체보다 클 순 없음.)

Q 극단으로-집합를 요약해주세요

극단으로-집합 요약하기

• 자료가 하나의 전체를 여러 형태 구분으로 나누어 제공했다면,

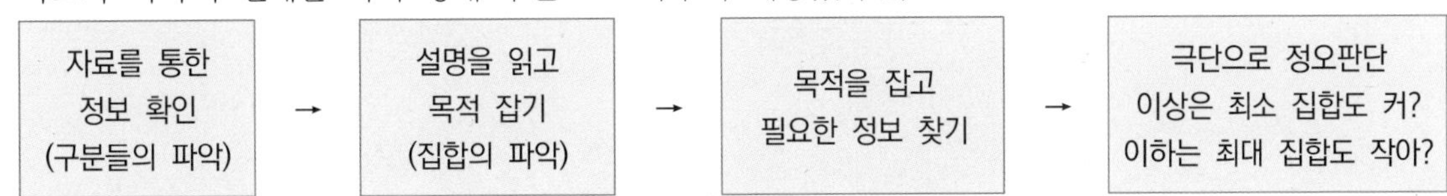

예제

다음 〈표〉는 성별 장애유형별 등록 장애인 현황을 정리한 자료이다. 이에 대한 〈설명〉의 정오는?

〈표〉 성별, 장애 유형별 등록 장애인 현황

(단위: 명)

성별		장애 유형		합계
남성	여성	신체	정신	
154,802	101,225	197,962	58,065	256,027

설명

1. 등록장애인 중 남성이면서 신체적 장애를 지닌 장애인은 96,000명 이상이다.

(O, X)

2. 등록장애인 중 여성이거나 정신적 장애를 지닌 장애인은 160,000명 이하이다.

(O, X)

자료

설명

▸ 목적 파트는?

▸ 설명의 유형은?

▸ 풀이의 방법은?

관점 적용하기

1. (O) 남성이면서 산체적 장애 = 교집합, 설명은 'A는 n 이상'이다. → A의 최솟값도 n보다 큰가? → 최소 교집합 남성(A) ∩ 신체적 장애(B)의 최솟값을 구할 수 있는 공식은 아래의 3가지이다.
   1) A+B−U = 154,8-- + 197,9-- - 256,0-- = 96,7--
   2) A−Bc = 154,8-- - 58,0-- = 96,8-- 3) B−Ac = 197,9-- - 101,2-- = 96,7--
   최소 교집합의 크기가 96,000명 보다 크다.
2. (O) 여성이거나 정신적 장애 = 합집합, 설명은 'A는 n이하'이다. → A의 최댓값도 n보다 작은가? → 최대합집합 A∪B(최대) = A+B = 101,2--+58,0-- = 159,2--이므로, 최대 합집합의 크기가 160,000보다 작다.

답 (O, O)

예제

다음 〈표〉는 1000명을 조사한 A당과 B당의 정당지지 조사결과이다. 이에 대한 〈설명〉의 정오는?

〈표〉 정당 지지조사 결과

(단위: 명)

구분	지지정당	A당	B당
성별	남성	421	231
	여성	118	230
연령대	20~29	13	259
	30~39	50	75
	40~49	135	62
	50~59	235	45
	60 이상	106	20
소득수준	200 미만	56	102
	200 이상 300 미만	65	242
	300 이상 400 미만	85	68
	400 이상 500 미만	112	37
	500 이상	221	12
합계		539	461

설명

1. 50세 이상이면서 남성인 A당 지지자는 220명 이상이다. (O, X)

2. 30세 미만이면서 소득수준이 300 미만인 B당 지지자는 140명 이상이다. (O, X)

자료

설명

▸ 목적 파트는?

▸ 설명의 유형은?

▸ 풀이의 방법은?

간단 퀴즈

Q 최소 교집합의 3가지 공식의 유불리는 무엇으로 결정 될까?

A 여집합의 항의 개수

관점 적용하기

1. (O) 50세 이상이면서 남성 = 교집합, 설명은 'A는 n 이상'이다. → A의 최솟값도 n보다 큰가? → 최소 교집합
50세 이상(A) ∩ 남성(B)의 최솟값을 구할 수 있는 공식은 아래의 3가지이다.
1) A+B−U 2) A−Bc 3) B−Ac → 50세 이상의 여집합은 항의 개수가 3개이고, 남성의 여집합은 여성 1개이다.
따라서, 2) A−Bc를 이용하는 것이 가장 계산량이 적다. → 235+106−118 = 223명
최소 교집합의 크기가 220명 이상이다.
2. (O) 30세 미만이면서 소득수준이 300 미만 = 교집합.
설명은 'A는 n 이상'이다. → A의 최솟값도 n보다 큰가? → 최소 교집합
30세 미만(A) ∩ 소득 수준 300 미만(B)의 최솟값을 구할 수 있는 공식은 아래의 3가지이다.
1) A+B−U 2) A−Bc 3) B−Ac → 30세 미만의 여집합은 항의 개수가 4개이고, 300미만의 여집합은 여성 3개이다.
따라서, 1) A+B−U 또는 2) A−Bc를 이용하는 것이 계산량이 적다.
1) 259 + 102 + 242 − 461 = 361 + 242 − 461 = 142명
2) 259 − 68 − 37 − 12 = 259 − 80 − 37 = 259 − 117 = 142명
최소 교집합의 크기가 140명 이상이다.

답 (O, O)

적용문제-01 (5급 15-19)

교수 A ~ C는 주어진 〈조건〉에서 학생들의 보고서를 보고 공대생 여부를 판단하는 실험을 했다. 아래 〈그림〉은 각 교수가 공대생으로 판단한 학생의 집합을 나타낸 벤다이어그램이며, 〈표〉는 실험 결과에 따라 교수 A ~ C의 정확도와 재현도를 계산한 것이다. 이에 대한 〈설명〉의 정오는?

조건

- 학생은 총 150명이며, 이 중 100명만 공대생이다.
- 학생들은 모두 1인당 1개의 보고서를 제출했다.
- 실험에 참가하는 교수 A ~ C는 150명 중 공대생의 비율을 알지 못한다.

〈그림〉 교수 A ~ C가 공대생으로 판단한 학생들의 집합

(단위: 명)

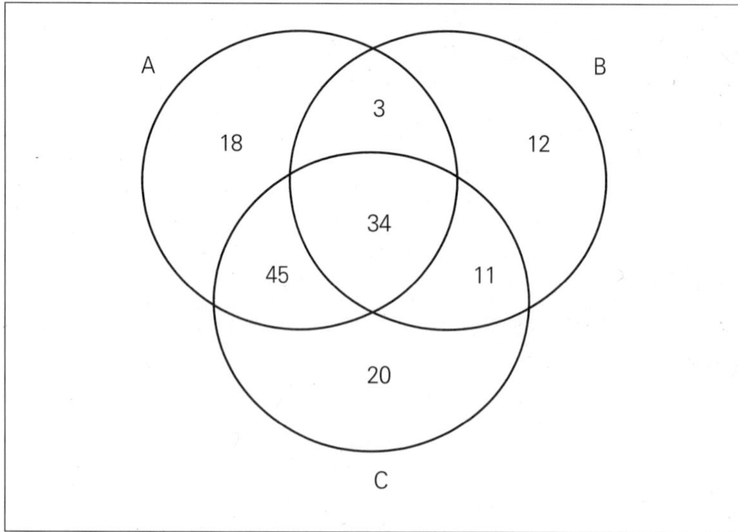

〈표〉 교수 A ~ C의 정확도와 재현도

교수	정확도	재현도
A	( )	( )
B	1	( )
C	$\frac{8}{11}$	$\frac{4}{5}$

※ 1) 정확도 = $\frac{\text{공대생으로 판단한 학생 중에서 공대생 수}}{\text{공대생으로 판단한 학생 수}}$

2) 재현도 = $\frac{\text{공대생으로 판단한 학생 중에서 공대생 수}}{\text{전체 공대생 수}}$

설명

1. A, C 두 교수 모두가 공대생이라고 공통적으로 판단한 학생들 중에서 공대생의 비율은 60% 이상이다.

(O, X)

✓ 자료

✓ 설명

▸ 목적 파트는?

▸ 설명의 유형은?

▸ 풀이의 방법은?

간단 퀴즈

Q 교수 A~C가 공대생이라고 판단한 합집합의 크기를 쉽게 확인할 순 없을까?

관점 적용하기

전체 학생은 150명, 이 중 공대생이 100명이라는 사실과 〈표〉의 정확도와 재현도를 이용하면
교수가 공대생이라고 판단한 학생 수와 실제로 공대생인 학생 수를 각각 구할 수 있다.
B교수의 경우, 그가 판단한 공대생은 모두 실제 공대생이다.
C교수의 경우, 110명을 공대생이라고 판단하였으며, 그중 80명이 공대생이다.

1. (O)
A와 C가 공통으로 맞힌 공대생의 숫자는 범위성 정보이다. (단, B와 겹치는 부분은 확정적 정보이다)
A가 n 이상인가? → A를 최솟값으로 생각하자.
A와 C가 겹치는 부분을 줄이기 위해 C가 맞힌 공대생 80명을 A가 맞힌 공대생과 최대한 겹치지 않도록 하자.
(※ C는 110명을 공대생으로 판단하였고 $\frac{8}{11}$의 정확도를 지녔으므로 80명을 맞췄다.)
→ 80명 중 31(=20+11)명을 제외한 49명의 경우, A와 C가 공통으로 맞힌 숫자가 된다.
$\frac{49}{45+34} = \frac{49}{79}$ 〉 60%이므로 60% 이상이다.

답 (O)

적용문제-02 (민 16-23)

다음 〈표〉는 A지역의 저수지 현황에 대한 자료이다. 이에 대한 〈설명〉의 정오는?

〈표 1〉 관리기관별 저수지 현황

(단위: 개소, 천㎥, ha)

구분 / 관리기관	저수지 수	총 저수용량	총 수혜면적
농어촌공사	996	598,954	69,912
자치단체	2,230	108,658	29,371
전체	3,226	707,612	99,283

〈표 2〉 저수용량별 저수지 수

(단위: 개소)

저수용량 (m^3)	10만 미만	10만 이상 50만 미만	50만 이상 100만 미만	100만 이상 500만 미만	500만 이상 1,000만 미만	1,000만 이상	합
저수지 수	2,668	360	100	88	3	7	3,226

〈표 3〉 제방높이별 저수지 수

(단위: 개소)

제방높이 (m)	10 미만	10 이상 20 미만	20 이상 30 미만	30 이상 40 미만	40 이상	합
저수지 수	2,566	533	99	20	8	3,226

설명

1. 관리기관이 자치단체이고 제방높이가 '10 미만'인 저수지 수는 1,600개소 이상이다.

(O, X)

✓ 자료

✓ 설명

▸ 목적 파트는?

▸ 설명의 유형은?

▸ 풀이의 방법은?

간단 퀴즈

Q 1,600개소는 무엇을 위한 함정일까?

A 관리기관과 저수용량의 최소 교집합

관점 적용하기

1. (X) 저수지를 관리기관과 제방높이라는 2개의 구분으로 분류하였다.
자치단체이고 제방높이가 10미만 = 교집함
설명은 'A는 n 이상'이다. → A의 최솟값도 n보다 큰가? → 최소 교집합
자지단체(A) ∩ 제방높이(B)의 최소 교집합 = B−Ac = 2,566−996 = 1,570이다.
따라서, 최소 교집합 크기가 1,600 미만이므로 옳지 않다.

답 (X)

적용문제-03 (5급 19-35)

다음 〈표〉는 2013 ~ 2017년 A ~ E국의 건강보험 진료비에 관한 자료이다. 이에 대한 〈설명〉의 정오는?

〈표 1〉 A국의 건강보험 진료비 발생 현황

(단위: 억 원)

구분 \ 연도		2013	2014	2015	2016	2017
의료기관	소계	341,410	360,439	390,807	419,353	448,749
	입원	158,365	160,791	178,911	190,426	207,214
	외래	183,045	199,648	211,896	228,927	241,534
약국	소계	120,969	117,953	118,745	124,897	130,844
	처방	120,892	117,881	118,678	124,831	130,775
	직접조제	77	72	66	66	69
계		462,379	478,392	509,552	544,250	579,593

〈표 2〉 A국의 건강보험 진료비 부담 현황

(단위: 억 원)

구분 \ 연도	2013	2014	2015	2016	2017
공단부담	345,652	357,146	381,244	407,900	433,448
본인부담	116,727	121,246	128,308	136,350	146,145
계	462,379	478,392	509,552	544,250	579,593

설명

1. 2013 ~ 2017년 동안 A국 의료기관의 입원 진료비 중 공단부담 금액은 매년 3조 8천억 원 이상이다.

(O, X)

✓ 자료

✓ 설명

▸ 목적 파트는?

▸ 설명의 유형은?

▸ 풀이의 방법은?

관점 적용하기

1. (O) 건강보험 진료비를 발생원인과 부담 현황이라는 2개의 구분으로 분류하였다.
입원 진료비 중 공단 부담 = 교집합 설명은 'A는 n 이상'이다. → A의 최솟값도 n보다 큰가? → 최소 교집합
입원 진료비(A) ∩ 공단 부담(B)의 최소 교집합 = A−Bc = 입원 진료비 − 본인부담이다.
(※ 입원 진료비의 여집합의 항의 개수는 외래, 약국(처방, 직접조제)이므로, 사용하기에 적합하지 않다.
3조 8천억원은 자료에서 38,000이므로, 입원 진료비 − 본인부담의 값이 모두 38,000보다 큰 지 확인하자.
매년 40,000 이상이므로 당연히 38,000 이상이다. 따라서, 최소 교집합의 크기가 3조 8천억원 이상이므로 옳다.

답 (O)

적용문제-04 (5급 16-28)

다음 〈표〉는 A회사의 연도별 임직원 현황에 관한 자료이다. 이에 대한 〈설명〉의 정오는?

〈표〉 A회사의 연도별 임직원 현황

(단위: 명)

구분 \ 연도		2013	2014	2015
국적	한국	9,566	10,197	9,070
	중국	2,636	3,748	4,853
	일본	1,615	2,353	2,749
	대만	1,333	1,585	2,032
	기타	97	115	153
	계	15,247	17,998	18,857
고용형태	정규직	14,173	16,007	17,341
	비정규직	1,074	1,991	1,516
	계	15,247	17,998	18,857
연령	20대 이하	8,914	8,933	10,947
	30대	5,181	7,113	6,210
	40대 이상	1,152	1,952	1,700
	계	15,247	17,998	18,857
직급	사원	12,365	14,800	15,504
	간부	2,801	3,109	3,255
	임원	81	89	98
	계	15,247	17,998	18,857

설명

1. 국적이 한국이면서 고용형태가 정규직이고 직급이 사원인 임직원은 2014년에 5,000명 이상이다.

(O, X)

자료

설명

▸ 목적 파트는?

▸ 설명의 유형은?

▸ 풀이의 방법은?

간단 퀴즈

Q 3개의 최소 교집합의 식은 어떻게 될까? (A ∩ B ∩ C)의 최소

A 1) A + B + C - 2U

2) A - Bc - Cc

관점 적용하기

1. (O) 임직원을 국적, 고용형태, 직급이라는 3개의 구분으로 분류하였다.
   한국이면서 정규직이면서 사원 = 교집합 → 한국 ∩ 정규직 ∩ 사원
   설명은 'A는 n 이상'이다. → A의 최솟값도 n보다 큰가? → 최소 교집합
   3개의 최소 교집합을 한 번에 구하기는 어려우므로 단계를 나누어 생각하자.
   우선, 한국과 정규직만 생각하자. → 한국인이면서 정규직(한국 ∩ 정규직) → 10,197−1,991
   한국인이면서 정규직을 새로운 분류 X라고 생각하고, X와 사원의 교집합을 구해보자.
   X와 사원(X ∩ 사원) → (10,197−1,991)−3,109−89 = 5,000↑
   따라서, 최소 교집합 크기가 5,000 이상이므로 옳다.

답 (O)

적용문제-05 (5급 15-18)

다음 〈표〉는 2011년과 2012년 친환경인증 농산물의 생산 현황에 관한 자료이다. 이에 대한 〈설명〉의 정오는?

〈표〉 종류별, 지역별 친환경인증 농산물 생산 현황

(단위: 톤)

구분		2012년				2011년
		합	인증형태			
			유기 농산물	무농약 농산물	저농약 농산물	
종류	곡류	343,380	54,025	269,280	20,075	371,055
	과실류	341,054	9,116	26,850	305,088	457,794
	채소류	585,004	74,750	351,340	158,914	753,524
	서류	41,782	9,023	30,157	2,602	59,407
	특용작물	163,762	6,782	155,434	1,546	190,069
	기타	23,253	14,560	8,452	241	20,392
	계	1,498,235	168,256	841,513	488,466	1,852,241
지역	서울	1,746	106	1,544	96	1,938
	부산	4,040	48	1,501	2,491	6,913
	대구	13,835	749	3,285	9,801	13,852
	인천	7,663	1,093	6,488	82	7,282
	광주	5,946	144	3,947	1,855	7,474
	대전	1,521	195	855	471	1,550
	울산	10,859	408	5,142	5,309	13,792
	세종	1,377	198	826	353	0
	경기도	109,294	13,891	71,521	23,882	126,209
	강원도	83,584	17,097	52,810	13,677	68,300
	충청도	159,495	29,506	64,327	65,662	207,753
	전라도	611,468	43,330	443,921	124,217	922,641
	경상도	467,259	52,567	176,491	238,201	457,598
	제주도	20,148	8,924	8,855	2,369	16,939
	계	1,498,235	168,256	841,513	488,466	1,852,241

설명

1. 2012년 전라도와 경상도에서 생산된 친환경인증 채소류 생산량의 합은 적어도 16만 톤 이상이다.

(O, X)

✔ 자료

✔ 설명

▸ 목적 파트는?

▸ 설명의 유형은?

▸ 풀이의 방법은?

간단 퀴즈

Q 전라도, 경상도, 채소류 3개의 최소 교집합이라고 생각했는가? 그것은 왜 잘못된 생각일까?

A 전라도와 경상도는 같은 구분에 존재한다.

관점 적용하기

1. (O) 농산물을 종류와 지역이라는 2개의 구분으로 분류하였다.
 전라도와 경상도에서 생산된 채소류 = 교집합
 설명은 'A는 n 이상'이다. → A의 최솟값도 n보다 큰가? → 최소 교집합
 지역 구분에 따르면 전라도와 경상도 종류 구분에 따르면 채소류
 전라도와 경상도(A) ∩ 채소류(B)의 최소 교집합 = A+B−U = (611 + 467) + (585) − 1,498 = 165
 최소 교집합이 165,---이다. 따라서, 최소 교집합 크기가 16만 톤 이상이므로, 옳다.

답 (O)

적용문제-06 (제작문제)

다음 〈표〉는 지역별, 농장규모별 가축두수 현황에 대한 자료이다. 이에 대한 〈설명〉의 정오는?

〈표〉 지역별 가축 두수 현황

지역 \ 가축	소	돼지	전체
A지역	7,812	3,781	11,593
B지역	1,257	2,557	3,814
C지역	878	875	1,753
D지역	1,571	667	2,238
전체	11,518	7,880	19,398

〈표〉 농장 규모별 가축 두수 현황

규모 \ 가축	소	돼지	전체
소규모	9,152	2,487	11,639
중규모	1,365	3,157	4,522
대규모	1,001	2,236	3,237
전체	11,518	7,880	19,398

설명

1. A지역 소규모 농장에서 키우는 소는 적어도 5,000마리 이상이다. (O, X)
2. A지역 소규모 농장에서 키우는 돼지는 존재한다. (O, X)
3. A지역 소규모 농장에서 키우는 가축은 적어도 5,000마리 이상이다. (O, X)

✓ 자료

✓ 설명

▸ 목적 파트는?

▸ 설명의 유형은?

▸ 풀이의 방법은?

간단 퀴즈

Q 적용 문제 5번에서도 이런 생각을 해야 할까?

A 그렇지 않다.

관점 적용하기

1. (O) 동일한 소를 지역별과 규모별에 따라서 분류하였다.
   A지역이고 소규모 = 교집합, 설명은 'A는 n 이상'이다. → A의 최솟값도 n보다 큰가? → 최소 교집합
   지역별에 따라서 A지역은 7,872마리 규모별에 소규모는 9,152마리
   최소 교집합 공식에 의하여, 7,872 + 9,152 - 11,518 = 5,000↑이다.
   5,000마리보다 작아질 수 없으므로 옳다.
2. (X) 돼지를 지역과 규모에 따라 분류하였다.
   A지역이고 소규모 = 교집합, 설명은 'A는 n 이상'이다. → A의 최솟값도 n보다 큰가? → 최소 교집합
   지역에 따라서 A지역은 3,781마리, 규모에 따라 소규모는 2,487마리이다.
   최소 교집합 공식에 의하여, 3,781 + 2,487 - 7,880 = 0↓이다.
   0마리보다 작아질 수 있으므로 옳지 않다.
3. (O) 가축을 지역과 규모에 따라 분류하였다.
   A지역이고 소규모 = 교집합, 설명은 'A는 n 이상'이다. → A의 최솟값도 n보다 큰가? → 최소 교집합
   지역에 따라 A지역은 11,593마리, 규모에 따라 소규모는 11,639마리이다.
   최소 교집합 공식에 의하여 11,593 + 11,639 - 19,398 = 5,000↓이다.
   5,000마리보다 작아질 수 있으므로 옳지 않다--라고 결론 내리기엔 이상하지 않은가?
   → 소만 생각해도 5,000마리가 넘는다. 즉, 당연히 5,000마리가 넘는다.
   왜 이런 현상이 생겼을까?
   → 이는 돼지의 최소 교집합이 음수값이므로 오히려 소를 감소시키기 때문이다.
   그러나 돼지와 소는 분명 다른 분류에 속하므로 돼지가 소를 감소시킨다는 것은 잘못된 분석이다.
   → 따라서 A지역 소규모 농장에서 키우는 가축은 5,000마리가 넘는다.

답 (O, X, O)

4 설문조사

Q 극단으로 설문조사는 어떻게 판단 할 수 있나요?

아래와 같은 자료과 설명의 형태를 지닌 유형을 극단으로 - 설문조사 유형이라고 부른다.

〈표〉 '갑'아이돌 팬클럽의 회원들의 멤버 선호 비율

(단위: %)

아이돌 멤버	A	B	C	D
선호 비율	85	55	35	15

※ 1) 선호 비율(%) = $\frac{\text{선호 인원}}{\text{조사 인원}} \times 100$

2) 무응답은 존재하지 않음.

설명

1. '갑' 팬클럽 회원 중 A 아이돌을 선호하는 팬클럽 회원 중 적어도 40%는 2명 이상의 아이돌을 선호한다.
(O, X)

2. D 아이돌을 선호하는 팬클럽 회원은 오직 D아 이돌만 선호한다면, 3명 이상의 아이돌을 선호하는 회원은 5%이다.
(O, X)

극단으로 - 설문조사 유형은
① 자료에서 하나의 집단의 설문조사 결과를 제공함.
설문조사이기에 무응답이 존재하기도, 또는 복수 응답이 존재하기도 함.
② 설명의 목적이 교집합, 합집합 등 집합에 대한 내용임.

Q 극단으로 설문조사의 정의

아래의 내용은 설문조사 결과를 자료의 형태로 바꾼 것이다.

〈데이터〉 '갑'사 직원의 주종별 선호도

갑: 소주O/맥주O/막걸리O/양주O
을: 소주O/맥주O/막걸리X/양주O
병: 소주O/맥주X/막걸리O/양주X
정: 소주O/맥주O/막걸리X/양주O
무: 소주X/맥주O/막걸리X/양주X
기: 소주O/맥주X/막걸리X/양주X
경: 소주X/맥주X/막걸리X/양주X

→

〈표〉 '갑'사 직원 주종별 선호인원

구분	인원수
소주	5
맥주	4
막걸리	2
양주	3

설문조사는 앞에서 배운 집합과 매우 유사하나, 2가지 차이점을 가지고 있다.
1) 무응답이 존재할 수 있다는 점 (경), 2) 복수응답이 존재할 수 있다는 점(갑, 을, 병, 정).
무응답은 전체 집합의 크기를 줄여주는 역할을 한다.
기존 집합에서는 전체(U) = 응답(U)로 구성됐다면, 설문조사에서는 전체(U) = 응답(u) + 무응답(uc)으로 구성된다.
따라서, 응답은 응답끼리, 무응답은 무응답끼리 서로 독립적인 관계를 지닌다.
복수응답은 극단으로 -집합에서의 교집합과 매우 유사한 의미를 가진다.
단, 복수응답은 오직 응답에서만 발생하므로, 무응답을 제외하고 생각해야 한다.

Q 극단으로 - 설문조사에 관점 적용하기

설문조사에서의 전체(U) = 응답(u) + 무응답(uc)으로 구성된다.
따라서, 교집합과 합집합에서 겹치는 부분을 구하는 사고를 할 때,
설문조사에서는 응답(u)끼리와 무응답(uc)끼리 서로 독립적인 관계이므로,
고려할 대상이 응답인지, 아닌지를 나누어 생각해야 한다.
교집합 (A∩B) → A와 B가 겹치는 부분 → 설명의 형태: A이면서 B이다.
교집합 범위는 최소 교집합 ~ 최대 교집합으로 구성된다.

최소 교집합 = 겹치는 양이 최소	최대 교집합 = 겹치는 양이 최대
A ∩ B = A∩B	A ∩ B = A∩B
A∩B(최소) = A+B-u = A-Bc (단, 음수는 불가)	A∩B(최소) = A와 B 중 더 작은 값

합집합 (A∪B) → A나 B 둘중 하나라도 포함되는 부분 → 설명의 형태: A이거나 B이다.

최소 합집합 = 겹치는 양이 최소	최대 교집합 = 겹치는 양이 최대
A ∪ B = A∩B	A ∪ B = A∩B
A∪B(최소) = A와 B중 더 큰 값	A∪B(최대) = A+B (단, 응답 대상(u)보다 클 순 없음.)

Q 극단으로 - 설문조사를 요약해주세요

극단으로 - 설문조사 요약하기

- 하나의 조사 집단이 주어진 설문에 응답을 했다면, 무응답을 제외한 응답자를 전체로 본다.

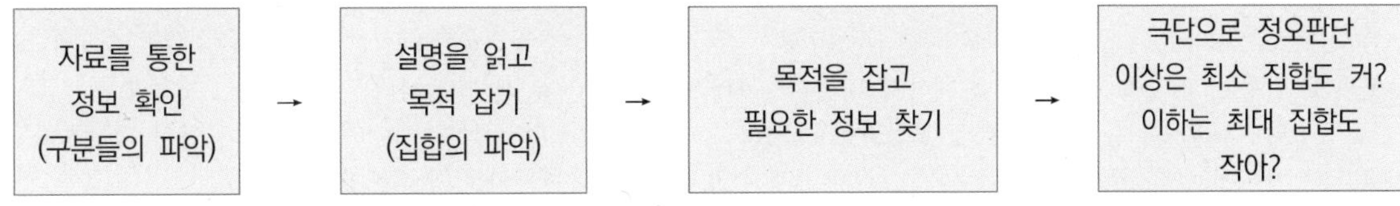

예제

다음 〈표〉는 '갑'아이돌의 팬클럽 회원들의 맴버 선호 비율에 대한 자료이다. 이에 대한 〈설명〉의 정오는?

〈표〉 '갑'아이돌 팬클럽의 회원들의 멤버 선호 비율

(단위: %)

아이돌 멤버	A	B	C	D
선호 비율	85	55	35	15

※ 1) 선호 비율(%) = $\frac{\text{선호 인원}}{\text{조사 인원}} \times 100$

2) 무응답은 존재하지 않으며, 복수응답이 가능함.

설명

1. '갑' 팬클럽 회원 중 멤버 A와 다른 멤버를 동시에 선호하는 회원은 적어도 40% 이상이다.

(O, X)

2. 멤버 D를 선호하는 회원은 오직 멤버 D만 선호한다면, 멤버 A,B,C를 모두 선호하는 회원은 5% 이상이다.

(O, X)

자료

설명

▸ 목적 파트는?

▸ 설명의 유형은?

▸ 풀이의 방법은?

관점 적용하기

1. (O) 각주에 의하여 무응답은 존재하지 않는다. 따라서, 응답(u) = 전체(U)이다.
맴버 A와 다른 맴버의 최소 교집합에 대해서 물어보고 있으며, 설문조사이기에 복수 응답이 가능하다.
따라서, A와 B, A와 C, A와 D, 각각 3개의 교집합의 크기를 따로 생각해야 한다.
A∩B(최소) = 40, A∩C(최소) = 20 A∩D(최소) = 0 → 이중 A∩B(최소)가 가장 크다.
따라서, 아무리 작게 만들어도 A∩B(최소)보다 작아 질 수는 없다. 따라서 적어도 40% 이상이다.
2. (O) 멤버 D를 선호하는 회원은 오직 멤버 D만 선호한다는 것은 멤버 D와 나머지가 서로 독립적인 관계라는 것이다.
따라서, 멤버 D를 선호한다 = 무응답이라고 생각하면 된다.
응답(u) = 전체(U) – D선호이므로, 응답(u) = 85%이다.
A∩B∩C(최소) = A+B+C–2U = 85+55+35–85–85 = 5%, 따라서, 5% 이상이다.

답 (O, O)

예제

다음 〈표〉는 연도별 고등학생의 담배 획득 경로 비율에 대한 자료이다. 이에 대한 〈설명〉의 정오는?

〈표〉 연도별 고등학생의 담배 획득 경로 비율

(단위: %)

구분	구입 방식		비 구입 방식		
	직접	대리	가족	대여	탈취
2021	48.0	17.5	6.7	37.5	15.3
2022	55.1	20.0	9.2	44.9	16.8

※ 담배 획득 경험이 있는 고등학생만을 조사한 결과이다.

설명

1. 2022년 2개 이상의 경로로 담배를 획득한 경험이 있는 고등학생은 20.0% 이상이다.

(O, X)

2. 2021년 2개 이상의 경로로 담배를 획득한 경험이 있는 고등학생은 25.0% 이하이다.

(O, X)

자료

설명

▸ 목적 파트는?

▸ 설명의 유형은?

▸ 풀이의 방법은?

관점 적용하기

1. (O) 각주에 의하여 무응답은 존재하지 않는다. 따라서, 응답(u) = 전체(U)이다.
2개 이상의 경로로 담배를 획득한 경험이 있는 고등학생의 최솟값에 대해서 물어보고 있다.
따라서, 각각의 최소 교집합의 크기를 따로 생각해보면, 최소 교집합의 크기가 존재하지 않는다.
이런 경우에는 응답(u)의 값인 100%부터 가득 채워준다고 생각해야 한다.
직접과 대여를 이용하면 100%가 가득 차게 된다.
나머지 획득경로인 대리, 가족, 탈취 3가지 방법은 모두 복수선택이여야만 한다.
따라서, 아무리 작게 만들어도 2개 이상의 경로로 획득한 경우는 대리(20%)보다 작아질 수는 없다.
따라서, 2022년 2개 이상의 경로로 담배를 획득한 경험이 있는 고등학생은 20.0% 이상이다.
2. (O) 각주에 의하여 무응답은 존재하지 않는다. 따라서, 응답(u) = 전체(U)이다.
2개 이상의 경로로 담배를 획득한 경험이 있는 고등학생의 최댓값에 대해서 물어보고 있다.
따라서, 최대 교집합의 크기를 생각해야 한다.
무응답이 존재하지 않으므로 응답(u)의 값인 100% 가득 채워야 한다.
따라서, 모든 획득경로를 다 더해주면 최대 교집합을 구할 수 있다. 48.0+17.5+6.7+37.5+13.3 = 125%
따라서, 최대 교집합의 크기는 25%이므로, 옳다.

답 (O, O)

적용문제-01 (5급 20-36)

다음 〈표〉는 A시 초등학생과 중학생의 6개 식품 섭취율을 조사한 결과이다. 이에 대한 〈설명〉의 정오는?

〈표〉 A시 초등학생과 중학생의 6개 식품 섭취율

(단위: %)

식품	섭취 주기	초등학교			중학교		
		남학생	여학생	전체	남학생	여학생	전체
라면	주 1회 이상	77.6	71.8	74.7	89.0	89.0	89.0
탄산음료	주 1회 이상	76.6	71.6	74.1	86.0	79.5	82.1
햄버거	주 1회 이상	64.4	58.2	61.3	73.5	70.5	71.7
우유	매일	56.7	50.9	53.8	36.0	27.5	30.9
과일	매일	36.1	38.9	37.5	28.0	30.0	29.2
채소	매일	30.4	33.2	31.8	28.5	29.0	28.8

※ 1) 섭취율(%) = $\frac{\text{섭취한다고 응답한 학생 수}}{\text{응답 학생 수}} \times 100$

2) 초등학생, 중학생 각각 2,000명을 대상으로 조사하였으며, 전체 조사 대상자는 6개 식품에 대해 모두 응답하였음.

설명

1. 과일을 매일 섭취하는 초등학교 남학생 중 햄버거를 주 1회 이상 섭취하는 학생 수는 4명 이하이다.

(O, X)

✓ 자료

✓ 설명

▸ 목적 파트는?

▸ 설명의 유형은?

▸ 풀이의 방법은?

간단 퀴즈

Q 최대 교집합의 크기를 실제로 구해야할까?

A 최대 교집합이라기에 4명은 너무 작다.

관점 적용하기

1. (X) 동일한 조사 집단의 음식섭취 주기를 설문조사했다
설문조사이므로 전체(U) = 응답(u) + 미응답(uc)이다. 미응답이 존재하지 않으므로, 전체(U) = 응답(u)이다.
따라서, 과일 섭취와 햄버거 섭취를 단순한 교집합으로 생각하자.
설명은 'A는 n이하'이다. → A의 최댓값도 n보다 큰가? → 최대 교집합
섭취 초등학교 남학생 = 초등학교 남학생 수 × 섭취율
초등학교 남학생은 초등학교 남학생, 여학생, 전체의 가중평균을 이용하여 구할 수 있다.
채소를 기준으로 공통 높이를 소거하고 남은 넓이를 비교하면,
여학생 수 × 2.8 = 전체 학생수(2,000명) × 1.4 → 여학생 수 = 1,000명 남학생 수 = 1,000명
과일 섭취 남학생 = 1000×36.1% = 361명, 햄버거 섭취 남학생수 = 1000×644명
최대 교집합 = A와 B중 더 작은값이므로, 361명이다.
따라서, 최대 교집합 크기가 4명 초과이므로 옳지 않다.

답 (X)

적용문제-02 (5급 22-18)

다음 〈표〉는 '갑'국 국민 4,000명을 대상으로 공동인증서 비밀번호 변경주기를 조사한 자료이다. 이에 대한 〈설명〉의 정오는?

〈표〉 공동인증서 비밀번호 변경주기 조사 결과

(단위: 명, %)

구분		대상자 수	변경하였음					변경하지 않았음
				1년 초과	6개월 초과 1년 이하	3개월 초과 6개월 이하	3개월 이하	
전체		4,000	70.0	30.9	21.7	10.5	6.9	29.7
성별	남성	2,059	70.5	28.0	23.2	11.7	7.6	29.1
	여성	1,941	69.5	34.0	20.1	9.2	6.2	30.3
연령대	15~19세	367	55.0	22.9	12.5	12.0	7.6	45.0
	20대	702	67.7	32.5	17.0	9.5	8.7	32.3
	30대	788	74.7	33.8	20.4	11.9	8.6	24.5
	40대	922	71.0	29.5	25.1	10.1	6.4	28.5
	50대 이상	1,221	72.0	31.6	25.5	10.0	4.9	27.8
직업	전문직	691	70.3	28.7	23.7	11.4	6.5	29.2
	사무직	1,321	72.7	30.8	23.1	11.6	7.3	26.7
	판매직	374	74.3	32.4	22.2	11.5	8.3	25.4
	기능직	242	73.1	29.8	25.6	9.1	8.7	26.9
	농림어업직	22	81.8	13.6	31.8	18.2	18.2	18.2
	학생	611	58.9	27.5	12.8	11.0	7.7	41.1
	전업주부	506	73.5	36.4	24.5	7.5	5.1	26.5
	기타	233	63.5	35.6	19.3	6.0	2.6	36.1

※ 항목별로 중복응답은 없으며, 전체 대상자 중 무응답자는 12명임.

설명

1. 전체 무응답자 중 '사무직' 남성은 2명 이상이다.

(O, X)

자료

설명

▸ 목적 파트는?

▸ 설명의 유형은?

▸ 풀이의 방법은?

관점 적용하기

1. (O) 전체(U) = 응답(u) + 무응답(uc)이고, 무응답에 대해서 물어봤다. 무응답(u) = 전체(U)
무응답자를 성별과 연령대 직업으로 3개의 구분으로 분류하였다.
(※ 무응답자 = 대상자수 × 무응답 비율, 무응답 비율 = (100 − 변경하였음 - 변경하지 않았음)%)
사무직이고 남성 = 교집합, 설명은 'A는 n 이상'이다. → A의 최솟값도 n보다 큰가? → 최소 교집합
성별에 따라서 남성의 무응답자 = 2059×(100−70.5−29.1)% = 2059×0.4% = 8명
직업에 따라서 사무직의 무응답자 = 1321×(100−72.7−26.7)% = 1321×0.6% = 8명
최소 교집합 공식에 의하면 8+8−12 = 4명, 최소 교집합의 크기가 2명 이상이므로 옳다.

답 (O)

적용문제-03 (5급 19-38)

다음 〈표〉는 2013년과 2016년에 A～D 국가 전체 인구를 대상으로 통신 가입자 현황을 조사한 자료이다. 이에 대한 〈설명〉의 정오는?

〈표〉 국가별 2013년과 2016년 통신 가입자 현황

(단위: 만 명)

국가 \ 연도·구분	2013 유선 통신 가입자	2013 무선 통신 가입자	2013 유·무선 통신 동시 가입자	2013 미가입자	2016 유선 통신 가입자	2016 무선 통신 가입자	2016 유·무선 통신 동시 가입자	2016 미가입자
A	( )	4,100	700	200	1,600	5,700	400	100
B	1,900	3,000	300	400	1,400	( )	100	200
C	3,200	7,700	( )	700	3,000	5,500	1,100	400
D	1,100	1,300	500	100	1,100	2,500	800	( )

※ 유·무선 통신 동시 가입자는 유선 통신 가입자와 무선 통신 가입자에도 포함됨.

설명

1. A국의 2013년 인구 100명당 유선 통신 가입자가 40명이라면, 유선 통신 가입자는 2,200만 명이다.

(O, X)

2. C국의 2013년 인구 100명당 무선 통신 가입자가 77명이라면, 유·무선 통신 동시 가입자는 1,600만 명이다.

(O, X)

자료

설명

▸ 목적 파트는?

▸ 설명의 유형은?

▸ 풀이의 방법은?

간단 퀴즈

Q 가정형 설명은 어떻게 해결해야 할까?

A 가정을 정보파트에 넣어서 생각하자.

관점 적용하기

전체(U) = 가입자(u) + 미가입자(uc)이다.
여기서 가입자(u)는 유선, 무선, 그리고 유무선 동시가입(유선∩무선)으로 구성된다.
따라서, 가입자(u) = 유선 + 무선 - 유무선동시가입(유선∩무선)이다.

1. (X) A국 13년 유선가입자에 2200만명을 넣고, 인구 100명당 유선이 40명인지 확인해보자. (유선이 40%)
전체(U) = 가입자(u) + 미가입자(uc) = 유선 + 무선 - 유무선동시가입 + 미가입자이므로,
A국 13년 전체 = 2200+4100−700+200 = 5800명이므로, 유선이 차지하는 비중은 40%가 아니다.
2. (O) C국 13년 유무선가입자에 1600만명을 넣고, 인구 100명당 무선이 77명인지 확인해보자. (무선이 77%)
전체(U) = 가입자(u) + 미가입자(uc) = 유선 + 무선 - 유무선동시가입 + 미가입자이므로,
C국 13년 전체 = 3200+7700−1600+700 = 10000이므로, 무선이 차지하는 비중은 77%이다.

답 (X, O)

적용문제-04 (5급 16-26)

다음 〈그림〉은 스마트폰 선택시 고려 요소에 관한 자료이다. 이에 대한 〈설명〉의 정오는?

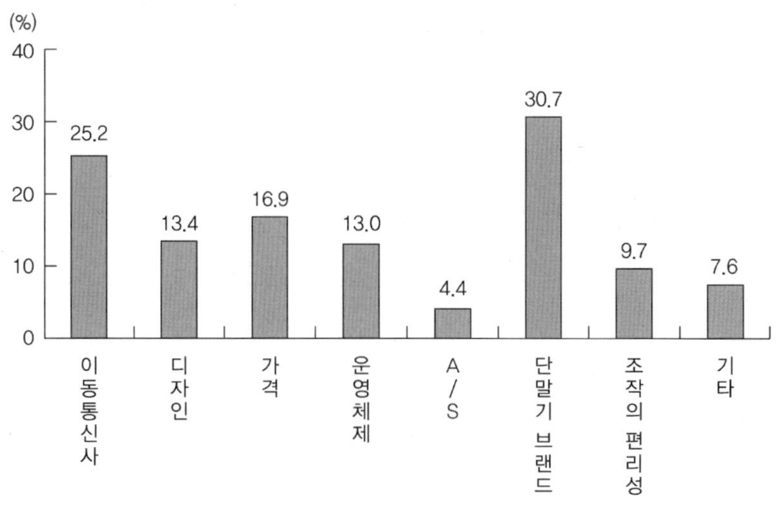

설명

1. '단말기 브랜드'와 '이동통신사'를 모두 고려한다는 응답 비율은 전체 응답의 55.9%이다.

(O, X)

자료

설명

▸ 목적 파트는?

▸ 설명의 유형은?

▸ 풀이의 방법은?

간단 퀴즈

Q 단말기와 이동통신사를 고려하는 응답의 교집합의 범위와 합집합의 범위는?

A 교집합: 0~20.9%
합집합: 35~55.9%

관점 적용하기

1. (X) 조사집단이 스마트폰을 선호하는 이유를 선택했다고 생각해보자. (설문조사)
설문조사 이므로 전체(U) = 응답(u) + 미응답(uc)이다. 미응답이 존재하지 않으므로, 전체(U) = 응답(u)이다.
해당 설명은 단말기와 이동통신사를 모두 고려한다고 하였으므로 교집합의 크기를 물어보는 것이다.
교집합의 크기에 대해 묻고 있으므로 이는 범위성 정보이다
범위성 정보를 55.9%라고 확정하였으므로 옳지 않다.

답 (X)

적용문제-05 (5급 16-26)

다음 〈표〉는 스마트폰 이용자의 콘텐츠별 이용상황에 관한 자료이다. 이에 대한 〈설명〉의 정오는?

〈표〉스마트폰 이용자의 콘텐츠별 이용 상황

(단위: %)

이용 상황 / 콘텐츠	이동 중	약속 대기 중	집에서	회사 및 학교에서	기타
TV 프로그램	50.3	32.2	26.4	16.8	2.8
라디오 프로그램	57.9	32.7	22.6	15.9	3.4
영화	51.5	34.3	30.0	11.1	3.8
기타	42.3	32.0	37.3	20.4	5.2

※ 복수응답 가능.

설명

1. '영화' 콘텐츠를 '이동 중'에만 이용하는 사람의 비율은 최소 20.8%, 최대 51.5%이다.

(O, X)

✓ 자료

✓ 설명

▸ 목적 파트는?

▸ 설명의 유형은?

▸ 풀이의 방법은?

관점 적용하기

1. (O) 조사집단이 스마트폰을 이용하는 상황을 선택했다고 생각해보자. (설문조사)
   설문조사 이므로 전체(U) = 응답(u) + 미응답(uc)이다. 미응답이 존재하지 않으므로, 전체(U) = 응답(u)이다.
   '이동 중'에만 이용하는 비율을 묻고 있으므로('이동 중'에만 = 전체 - 이동 중c)
   '이동 중'c의 최소, 최댓값을 구하기 위해서 '이동 중'과 나머지의 최소 교집합과 최대 교집합을 이용하자.

   1) '이동 중'과 나머지의 교집합의 크기가 최대가 된다면, 이동 중에만의 크기는 최소가 된다.둘의 교집합을 최대로 만들기 위해서 나머지의 크기가 가장 커야 한다. → 나머지끼리 교집합을 최소로
   따라서, 나머지 = 34.3+30.0+11.1+3.8 = 79.2%이다. 따라서, 이동 중에만 최솟값은 20.8%이다.

   2) '이동 중'과 나머지의 교집합의 크기가 최소가 된다면, 이동 중에만의 크기는 최대가 된다.
   둘의 교집합을 최소로 만들기 위해서는 나머지의 크기가 가장 작아야 한다. → 나머지끼리 교집합을 최대로
   따라서, 이동 중을 제외한 48.5(=100−51.5)% 안에 나머지를 모두 넣을 수 있는 지 확인하자.
   약속 대기 중, 집에서, 학교에서, 기타 중 에는 48.5%보다 큰 값이 없으므로, 모두 48.5%안에 들어 갈 수 있다.
   따라서 나머지와 이동 중에 교집합이 없을 수 있으므로, 이동 중에만의 최댓값은 51.5%이다.
   따라서 이동 중에만의 범위는 20.8%~51.5%이다.

답 (O)

적용문제-06 (5급 16-26)

다음 〈표〉는 A국 전체 근로자의 회사 규모 및 근로자 직급별 유연근무제도 유형별 활용률에 관한 자료이다. 이에 대한 〈설명〉의 정오는?

〈표〉 회사 규모 및 근로자 직급별 유연근무제도 유형별 활용률 (단위: %)

규모 및 직급 \ 유연근무제도 유형		재택 근무제	원격 근무제	탄력 근무제	시차 출퇴근제
규모	중소기업	10.4	54.4	15.6	41.7
	중견기업	29.8	11.5	39.5	32.0
	대기업	8.6	23.5	19.9	27.0
직급	대리급 이하	0.7	32.0	23.6	29.0
	과장급	30.2	16.3	27.7	28.7
	차장급 이상	14.2	26.4	25.1	33.2

설명

1. 원격근무제를 활용하는 중소기업 근로자 수는 탄력근무제와 시차출퇴근제 중 하나 이상을 활용하는 중소기업 근로자 수보다 적다. (O, X)

자료

설명

▸ 목적 파트는?

▸ 설명의 유형은?

▸ 풀이의 방법은?

간단 퀴즈

Q 각주(※)가 없음에도, 무응답이 존재할 수 있다는 것을 어떻게 판단할 수 있을까?

A 유연근무제는 의무가 아님.

관점 적용하기

조사집단이 유연근무제도를 선택했다고 생각하자(설문조사).
설문조사 이므로 전체(U) = 응답(u) + 무응답(uc)이다.
유연근무제는 선택적 사항이므로 무응답이 존재할 수 있으므로, 응답(u) 〈 100% [전체(U)]이다.

1. (X) 원격근무제 활용 근로자 = 54.4%
탄력근무제와 시차출퇴근제중 하나 이상(합집합)을 활용하는 중소기업 근로자 수
범위성 정보 →
최대 합집합(겹침 최소화): 탄력근무제 근로자와 시차출퇴근제 근로자가 겹치지 않는다고 생각하자.
41.7+15.6 = 57.3%
최소 합집합(겹침 최대화): 탄력근무제 근로자는 모두 시차출퇴근제 근로자라고 생각하자.
41.7% (15.6%는 모두 겹침)

답 (X)

적용문제-07 (7급 21-14)

다음 〈그림〉은 2020년 기준 A공제회 현황에 관한 자료이다. 이에 대한 〈설명〉의 정오는?

〈그림〉 2020년 기준 A공제회 현황

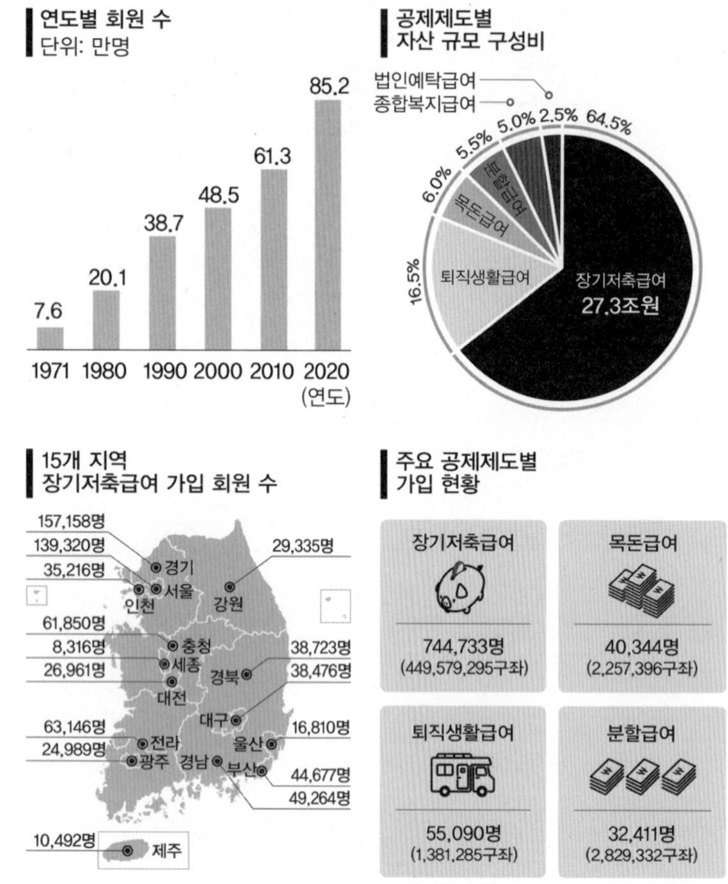

※ 1) 공제제도는 장기저축급여, 퇴직생활급여, 목돈급여, 분할급여, 종합복지급여, 법인예탁급여로만 구성됨.
2) 모든 회원은 1개 또는 2개의 공제제도에 가입함.

설명

1. 자산 규모 상위 4개 공제제도 중 2개의 공제제도에 가입한 회원은 2만 명 이상이다.

(O, X)

✓ 자료

✓ 설명

▸ 목적 파트는?

▸ 설명의 유형은?

▸ 풀이의 방법은?

관점 적용하기

조사집단이 공제제도를 선택했다고 생각하자. 각주에 의하여 1개 또는 2개를 선택했다고 한다.

1. (O) 조사집단은 회원들로 85.2만 명이고, 선택된 공제제도는 장기저축, 목돈, 퇴직생활, 분할로 구성되어 있다.
   장기저축과 퇴직생활을 합치면 약 79.9만이고, 목돈과 분할을 합치면 약 7.2만이므로,
   전체 공제제도는 약 87.1만이다.
   숫자의 크기가 유사하므로 정밀도를 높여 올려서 백의 자리도 생각하자. 0.1만보다 크다.
   공제제도의 합은 87.2만보다 크므로 2개의 공제제도를 가입한 회원은 2만 명 이상이다.

답 (O)

적용문제-08 (5급 19-33)

다음 〈표〉는 성별, 연령대별 전자금융서비스 인증수단 선호도에 관한 자료이다. 이에 대한 〈설명〉의 정오는?

〈표〉 성별, 연령대별 전자금융서비스 인증수단 선호도 조사결과 (단위: %)

구분 \ 인증수단		휴대폰 문자 인증	공인 인증서	아이핀	이메일	전화 인증	신용 카드	바이오 인증
성별	남성	72.2	69.3	34.5	23.1	22.3	21.1	9.9
	여성	76.6	71.6	27.0	25.3	23.9	20.4	8.3
연령대	10대	82.2	40.1	38.1	54.6	19.1	12.0	11.9
	20대	73.7	67.4	36.0	24.1	25.6	16.9	9.4
	30대	71.6	76.2	29.8	15.7	28.0	22.3	7.8
	40대	75.0	77.7	26.7	17.8	20.6	23.3	8.6
	50대	71.9	79.4	25.7	21.1	21.2	26.0	9.4
전체		74.3	70.4	30.9	24.2	23.1	20.8	9.2

※ 1) 응답자 1인당 최소 1개에서 최대 3개까지의 선호하는 인증수단을 선택했음.
2) 인증수단 선호도는 전체 응답자 중 해당 인증수단을 선호한다고 선택한 응답자의 비율임.
3) 전자금융서비스 인증수단은 제시된 7개로만 한정됨.

설명

1. 전체 응답자 중 선호 인증수단을 3개 선택한 응답자 수는 40% 이상이다. (O, X)

2. 선호하는 인증수단으로, 이메일을 선택한 20대 모두가 아이핀과 공인인증서를 동시에 선택했다면, 신용카드를 선택한 20대 모두가 아이핀을 동시에 선택하는 것이 가능하다. (O, X)

✓ 자료

✓ 설명

▸ 목적 파트는?

▸ 설명의 유형은?

▸ 풀이의 방법은?

간단 퀴즈

Q 무응답이 존재할 수 있을까?

A 불가능하다.

관점 적용하기

조사집단이 선호도를 선택했다고 생각해보자(설문조사). 각주에 따르면 최소 1개에서 최대 3개를 선택했다고 한다.

1. (O) 전체응답자의 선호도 조사결과를 어림셈을 이용해 구하면
74.3+70.4+30.9+24.2+23.1+20.8+9.2 ≒ 250
3개를 선택한 응답자 수를 최소로 만든다고 생각하자.
인증수단 1개는 대상자 모두 선택하고, 인증수단 2개도 역시 모두 선택했다고 가정하더라도 50%가 남는다.
따라서 3개를 선택한 응답자수는 40% 이상이다.

2. (X) 이메일을 선택한 20대(24.1%)는 모두 아이핀과 공인인증서를 선택했다.
아이핀(36.0%)중 24.1%는 이메일과 공인인증서를 동시에 선택하였으므로
11.9%만이 다른 인증수단을 선택할 수 있다. 신용카드(16.9%)는 11.9% 보다 크므로 선택할 수 없다.

답 (O, X)

적용문제-09 (민 14-24)

다음 〈표〉는 농산물을 유전자 변형한 GMO 품목 가운데 전세계에서 승인 받은 200개 품목의 현황에 관한 자료이다. 이에 대한 〈설명〉의 정오는?

〈표〉 승인받은 GMO 품목 현황

(단위: 개)

구분	승인 국가 수	전세계 승인 품목			국내 승인 품목		
		합	A유형	B유형	합	A유형	B유형
콩	21	20	18	2	11	9	2
옥수수	22	72	32	40	51	19	32
면화	14	35	25	10	18	9	9
유채	11	22	19	3	6	6	0
사탕무	13	3	3	0	1	1	0
감자	8	21	21	0	4	4	0
알팔파	8	3	3	0	1	1	0
쌀	10	4	4	0	0	0	0
아마	2	1	1	0	0	0	0
자두	1	1	1	0	0	0	0
치커리	1	3	3	0	0	0	0
토마토	4	11	11	0	0	0	0
파파야	3	2	2	0	0	0	0
호박	2	2	2	0	0	0	0

※ 전세계 승인 품목은 국내 승인 품목을 포함함.

설명

1. 승인 품목이 하나 이상인 국가는 모두 120개이다.

(O, X)

2. 국내에서 92개 국외에서 108개 품목이 각각 승인되었다.

(O, X)

자료

설명

▸ 목적 파트는?

▸ 설명의 유형은?

▸ 풀이의 방법은?

간단 퀴즈

Q 승인품목이 1개 이상인 국가수의 범위는?

A 22~120

관점 적용하기

1. (X) 국가가 GMO 농산물 품목을 선택했다고 생각해보자. (설문조사)
   따라서 하나의 국가가 다수 개의의 농산물을 선택할 수 있다. (복수 응답)
   따라서 국가의 수는 변화할 수 있는 범위성 정보이다.
   범위성 정보를 120개라고 확정하였으므로 옳지 않다.
2. (X) 승인된 GMO 품목이 국내 또는 국외를 선택했다고 생각해보자. (설문조사)
   따라서, GMO 품목은 국내만 선택할 수도 국내와 국외를 동시에 선택할 수도 있다.(복수 응답)
   전체 200개중 92개는 국내를 선택하였다.
   그렇다면, 나머지인 108개만이 국외를 선택하였을까?
   그렇지 않다. 복수 응답이 가능하기 때문에 국외의 승인 품목은 최소 108개 일 뿐이다.
   국외의 승인품목은 최소 108에서 최대 200의 범위성 정보이므로 108개라고 확정한 것은 옳지 않다.

답 (X, X)

적용문제-10 (제작문제)

다음 〈표〉는 헬스 카페 회원의 영양제 섭취 비율에 관한 자료이다. 이에 대한 〈설명〉의 정오는?

〈표〉 헬스 카페 회원의 영양제 섭취 비율

(단위: %)

멤버등급 \ 영양제	단백질 보충제	BCAA	크레아틴	아미노산	비타민
일반회원	51	25	5	3	18
정회원	61	51	15	3	15

※ 1) 헬스 카페 회원은 모두 영양제를 섭취함.
2) 모든 카페회원은 설문조사에 응답함.

설명

1. 정회원이 단백질 보충제와 BCAA를 둘 다 섭취하는 비율은 최소 12%, 최대 45% 이상이다.

(O, X)

2. 일반 회원 중 단백질 보충제만 섭취하는 비율은 48% 이상이다.

(O, X)

자료

설명

▸ 목적 파트는?

▸ 설명의 유형은?

▸ 풀이의 방법은?

관점 적용하기

조사집단의 설문조사 결과이며, 모든 대상이 응답하였으므로 무응답은 없다.
따라서 전체(U) = 응답(u)이다.

1. (O) 단백질 보충제와 BCAA를 둘 다(교집합) 섭취하는 비율
범위성 정보 →
최대 교집합(겹치는 것을 최대로): 단백질 보충제와 BCAA가 모두 겹친다고 생각하자. 51%
단백질 보충제와 BCAA를 제외한 나머지의 합이 39%(100−61)을 채울 수 있는지 생각하자.
15+3+15 = 33%이므로, 채울 수 없다.
100%를 채워주기 위해서 6%의 BCAA는 단백질 보충제와 겹치지 않아야 한다.
→ 최대 교집합 = 45%, 최소 교집합(겹치는 것을 최소로): 12%

2. (O) 단백질 보충제만 섭취하는 비율이 48% 이상이라고 하였으므로
'단백질 보충제'C의 최댓값이 52% 이하인지 확인하자.
25+5+3+18 = 51%이므로, 52% 이하이다.

답 (O, O)

적용문제-11 (제작문제)

다음 〈표〉는 '갑'시의 면허취득자의 교통법규 위반현황에 관한 자료이다. 이에 대한 〈설명〉의 정오는?

〈표〉 '갑'시의 면허취득자의 교통법규위반 비율

(단위: %)

성별 \ 구분	과속	신호 위반	음주운전	안전거리 미확보	위반사항 없음
남성	51	35	5	3	15
여성	58	55	0	40	30

설명

1. 남성 면허취득자 중에 과속과 신호위반을 동시에 위반한 운전자는 존재한다.

(O, X)

2. 여성 면허취득자 중 3개의 교통법규를 위반한 운전자가 존재한다.

(O, X)

✓ 자료

✓ 설명

▸ 목적 파트는?

▸ 설명의 유형은?

▸ 풀이의 방법은?

관점 적용하기

조사집단의 설문조사 결과이며, 위반사항 없음(무응답)이 존재한다.
전체(U) = 응답(u) + 무응답(uc)이므로, 따라서, 법규위반(u) = 전체(U) − 위반사항 없음(uc)이다.

1. (O) 남성 면허취득자 중 법규위반은 85%(100−15)이다.
과속과 신호위반의 합이 86%로 법규위반은 85%보다 크기 때문에
과속과 신호위반을 최대한 겹치지 않게 해도 겹치는 부분이 존재한다.

2. (O) 여성 면허취득자 중 법규위반는 70%(100−30)이다.
여성의 경우, 3가지 항목(과속, 신호위반, 안전거리미확보)의 위반만 존재한다.
3가지 항목의 합이 58+55+40 = 153%이므로 3개의 교통법규를 위반한 운전자가 존재한다.

답 (O, O)

MEMO

관점 익히기

01 비교의 종류
02 폭폭폭과 율율율
03 비중
04 총합과 평균
05 극단으로
06 관점 적용하기[Drill]

자료통역사의 통하는 자료해석

▸ **②권 풀이편** (PART II) 관점 적용하기

앞에서 배운 이론을 아래의 문제에 실제로 적용해보자.

1) 폭폭폭과 율율율
2) 비중
3) 총합과 평균
4) 극단으로

관점 익히기(Drill) <Day.10>

Q Drill의 목표는 무엇인가요?

Drill의 목표는
내가 진짜 알고 있는 것인지, 아니면 모르는데 해설을 통해 알았다고 느낀 것인지를 확인하는 것이다.

그렇기에 앞에서와 같이 상세한 해설이 존재하지 않는다.
대신, 방향성에 대해서는 제시한다.

자신의 관점 적용하기를 직접 만든다고 생각하며 문제를 풀자.
만약, 그것이 힘들다면, 제시된 방향성을 힌트로 이용하며 앞부분을 다시 복습하자.
모른다고 좌절할 필요도, 걱정할 필요도 없다. 복습하고 다시 복습하면 될 뿐이다.
시험 전에는 마음껏 틀려도 된다. 우리의 진짜 목표는 시험장에서 틀리지 않기 위한 것이다.
따라서, 지금 틀리는 것은 자신이 진짜로 아는 것이 무엇인지, 모르는 것이 무엇인지를 선별하는 과정일 뿐이다.
모르기에 배우는 것이니, 모르는 것을 알게 되는 것을 무서워하지 말고, 배우면 될 뿐이다.

총 30문항의 Drill를 풀 때, 시간에 구애받지 말고 여러분의 관점 적용하기(해설)를 만들자.

Q 문제를 풀기 전 앞에서 배운 것을 직접 요약하여 적어보세요.

1. 폭폭폭과 율율율
   1) 폭폭폭

   2) 율율율

   3) 폭과 율

2. 비중
   1) 부분과 전체

3. 총합과 평균
   1) 총합

   2) 평균

   3) 총합과 평균

   4) 가중평균

   5) 가중치 총합

4. 극단으로
   1) 극단으로

   2) 순위

   3) 집합과 설문조사

드릴-31 (폭폭폭과 율율율)

다음 〈표〉는 연습책 판매량 현황에 관한 자료이다. 이에 대한 〈설명〉의 정오는?

〈표〉 연습책 판매량 현황

(단위: 권)

구분 연도	문제집	해설집
2012	3,782	157
2013	3,456	318
2014	3,221	501
2015	3,610	321
2016	3,696	511
2017	3,774	163

설명

1. 문제집 판매량의 전년대비 감소율이 가장 큰 해는 2013년이다. (O, X)
2. 해설집 판매량의 전년대비 변화율이 가장 큰 해는 2017년이다. (O, X)
3. 2014~2017년동안 문제집 판매량의 전년대비 증가율은 매년 감소한다. (O, X)

자료

설명

▸ 목적 파트는?

▸ 설명의 유형은?

▸ 풀이의 방법은?

방향성 제시

1) 배수 비교법을 이용해보는 것은 어떨까?
2) 배수 비교법이 사용 가능할까?
3) 정의를 이용하는 것은 어떨까?

관점 적용하기

연도별 전년대비 증감율은 다음과 같다. (※ 자료에서의 증감율은 증가와 감소를 한번에 표기함을 의미함.)

	문제집	해설집
2013	−11.0	102.5
2014	−6.8	57.5
2015	12.1	−35.9
2016	2.4	59.2
2017	2.1	−68.1

1. (O), 2. (X), 3. (O)

답 (O, X, O)

드릴-32 (폭폭폭과 율율율)

다음 〈표〉는 '갑'사의 전기 생산량 및 판매량에 대한 자료이다. 이에 대한 〈설명〉의 정오는?

〈표〉 '갑'사의 전기 생산량 및 판매량

(단위: kwh)

구분 / 연도	생산량	판매량
2009	14,965	14,098
2010	9,184	11,172
2011	9,632	11,927
2012	9,947	11,702
2013	7,177	10,004
2014	11,641	12,811

설명

1. 2013년 생산량의 전년대비 감소율은 30% 이하이다.
(O, X)

2. 2013년 판매량의 전년대비 감소율은 15% 이상이다.
(O, X)

3. 2014년 전년대비 증가율은 생산량이 판매량의 2배 이상이다.
(O, X)

자료

설명

▸ 목적 파트는?

▸ 설명의 유형은?

▸ 풀이의 방법은?

방향성 제시

1) 크기 확인법을 사용했는가?
2) 크기 확인법을 사용했는가?
3) 정의가 아닌 다른 방법을 사용해도 될까?

관점 적용하기

연도별 전년대비 증감율은 다음과 같다. (※ 자료에서의 증감율은 증가와 감소를 한번에 표기함을 의미함.)

	생산량	판매량
2010	−38.6	−20.8
2011	4.9	6.8
2012	3.3	−1.9
2013	−27.8	−14.5
2014	62.2	28.1

1. (O), 2. (X), 3. (O)

답 (O, X, O)

드릴-33 (폭폭폭과 율율율)

다음 〈표〉는 '갑'사의 연도별 자산현황에 관한 자료이다. 이에 대한 〈설명〉의 정오는?

〈표〉 '갑'사의 연도별 자산현황

(단위: 억원)

연도 \ 구분	합병 후	합병 전		
	11년	10년	09년	08년
부채총계	24,351	7,416	6,564	8,444
총차입금	14,894	3,819	3,000	2,273
자본총계	13,922	6,743	7,461	4,748
유동자산	7,789	1,597	2,562	3,574
유동부채	18,484	4,180	5,681	6,655

설명

1. 총차입금의 전년대비 증가율은 09년이 10년보다 크다.
(O, X)

2. 유동자산의 전년대비 감소율이 09년과 08년이 같다면, 07년 유동자산은 4,500억원 이상이다.
(O, X)

3. 11년 전년대비 증가율은 총차입금이 자본총계의 2배 이하이다.
(O, X)

✓ 자료

✓ 설명

▸ 목적 파트는?

▸ 설명의 유형은?

▸ 풀이의 방법은?

방향성 제시

1) 배수비교법으로 안 보이면 어떻게 해야 할까?
2) 배수 비교법이 사용 가능할까?
3) 정의가 아닌 다른 방법을 사용해도 될까?

관점 적용하기

연도별 전년대비 증감율은 다음과 같다. (※ 자료에서의 증감율은 증가와 감소를 한번에 표기함을 의미함.)

	11년	10년	09년
부채총계	228.36	12.98	−22.26
총차입금	290.10	27.30	31.98
자본총계	106.47	−9.62	57.14
유동자산	387.73	−37.67	−28.32
유동부채	342.20	−26.42	−14.64

1. (O) 09년(31.98)이 10년(27.30)보다 크다.
2. (O) 08년의 전년대비 감소율도 28.32%라면, 08년 = 07년 × 71.68%이다. 따라서, 07년은 4,986억원이다.
3. (X) 총차입금(290.10)는 자본총계(106.47)이므로, 2배 이상이다.

답 (O, O, X)

드릴-34 (폭폭폭과 율율율)

다음 〈표〉는 병원급별 환자와 진료비 현환에 관한 자료이다. 이에 대한 〈설명〉의 정오는?

〈표〉 병원급별 환자와 진료비 현황

(단위: 천명, 억원)

병원급 \ 구분	10년		11년		12년	
	환자수	진료비	환자수	진료비	환자수	진료비
전체	7,264	2,057	6,891	1,919	7,051	1,999
상급 종합병원	77	74	59	52	70	46
종합병원	418	229	346	169	361	183
병원	582	176	550	167	674	181
의원	6,015	1,554	5,781	1,609	5,816	1,639
보건기관	171	23	152	20	127	22

설명

1. 진료비의 12년 전년대비 증가율은 종합병원이 병원보다 크다.

(O, X)

2. 의원 진료비의 전년대비 증가율이 11년과 10년이 같다면, 09년 의원 진료비는 1,500억원 이상이다.

(O, X)

3. 보건기관 환자수의 전년대비 감소율이 12년과 13년이 같다면, 13년 보건기관 환자수는 10만명 이상이다.

(O, X)

자료

설명

▸ 목적 파트는?

▸ 설명의 유형은?

▸ 풀이의 방법은?

방향성 제시

1) 배수비교법으로 안보이면 어떻게 해야 할까?
2) 정의를 이용하는 것은 어떨까?
3) 정의를 이용하는 것은 어떨까?

관점 적용하기

1. (X) 종합병원: $\frac{183-169}{169}$ = 8.28% 보건기관: $\frac{181-167}{167}$ = 8.38% 종합병원이 더 낮다.

2. (O) 11년 의원 진료비 증가율: $\frac{1609-1554}{1554}$ = 3.54%

   10년 의원 진료비 = 09년 의원 진료비 × (1+3.54%) → 09년 의원 진료비 = 1501(억원)
   따라서 1500억원 이상이다.

3. (O) 12년 보건기관 환자수 감소율: $\frac{152-127}{152}$ = 16.4%

   13년 보건기관 환자수 = 12년 보건기관 환자수 × (1−16.4%) → 13년 보건기관 환자수 = 106(천명)
   따라서, 보건기관 환자수는 10만명 이상이다.

답 (X, O, O)

드릴-35 (폭폭폭과 율율율)

다음 〈표〉는 공작기계 판매량순위에 관한 자료이다. 이에 대한 〈설명〉의 정오는?

〈표〉 공작기계 판매량 순위

(단위: 천대, %)

구분		2019년 판매량	전년 대비 증가율
1등	S-1	1,540	20
2등	O-3	1,121	40
3등	M-31	900	50
4등	K-11	840	20
5등	N-32	549	10
기타		550	-
전체		5,500	35

설명

1. 2019년의 전년대비 증가폭은 S-1이 O-3보다 크다

(O, X)

2. 1~3등까지 순위는 2018년과 2019년이 같다.

(O, X)

3. 공작기계의 2019년 전년대비 증가폭은 150만대 이상이다.

(O, X)

✔ 자료

✔ 설명

▸ 목적 파트는?

▸ 설명의 유형은?

▸ 풀이의 방법은?

방향성 제시

1) 폭폭폭을 구하는 방법은?
2) 순위는 언제 역전이 생길까?
3) 폭폭폭을 구하는 방법은?

관점 적용하기

	2019년 판매량	2018년 판매량
S-1	1,540	1283.33
O-3	1,121	800.71
M-31	900	600.00
K-11	840	700.00
N-32	549	499.09
전체	5500	4074.07

1. (X) S-1은 대략 260가 증가하였고, O-3는 대략 320가 증가하였다. 따라서 S-1이 더 낮다.
2. (X) 18년과 19년의 순위가 다르다.
3. (X) 2019년 전년대비 증가폭은 150만대 이하이다.

답 (X, X, X)

드릴-36 (폭폭폭과 율율율)

다음 〈표〉는 2020년 '갑'문구점의 상품별 판매액 및 판매대수에 대한 자료이다. 이에 대한 〈설명〉의 정오는?

〈표〉 2020년 '갑' 문구점의 상품별 판매액 및 판매대수

(단위: 백만원, 천대, %)

구분 \ 상품	A	B	C	D
판매액	7,346	8,793	10,224	11,231
전년 대비 증가율	8.9	15.5	9.1	5.6
판매대수	7,901	6,749	7,201	9,442
전년 대비 증가율	12.4	-8.3	5.8	12.4

※ 판매단가 = $\frac{\text{판매액}}{\text{판판매대}}$

설명

1. 20년 전년대비 판매액의 증가폭이 가장 큰 상품은 C이다. (O, X)

2. 19년에 가장 많이 판매된 상품은 B이다. (O, X)

3. 20년 상품B의 판매단가는 19년에 비해 25% 이상 증가했다. (O, X)

✓ 자료

✓ 설명

▸ 목적 파트는?

▸ 설명의 유형은?

▸ 풀이의 방법은?

방향성 제시

1) 폭폭폭을 구하는 방법은?
2) 과거값을 구하는 방법은?
3) 배수 테크닉을 떠올려보는 것은 어떨까?

관점 적용하기

구분 \ 상품	A	B	C	D
2020년 판매액	7,346	8,793	10,224	11,231
2019년 판매액	6,745	7,612	9,371	10,635
2020년 판매량	7,901	6,749	7,201	9,442
2019년 판매량	7,029	8,162	6,806	8,400

1. (X) 전년대비 판매액의 증가폭이 가장 큰 상품은 B이다.
2. (X) 2019년 판매량이 가장 많은 제품은 D이다.
3. (O) 판매단가 $\frac{1+15.5\%}{1-8.3\%}$ = 1.26이므로, 25% 이상 증가했다.

답 (X, X, O)

릴-37 (비중)

다음 〈표〉는 2021년 농축산물 판매 현황에 대한 자료이다. 이에 대한 〈설명〉의 정오는?

〈표〉 2021년 농축산물 판매 현황

(단위: kg, 백만원)

구분		판매량	매출액
농산물	곡류	151,915	21,792
	과일류	15,640	25,640
	채소류	54,806	91,915
	합계	232,361	136,260
축산물	고기류	69,925	55,430
	달걀	68,212	38,970
	메추리알	42,250	23,600
	합계	180,387	118,000

설명

1. 전체 농축산물 판매량에서 곡류가 차지하는 비율은 35% 이상이다. (O, X)
2. 전체 농산물 매출액에서 채소류가 차지하는 비율은 65% 이상이다. (O, X)
3. 전체 축산물 매출액에서 메추리알이 차지하는 비율은 20%이다. (O, X)

✓ 자료

✓ 설명

▸ 목적 파트는?

▸ 설명의 유형은?

▸ 풀이의 방법은?

방향성 제시

1) 전체값이 없다면 어떻게 할까?
2) 뺄셈 테크닉이 유용할까?
3) 뺄셈 테크닉이 유용할까?

관점 적용하기

1. (O) $\frac{151915}{232361+180387}$ = 36.8% 이므로, 35% 이상이다.
2. (O) $\frac{91915}{136260}$ = 67.5% 이므로, 65% 이상이다.
3. (O) $\frac{23600}{118000}$ = 20% 이므로, 메추리알이다.

답 (O, O, O)

드릴-38 (비중)

다음 〈표〉는 2017~2018년 의료기관별 진료비 현황에 대한 자료이다. 이에 대한 〈설명〉의 정오는?

〈표 1〉 2017년 의료기관별 진료비

(단위: 억원)

비용 \ 의료기관		상급 종합병원	종합병원	병원	의원
진료비		109,670	110,065	116,007	127,437
	입원	77,118	74,318	92,271	12,705
	외래	32,552	33,747	23,736	114,732

〈표 2〉 2018년 의료기관별 진료비

(단위: 억원)

비용 \ 의료기관		상급 종합병원	종합병원	병원	의원
진료비		134,544	128,858	125,788	152,471
	입원	86,913	85,352	99,690	13,436
	외래	47,631	43,506	26,098	139,035

설명

1. 17, 18년 입원진료비에서 가장 많은 비중을 차지하는 의료 기관은 병원이다.

(O, X)

2. 2018년 병원의 진료비 중 입원이 80% 이상을 차지한다.

(O, X)

3. 2017년 전체 외례비 중 의원은 55% 이상을 차지한다.

(O, X)

✓ 자료

✓ 설명

▸ 목적 파트는?

▸ 설명의 유형은?

▸ 풀이의 방법은?

방향성 제시

1) 비중의 정의를 잘 알고 있는가?
2) 빨셈 테크닉이 유용할까?
3) 빨셈 테크닉과 플마찢기중 무엇이 더 유용할까?

관점 적용하기

1. (O) $\frac{\text{해당 의료기관 입원진료비}}{\text{전체 입원진료비}}$ 이므로, 전체 입원진료비가 모두 동일하기에 분자만 비교하면 된다. 따라서, 병원이 가장 높다.

2. (X) $\frac{92271}{116007}$ = 79.5%이므로, 80% 이하이다.

3. (O) $\frac{114732}{32552+33747+23736+114732}$ = 56.0%이므로 55% 이상이다.

답 (O, X, O)

드릴-39 (비중)

다음 〈표〉는 '갑'국 범죄 유형별 범죄 발생 현황에 대한 자료이다. 이에 대한 〈설명〉의 정오는?

〈표〉 '갑'국 범죄 유형별 범죄발생 현황

(단위: 건)

범죄유형 \ 연도	15년	16년	17년
살인	53	50	67
강도	499	521	505
강간	178	148	258
폭력	8,348	8,324	8,728
절도	27,357	8,721	8,357
도박	699	649	627
기타	2,457	6,780	6,927

설명

1. 전체범죄 중 절도가 차지하는 비중은 16년이 17년보다 크다.
(O, X)

2. 15~17년 살인 범죄 중 15년은 35% 이하를 차지한다.
(O, X)

3. 15~17년 절도 범죄 중 17년은 20% 이상을 차지한다.
(O, X)

자료

설명

▸ 목적 파트는?

▸ 설명의 유형은?

▸ 풀이의 방법은?

방향성 제시

1) 전체값이 없다면 어떻게 해야 할까?
2) 전체값이 없다면 어떻게 해야 할까?
3) 전체값이 없다면 어떻게 해야 할까?

관점 적용하기

1. (O) 16년: $\frac{8721}{25193}$=34.6%, 17년: $\frac{8057}{25469}$=31.6%이므로, 16년이 더 크다.

2. (O) $\frac{53}{170}$ = 31.2%이므로, 35% 이하이다.

3. (X) $\frac{8357}{44435}$ = 18.8%이므로, 20% 이하이다.

답 (O, O, X)

드릴-40 (비중)

다음 〈표〉는 '갑'국의 4차산업 투자예산에 관한 자료이다. 이에 대한 〈설명〉의 정오는?

〈표〉 '갑'국의 4차산업 투자예산

(단위: 억원)

구분			19년	20년
주요투자영역	기초과학		75,845	93,641
	핵심기술		249,885	282,258
	기반기술		354,110	369,516
	융합기술	공공융합	182,629	226,930
		산업융합	360,857	456,836
		소계	543,486	683,766
	공통기반		(　　　)	92,690
전체 투자 예산			1,612,204	1,821,871

설명

1. 융합기술예산에서 산업융합의 비중은 19년이 20년보다 크다.
(O, X)

2. 19년 전체투자예산에서 공통기반의 비중은 25% 이하이다.
(O, X)

3. 20년 전체투자예산 중 핵심기술이 비중은 15% 이상이다
(O, X)

자료

설명

▸ 목적 파트는?

▸ 설명의 유형은?

▸ 풀이의 방법은?

방향성 제시

1) 뺄셈 테크닉이 유용할까?
2) 여집합적 사고는 어떨까?
3) 플마찢기를 이용하면 어떨까?

관점 적용하기

1. (X) 19년: $\frac{355857}{543486}$ = 66.4% 20년: $\frac{456836}{683766}$ = 66.8% 따라서, 20년이 더 크다.

2. (O) $\frac{1612204-75845-249885-354110-543486}{1512204}$ = 24.1%이므로 25% 이하이다.

3. (O) $\frac{282258}{1821871}$ = 15.5% 이므로, 15% 이상이다.

답 (X, O, O)

드릴-41 (총합과 평균)

다음 〈표〉는 국제 택배 A사의 배송품목별 배송 비용에 관한 자료이다. 이에 대한 〈설명〉의 정오는?

〈표〉 국제 택배 A사의 배송품목별 배송 비용

구분 배송물품	택배 무게	택배 비용
A	103.2 lb	86.2 $
B	178.2 oz	18.1 $
C	152.2 oz	13.1 $
D	1826.3 gr	3.1 $
E	7212.1 gr	5.1 $
F	186.2 oz	19.2 $
G	50.6 lb	64.7 $
H	421.3 oz	37.2 $

※ 1lb = 16oz = 7000gr임.

설명

1. 택배 비용이 가장 비싼 배송물품의 택배 무게는 다른 택배 무게의 합보다 크다.

(O, X)

2. 택배 무게의 단위가 lb로 적힌 배송 물품의 택배 비용은 나머지 택배 비용의 합의 1.5배 이상이다.

(O, X)

자료

설명

▸ 목적 파트는?

▸ 설명의 유형은?

▸ 풀이의 방법은?

방향성 제시

1) A~H까지 모두 봐야 할까?
2) A~H까지 모두 봐야 할까?

관점 적용하기

1. (X) 택배 비용이 가장 비싼 배송 물품은 A이고 무게는 103.2lb이다.
나머지 물품을 모두 lb단위로 환산하면 다음과 같다.

B	C	D	E	F	G	H
11.14	9.51	0.26	1.03	11.64	50.6	26.33

B~H를 모두 합하면 110.51이므로, A의 택배 무게보다 크다.

2. (O) 택배 무게 단위가 lb인 A와 G를 제외한 나머지 택배 비용을 합하면 95.8달러이고, A와 G의 합은 86.2+64.7 = 150.9달러이므로, 1.5배 이상이다.

답 (X, O)

드릴-42 (총합과 평균)

다음 〈표〉는 A시 연도별 초등학교 입학 인원에 관한 자료이다. 이에 대한 〈설명〉의 정오는?

〈표〉 A시 연도별 초등학교 입학 인원

(단위: 명)

구분 \ 연도	2012	2013	2014	2015	2016
정원	3,072	2,812	2,547	2,224	2,102
인원	2,927	2,855	2,457	2,134	1,728

설명

1. 2012~2016년 평균 인원은 2014년 인원보다 많다. (O, X)

2. 2012~2016년 평균 정원은 2014년 정원보다 많다. (O, X)

자료

설명

▸ 목적 파트는?

▸ 설명의 유형은?

▸ 풀이의 방법은?

방향성 제시

1) 고정값이 있으나 이용하는 것이 편할까?
2) 고정값이 있으나 이용하는 것이 편할까?

관점 적용하기

1. (X) 2012~2016년 평균 인원(2420.2)은 2014년 인원(2457)보다 적다.
2. (O) 2012~2016년 평균 정원(2551.4)은 2014년 정원(2547)보다 많다.

답 (X, O)

드릴-43 (총합과 평균)

다음 〈표〉는 주요 11개국의 교통사고 건수에 관한 자료이다. 이에 대한 〈설명〉의 정오는?

〈표〉 연도별 주요 11개국의 교통사고 건수

(단위: 건)

국가별 \ 연도	2008	2009
한국	223,879	275,737
일본	665,784	724,842
이탈리아	235,775	332,487
노르웨이	5,712	5,248
폴란드	35,785	26,856
멕시코	18,524	15,846
스웨덴	16,584	16,854
스페인	83,115	87,946
스위스	19,158	19,855
영국	151,346	265,646
미국	1,357,155	1,868,752

설명

1. 2008년 미국의 교통사고 건수는, 나머지 국가의 교통사고 건수의 합보다 크다. (O, X)

2. 2009년 미국의 교통사고 건수는, 나머지 국가의 교통사고 건수의 합보다 크다. (O, X)

✓ 자료

✓ 설명

▸ 목적 파트는?

▸ 설명의 유형은?

▸ 풀이의 방법은?

방향성 제시

1) 대충~더 했는가?
2) 대충~더 했는가?

관점 적용하기

1. (X) 08년도 나머지 국가의 교통사고 건수의 합 = 1,455,622이므로 미국이 더 작다.
2. (O) 09년도 나머지 국가의 교통사고 건수의 합 = 1,771,317이므로 미국이 더 크다.

답 (X, O)

드릴-44 (총합과 평균)

다음 〈표〉는 A사 거래일별 종가와 거래량 관한 자료이다. 이에 대한 〈설명〉의 정오는?

〈표〉 A사 거래일별 주식 종가 및 거래량 (단위: 천원, 백만주)

거래일 \ 구분	주식 종가	주식 거래량
2월 1일	12.1	13.4
2월 2일	13.4	12.4
2월 3일	17.5	11.4
2월 4일	19.4	8.8
2월 5일	16.2	15.2
2월 6일	10.3	12.7
2월 7일	12.4	13.4
2월 8일	13.5	15.3
2월 9일	17.4	11.7
2월 10일	15.6	13.1

설명

1. A주식의 5일 평균 주식가격은 2월 6일 이후 계속 감소한다. (O, X)
2. A주식의 2월 1일부터 2월 10일까지의 평균 거래량은 1200만주 이상이다. (O, X)

✔ 자료

✔ 설명

▸ 목적 파트는?

▸ 설명의 유형은?

▸ 풀이의 방법은?

방향성 제시

1) 총합과 평균적 사고를 잘 하였는가?
2) 넘치는 것과 부족한 것을 잘 생각했는가?

관점 적용하기

1. (O) 5일 평균 주식 가격

2월 5일	2월 6일	2월 7일	2월 8일	2월 9일	2월 10일
15.72	15.36	15.16	14.36	13.96	13.84

계속 감소한다.

2. (O) 10일간 평균 거래량은 1274만주이므로 1200만주 이상이다.

답 (O, O)

드릴-45 (총합과 평균)

다음 〈표〉는 '갑'국의 2021년 전염병 발병 결과에 관한 자료이다. 이에 대한 〈설명〉의 정오는?

〈표〉 '갑'국의 2021년 전염병 발병 결과

(단위: 명, %)

전염병 \ 연도		감염자	사망률
코로나	알파	6,258	6.73
	델타	5,512	5.01
	오미크론	25,812	2.94
	합계	37,582	( )
인플루엔자		10,231	( )
감기		98,723	2.11
합계		146,536	3.00

※ 사망률(%) = $\frac{\text{사망자}}{\text{감염자}} \times 100$

설명

1. 코로나의 사망률은 4.0% 이하이다. (O, X)
2. 전염병 중 사망률이 가장 높은 질병은 코로나-알파이다. (O, X)

✔ 자료

✔ 설명

▸ 목적 파트는?

▸ 설명의 유형은?

▸ 풀이의 방법은?

방향성 제시

1) 고정값을 잘 이용했는가?
2) 고정값이 없다고 생각하는가?

관점 적용하기

주어진 자료의 빈칸을 모두 채우면 다음과 같다.

전염병 \ 연도		감염자	사망률
코로나	알파	6,258	6.73
	델타	5,512	5.01
	오미크론	25,812	2.94
	합계	37,582	3.87
인플루엔자		10,231	8.37
감기		98,723	2.11
합계		146,536	3.00

따라서, 1. (O), 2. (X)

답 (O, X)

드릴-46 (총합과 평균)

다음 〈표〉는 고릴라 출판사의 연도별 재무제표에 관한 자료이다. 이에 대한 〈설명〉의 정오는?

〈표〉 '고릴라' 출판사의 연도별 재무제표

(단위: 백만원)

재무제표 \ 연도	2014	2015	2016
자본총계	20,000	24,000	30,000
고유목적 사업준비금	5,000	4,000	5,000
부채비율	60%	50%	( )
수정부채비율	( )	( )	25%

※ 1) 부채비율(%) = $\frac{\text{부채총계}}{\text{자본총계}} \times 100$

2) 수정부채비율(%) = $\frac{\text{부채총계} - \text{고유목적사업준비금}}{\text{자본총계} + \text{고유목적사업준비금}} \times 100$

설명

1. 2014년 수정부채비율은 25% 이상이다. (O, X)
2. 2015년 수정부채비율은 30% 이하이다. (O, X)
3. 2016년 부채비율은 45% 이상이다. (O, X)

자료

설명

▸ 목적 파트는?

▸ 설명의 유형은?

▸ 풀이의 방법은?

방향성 제시

가중평균으로 잘 생각했는가?

관점 적용하기

재무제표 \ 연도	2014	2015	2016
자본총계	20,000	24,000	30,000
부채총계	12,000	12,000	13,750
고유목적 사업준비금	5,000	4,000	5,000
부채비율	50%	50%	45.83%
수정부채비율	28%	28.57%	25%

1. (O), 2. (O), 3. (O)

답 (O, O, O)

드릴-47 (총합과 평균)

다음 〈표〉는 1000명을 조사한 명품 소지현황에 대한 자료이다. 이에 대한 〈설명〉의 정오는?

〈표〉 명품 소지 현황

(단위: 개, %)

구분		명품 소유자의 평균 명품 개수	명품 소지율
전체		2.0	45.0
성별	남성	1.6	50.0
	여성	2.8	37.5

※ 명품 소유율(%) = $\frac{\text{명품 소유자}}{\text{전체 인구}}\times 100$

설명

1. 명품을 소지한 여성 인구는 300명이다.

(O, X)

2. 조사인구는 남성이 여성의 1.5배 이상이다.

(O, X)

자료

설명

▸ 목적 파트는?

▸ 설명의 유형은?

▸ 풀이의 방법은?

방향성 제시

1) 분수, 분자, 분모가 무엇인지 정확히 파악했는가?
2) 분수, 분자, 분모가 무엇인지 정확히 파악했는가?

관점 적용하기

〈표〉를 이용하여 구하면 '갑'국의 인구, 명품소유자, 명품의 수는 다음과 같다.

	전체 인구	명품소유자	명품 개수
전체	1000	450	900
남성	600	300	480
여성	400	150	420

1. (O) 명품을 소지한 여성 인구는 300명이다.
2. (O) 남성 인구는 여성 인구의 1.5배 이상이다.

답 (O, O)

드릴-48 (총합과 평균)

다음 〈표〉는 '갑'국의 주요 8개 지역의 면적과 면적당 평가액에 관한 자료이다. 이에 대한 〈설명〉의 정오는?

〈표 1〉 갑국의 주요 지역 A~H시의 면적과 면적당 평가액

(단위: ㎢, 천원)

구분 / 지역	면적	면적당 평가액
A시	31,235	11.3
B시	71,465	74.8
C시	64,485	51.9
D시	77,841	50.4
E시	59,332	28.5
F시	51,126	42.3
G시	98,792	58.6
H시	55,672	115.7
'갑'국	( )	53.3

설명

1. F시와 G시의 전체 토지면적당 평가액은 5만원보다 크다. (O, X)
2. 토지면적당 평가액은 주요 지역이 '갑'국보다 높다. (O, X)

자료

설명

▸ 목적 파트는?

▸ 설명의 유형은?

▸ 풀이의 방법은?

방향성 제시

1) 고정값이 있는 가중평균은 어떻게 해야 할까?
2) 고정값이 없어 보이는가?

관점 적용하기

1. (O) F와 G시의 면적과 평가액은 다음과 같다.

	F시	G시	전체
면적	51,126	98,792	149,918
평가액	2,162,630	5,789,211	7,951,841

전체 면적당 평가액은 5만원 이상이다.

2. (O) A~H시까지의 면적의 합은 509,948이고, 평가액의 합은 29,052,549이다. 따라서, 면적당 평가액은 57.0이므로, 주요지역이 '갑'국보다 높다.

답 (O, O)

드릴-49 (총합과 평균)

다음 〈표〉는 최종점수를 위한 반영비율과 갑~병의 성적에 관한 자료이다. 이에 대한 〈설명〉의 정오는?

〈표 1〉 선택안별 최종 점수 반영 비중

(단위: %)

선택안 \ 구분	중간고사	기말고사	과제	수업 태도
선택안.1	30	30	30	10
선택안.2	40		30	30

※ 1) 선택안.2는 중간고사, 기말고사 중 높은 점수를 이용함.
2) 최종점수는 점수×비중의 합으로 구성됨.

〈표 2〉 갑~병의 1학기 성적 현황

(단위: 점)

학생 \ 구분	중간고사	기말고사	과제	수업 태도
갑	70	90	50	60
을	80	80	70	70
병	90	70	80	70

설명

1. 을은 선택안.1의 점수가 높다. (O, X)
2. 갑은 선택안.1과 선택안.2의 점수가 같다. (O, X)
3. 병은 선택안과 상관 없이 가장 높은 점수를 받았다. (O, X)

✓ 자료

✓ 설명

▸ 목적 파트는?

▸ 설명의 유형은?

▸ 풀이의 방법은?

방향성 제시

1) 공통과 차이를 생각할 수 있을까?

관점 적용하기

각 선택안별 학생의 성적은 다음과 같다.

구분		중간고사	기말고사	과제	수업태도	합계
갑	선택안.1	21	27	15	6	69
	선택안.2	36		15	18	69
을	선택안.1	24	24	21	7	76
	선택안.2	32		21	21	74
병	선택안.1	27	21	24	7	79
	선택안.2	36		24	21	81

1. (O), 2. (O), 3. (O)

답 (O, O, O)

드릴-50 (총합과 평균)

다음 〈표〉는 제품별 영양성분에 관한 자료이다. 단위 중량당 칼로리가 높은 제품부터 순서대로 나열하라.

〈표〉 제품별 영양성분

(단위: g)

제품	탄수화물	단백질	지방	기타	총중량
A	200	40	60	200	500
B	40	10	10	40	100
C	120	33	27	120	300
D	67	27	26	80	200
E	107	77	56	160	400

※ 1) 탄수화물과 단백질은 1g당 4kcal, 지방은 1g당 9kcal임.

2) 단위중량당 칼로리 = $\frac{\text{총 칼로리}}{\text{총 중량}}$

① E-D-A-B-C
② D-E-A-C-B
③ E-D-C-A-B
④ D-E-C-B-A
⑤ E-A-D-B-C

자료

설명

▸ 목적 파트는?

▸ 설명의 유형은?

▸ 풀이의 방법은?

방향성 제시

1) 공통과 차이를 생각할 수 있을까?

관점 적용하기

각 제품별 칼로리와 단위중량 중량당 kcal는 다음과 같다.

제품	칼로리(kcal)	총중량(g)	중량당 칼로리(kcal/g)
A	1500	500	3.00
B	290	100	2.90
C	855	300	2.85
D	610	200	3.05
E	1240	400	3.10

따라서, E-D-A-B-C

답 ①

드릴-51 (극단으로)

다음 〈표〉는 국가별 인구 비중에 관한 자료이다. 이에 대한 〈설명〉의 정오는?

〈표〉 국가별 인구 비중

(단위: %)

국가 / 연령대	A국가	B국가	C국가
19세 이하	30	40	45
20세 이상 39세 이하	30	30	35
40세 이상 59세 이하	20	20	15
60세 이상	10	10	5

※ 노년 부양비 = $\frac{\text{65세 이상 인구}}{\text{15세 ~ 64세 인구}}$

설명

1. A국의 평균 연령은 20세 이상이다. (O, X)
2. B국의 평균 연령은 40세 이하이다. (O, X)
3. C국의 노년부양비는 10% 이하이다. (O, X)

✓ 자료

✓ 설명

▸ 목적 파트는?

▸ 설명의 유형은?

▸ 풀이의 방법은?

방향성 제시

극단적으로 생각했는가?

관점 적용하기

1. (O) ~이상이다. 라고 물었으므로, 최솟값으로 생각해야 한다.
   A국의 최솟값 = 30% × 0세 + 30% × 20세 + 20% × 40세 + 10% × 60세 = 6 + 8 + 6 = 20세
   A국의 최솟값이 20세이므로, 20세 이상이다.
2. (X) ~이하이다. 라고 물었으므로, 최댓값으로 생각해야 한다.
   60세 이상이라는 개구간이므로, 최댓값은 ∞이다. 따라서 40세 이하일 수 없다.
3. (O) ~이하이다. 라고 물었으므로, 최댓값으로 생각해야 한다.
   $\frac{5}{35+15} = \frac{1}{10}$ ≒ 10%이다. 따라서, 10% 이하이다.

답 (O, X, O)

드릴-52 (극단으로)

다음 〈표〉는 A국의 지역별, 브랜드별 휴대폰 사용 현황에 관한 자료이다. 이에 대한 〈설명〉의 정오는?

〈표 1〉 'A'국의 지역별 휴대폰 사용현황

(단위: 천명, %)

구분 \ 지역	가	나	다
인구	1,470	1,350	4,500
휴대폰 보급률	143	133	180

※ 1) 휴대폰 보급률(%) = $\frac{\text{휴대폰 대수}}{\text{인구}} \times 100$

2) A국에는 가, 나, 다 지역 3곳뿐임.

〈표 2〉 'A'국의 휴대폰 브랜드별 점유율

(단위: , %)

브랜드	갑	을	병
점유율	65.0	27.0	12.0

※ 점유율 = $\frac{\text{해당 브랜드 대수}}{\text{휴대폰 대수}} \times 100$

설명

1. 2개의 휴대폰을 사용하는 인원이 가장 적은 지역은 '나'이다. (O, X)

2. '다'지역에서 사용하는 갑브랜드 휴대폰은 300만대 이상이다. (O, X)

자료

설명

▸ 목적 파트는?

▸ 설명의 유형은?

▸ 풀이의 방법은?

방향성 제시

극단적으로 생각했는가?

관점 적용하기

구분 \ 지역	가	나	다	A국
인구 (천명)	1,470	1,350	4,500	7,320
휴대폰 보급률	143	133	180	164
휴대폰 대수 (천대)	2102.1	1795.5	8100	11,998

1. (X) 휴대폰 보급률로 휴대폰의 대수는 구할 수 있지만 그것을 통해서 2개의 휴대폰을 사용하는 인원을 알 수는 없다.
2. (O) 전체 1200만대가 사용중이고, '갑' 브랜드는 약 800만대이며 '다' 지역은 약 800만대의 휴대폰이 있으므로, '다' 지역에서 사용되는 '갑' 브랜드 휴대폰의 최소 교집합은 400만대이다. 따라서, 300만대 이상이다.

답 (X, O)

드릴-53 (극단으로)

다음 〈표〉는 A과목 시험의 상위 5명의 성적에 관한 자료이다. 이에 대한 〈설명〉의 정오는?

〈표〉 A과목 시험의 상위 5명의 성적

(단위: 점)

순위	중간고사		기말고사	
	성명	점수	성명	점수
1위	감자칩	100	양파링	99
2위	양파링	93	(　)	93
3위	뻥튀기	(　)	홈런볼	90
4위	고구마깡	88	고구마깡	89
5위	홈런볼	86	감자칩	88

※ 1) 최종 점수는 중간고사와 기말고사의 합으로 구성됨.
2) 최종 점수 기준 상위 4명까지만 A+학점을 부여함.

설명

1. 고구마깡의 학점은 A+이다.

(O, X)

✓ 자료

✓ 설명

▸ 목적 파트는?

▸ 설명의 유형은?

▸ 풀이의 방법은?

방향성 제시

순위의 특징에 대해서 생각했는가?

관점 적용하기

1. (X) 고구마깡은 88+89 = 177점이다.
고구마깡보다 높은 점수가 4개 이상일 수 있을까?
빈칸을 제외하고 생각하면, 감자칩, 양파링은 고구마깡보다 점수가 높다.
따라서, 뻥튀기와 기말고사 2위가 각각 다른 이름을 지녔다고 가정해보자.
뻥튀기의 최고점은 92+87 = 179점이고, 기말고사 2위의 최고점은 93+85=178점이다.
따라서, 고구마깡이 5위인 경우가 존재한다.

답 (X)

드릴-54 (극단으로)

다음 〈표〉는 국가별 무역수지 순위에 관한 자료이다. 이에 대한 〈설명〉의 정오는?

〈표〉 국가별 무역수지 순위

(단위: 천 달러)

순위	국가명	무역수지	수입액	수출액
1위	A국	46,149	17,352	28,799
2위	B국	30,884	11,508	19,376
3위	C국	19,603	9,719	9,884
4위	D국	16,331	7,919	8,412
5위	E국	9,410	6,984	2,426
6위	F국	7,048	4,083	2,965
7위	G국	6,692	3,354	3,338
상위 7개국 합		136,117	60,919	75,200
전세계 합계		163,456	78,124	85,332

※ 무역수지 = 수입액 + 수출액

설명

1. 세계의 국가의 개수는 11개국 이상이다. (O, X)

2. 수입액의 순위를 확정할 수 있는 국가의 수는 5개이다. (O, X)

3. 수출액의 순위를 확정할 수 있는 국가의 수는 4개이다. (O, X)

자료

설명

▸ 목적 파트는?

▸ 설명의 유형은?

▸ 풀이의 방법은?

방향성 제시

극단적으로 생각했는가?

관점 적용하기

1. (O) 무역수지를 기준으로 한 순위이다.
   따라서, 무역수지를 이용하여 국가의 수를 구하자.
   전세계 합계 - 상위 7개국의 합 = 27339 8위의 무역수지는 아무리 커도 6691이므로,
   27339/6691 = 4.08이다. 따라서, 적어도 5개의 국가는 더 필요하므로, 적어도 12개국 이상 존재한다.
2. (O) 무역수지가 수입액 + 수출액으로 구성되므로, 수입액의 순위를 확정하기 위해서는 수입액의 크기가 6692 이상이다.
   따라서, A~E국까지 총 5개국은 순위를 확정할 수 있다.
3. (O) 무역수지가 수입액 + 수출액으로 구성되므로, 수출액의 순위를 확정하기 위해서는 수입액의 크기가 6692 이상이다.
   따라서, A~D국까지 총 4개국은 순위를 확정할 수 있다.

답 (O, O, O)

∴ 드릴-55 (극단으로)

다음 〈표〉는 선박회사 A사의 규모별, 해역별 선박 보유 현황에 관한 자료이다. 이에 대한 〈설명〉의 정오는?

〈표 1〉 선박회사 A사의 규모별 선박 보유 현황 (단위: 척, %)

구분	10톤 미만	10톤 이상 100톤 미만	100톤 이상	계
선박수	1065	863	272	2200
비중	48.4	39.2	12.4	100.0

〈표 1〉 선박회사 A사의 해역별 선박 보유 현황 (단위: 척, %)

구분 / 해역	선박수	비중
동해	452	20.5
서해	823	37.4
남해	925	42.1
합계	2,200	100.0

설명

1. 100톤 미만의 선박 중 서해에 존재하는 선박은 25% 이상이다. (O, X)

2. 10톤 미만 선박은 남해에는 없다고 할 때, 동해에 존재하는 10톤 미만 선박의 수는 240척 이상이다. (O, X)

✔ 자료

✔ 설명

▸ 목적 파트는?

▸ 설명의 유형은?

▸ 풀이의 방법은?

방향성 제시

1) 극단적으로 생각했는가?
2) 집단이 어떻게 구성되는지 생각했는가?

관점 적용하기

1. (O) 100톤 미만 중 서해에 25% 이상 → 100톤 미만과 서해의 최소 교집합
따라서, 48.4+39.2+37.4−100 = 25%이다.

2. (O) 10톤 미만의 선박은 남해에 없다. → 남해에는 오직 10톤 이상만 존재한다.
남은 선박 = 57.9(=100−42.1)%이고, 10톤 미만은 48.4%, 10톤 이상이 9.5%
전체를 57.9%로 보고 (설문조사에서 무응답이 42.1%인 경우와 동일)
동해에 10톤 미만이 240척 이상 → 통해와 10톤 미만의 최소 교집합
따라서, 20.5+48.4−57.9 = 11%이다. 전체가 2200이므로, 11%이므로, 242척이므로, 240척 이상이다.

답 (O, O)

드릴-56 (극단으로)

다음 〈표〉는 '갑'국의 프로 야구 21시즌 경기 결과에 관한 자료이다. 이에 대한 〈설명〉의 정오는?

〈표〉 프로 야구 21시즌 경기 결과

순위	팀	남은 경기 수	전체			최근 연승 연패
			승수	패수	무승부	
1	MC	144	83	55	6	1 패
2	두해	144	81	60	3	3 승
3	KY	144	81	62	1	1 승
4	LO	144	80	63	1	2 패
5	키즐	144	80	64	0	1 패
6	KIN	144	73	71	0	1 패
7	롯소	144	71	72	1	2 승
8	삼문	144	64	75	5	2 패
9	CK	144	51	92	1	2 승
10	한수	144	46	95	3	3 패

※ 1) 140경기 시점에 승리 수가 높은 4팀은 본선에 진출함.

2) 순위는 승률$\left(\frac{\text{승리수}}{\text{승리수} + \text{패배수}}\right)$이 높은 순서임.

설명

1. 현재 상위 4개의 팀은 모두 본선에 진출했다. (O, X)

2. 추가로 4경기가 더 치러진다면, 1위가 될 수 있는 팀은 총 5팀이다. (O, X)

자료

설명

▸ 목적 파트는?

▸ 설명의 유형은?

▸ 풀이의 방법은?

방향성 제시

극단적으로 생각했는가?

관점 적용하기

1. (X) 140경기 시점에 승리수로 본선 진출이 결정되므로 140경기 때의 승리 수를 구하자.
확정이 가능한 팀은 최근 연승, 연패가 3 이상인 팀뿐이다.
따라서, 두해, 한수만 정확한 승 수와 패수를 구할 수 있다.
나머지는 모두 극단으로 생각해보면, LO는 78승, 키즐 = 79승인 경우가 존재하므로,
상위 4개팀이 모두 본선에 진출했다고 확정할 수 없다.

2. (X) 현재 1위팀의 패수를 최대로 만들고, 나머지 팀을 모두 최소로 만든다고 생각해서 비교해보면
패배가 4개 더 생긴 MC의 승률보다 높아지는 팀은 오직 두해 뿐이다.
따라서, 1위가 될 수 있는 팀은 총 2팀(MC와 두해) 뿐이다.

답 (X, X)

드릴-57 (극단으로)

다음 〈표〉는 '2020년' 갑~병 기업의 임원 성별 현황에 관한 자료이다. 이에 대한 〈설명〉의 정오는?

〈표〉 기업별 임원 성별 현황

구분 \ 기업	갑	을	병
남성 임원 수	18	9	(　　)
여성 임원 수	9	(　　)	18
성 균형척도	0.5	1	1

※ 1) 성 균형척도 = $\frac{\text{여성 직장인}}{\text{남성 직장인}}$

2) 성 균형척도가 1 이상이면 1로 기재함

설명

1. 여성 임원 수는 '갑'국이 '을'국 이상이다. (O, X)

2. 남성 임원 수는 '갑'국이 '병'국 이상이다. (O, X)

✓ 자료

✓ 설명

▸ 목적 파트는?

▸ 설명의 유형은?

▸ 풀이의 방법은?

방향성 제시

극단적으로 생각했는가?

관점 적용하기

성균형척도는 1 이상이면 1이라고 기재하므로,

구분 \ 기업	갑	을	병
남성 임원 수	18	9	18↓
여성 임원 수	9	9↑	18
성 균형척도	0.5	1	1

1. (X) '갑'국이 '을'국 이하이다.
2. (O) '갑'국이 '병'국 이상이다.

답 (X, O)

드릴-58 (극단으로)

다음 〈표〉는 갑 지역의 총선별 후보자와 정당별 지지율에 대한 결과이다. 이에 대한 〈설명〉의 정오는?

〈표 1〉 갑 지역의 총선별 후보자 지지율

(단위: %)

후보자 정당 \ 총선	15대	16대	17대	18대
A당	51.3	53.1	53.4	55.6
B당	42.1	43.2	45.2	41.6

※ 후보자의 경우 A당과 B당외의 후보자도 존재할 수 있다.

〈표 2〉 갑 지역의 총선별 정당 지지율

(단위: %)

정당 \ 총선	15대	16대	17대	18대
A당	55.2	68.4	69.5	68.6
B당	30.8	27.6	28.5	23.1

설명

1. A당 소속 후보자와 A당을 동시에 지지하는 비율은 총선마다 증가한다. (O, X)

2. 18대 총선에서 후보자와 동일한 정당을 지지하는 비율은 A당이 B당 보다 높다. (O, X)

자료

설명

▸ 목적 파트는?

▸ 설명의 유형은?

▸ 풀이의 방법은?

방향성 제시

설문 조사 집단이 어떻게 구성되는가?

관점 적용하기

1. (X) A당 소속 후보자와 A당을 동시에 지지하는 비율 = 범위성 정보
   따라서 증감을 알 수 없다.
2. (O) 후보자와 동일한 정당을 지지하는 비율은 범위성 정보이다.
   A당 = 24.2~55.6% B당 = 0~23.1% A당이 더 높다.

답 (X, O)

드릴-59 (극단으로)

다음 〈표〉는 '갑'시험 준비생의 모의시험 응시 여부에 관한 자료이다. 이에 대한 〈설명〉의 정오는?

〈표〉 갑시험 준비생의 모의시험 응시 여부

구분	응시함				미응시
	A사	B사	C사	D사	
합격생	55.4	44.8	27.4	22.6	25.1
불합격생	29.2	19.6	15.7	6.4	45.6

설명

1. 합격생 중 3개 회사의 모의시험를 응시한 사람이 존재한다.

(O, X)

2. 모의시험을 응시한 불합격생 중 10% 이상은 2개 이상의 회사의 모의고사를 응시했다.

(O, X)

자료

설명

▸ 목적 파트는?

▸ 설명의 유형은?

▸ 풀이의 방법은?

방향성 제시

설문 조사 집단이 어떻게 구성되는가?

관점 적용하기

1. (O) 합격생 중 모의시험을 응시한 비율은 74.9%이며, 응시 있음의 합은 150.2%이다.
   따라서, 0.1% 만큼은 3개 이상의 회사를 응시했다.
2. (O) 불합격생 중 모의시험을 응시한 비율은 54.4%이며 응시 있음의 합은 70.9%이다.
   따라서, 적어도 5.5% 만큼은 2개 이상의 회사의 모의고사를 응시했다.
   5.5%는 전체 54.4%의 10% 이상이다.
   따라서, 모의시험을 응시한 불합격생 중 10% 이상은 2개 이상의 회사의 모의시험을 응시했다.

답 (O, O)

드릴-60 (극단으로)

다음 〈표〉는 비행 청소년을 대상으로 한 음주와 흡연에 관한 설문 조사에 대한 결과이다. 이에 대한 〈설명〉의 정오는?

〈표〉 비행 청소년 음주 및 흡연에 관한 설문 조사표

Q1. 음주를 하시나요?	
Yes → Q2	No → Q3
Q2. 청소년 음주에 대한 교육을 받은 적이 있나요?	
Yes → Q3	No → Q3
Q3. 흡연을 하시나요?	
Yes → Q4	No → Q5
Q4. 청소년 흡연에 대한 교육을 받은 적이 있나요?	
Yes → Q5	No → Q5
Q5. 청소년 음주와 흡연교육이 효과가 없다고 생각하시나요?	
Yes	No

※ 전체 응답자는 3,000명이며, 무응답은 존재하지 않음.

〈표 2〉 질문별 NO 응답 비율

(단위: %)

Q1	Q2	Q3	Q4	Q5
20.0	20.0	30.0	15.0	80.0

설명

1. 음주를 하는 비행 청소년 중 교육효과가 있다고 생각하는 학생은 적어도 1,800명 이상이다

(O, X)

2. Q2에서 YES라고 대답한 인원 중 Q4에서도 YES라고 대답한 인원은 적어도 2,100명 이상이다.

(O, X)

✔ 자료

✔ 설명

▸ 목적 파트는?

▸ 설명의 유형은?

▸ 풀이의 방법은?

방향성 제시

설문 조사 집단이 어떻게 구성되는가?

관점 적용하기

1. (O) 음주를 한다고 응답한 비율 = 80%이고, 교육효과가 있다고 생각하는 학생도 80%이다.
따라서, 음주를 하며 교육효과가 있다고 생각하는 학생의 최소 교집합은 60%으로 1,800명이다.
2. (X) Q2에서 YES라고 응답한 인원은 전체의 64% Q4에서 YES라고 응답한 인원은 전체의 63%
따라서, 둘의 최소 교집합은 27%이다. 따라서, 810명이다.

답 (O, X)

자료통역사의
통하는 자료해석

②권 풀이편 (PART II) 관적 적용하기

Part Ⅱ용
계산연습

계산연습 2-01 (플마 찢기)

■ 문제지 (플마 찢기를 통해서 대소를 비교하세요.)

01)	$\frac{2487}{3606}$	○	70%	16)	$\frac{1580}{2384}$	○	65%	31)	$\frac{2004}{2177}$	○	90%	46)	$\frac{3344}{4642}$	○	70%
02)	$\frac{2336}{3566}$	○	65%	17)	$\frac{1080}{5076}$	○	20%	32)	$\frac{7703}{8929}$	○	85%	47)	$\frac{919}{1703}$	○	55%
03)	$\frac{1984}{4217}$	○	45%	18)	$\frac{5945}{9826}$	○	60%	33)	$\frac{2261}{5478}$	○	40%	48)	$\frac{4972}{6902}$	○	70%
04)	$\frac{3736}{9590}$	○	40%	19)	$\frac{1511}{1800}$	○	85%	34)	$\frac{3450}{6048}$	○	55%	49)	$\frac{5044}{9216}$	○	55%
05)	$\frac{3113}{5533}$	○	55%	20)	$\frac{3138}{6781}$	○	45%	35)	$\frac{1530}{7462}$	○	20%	50)	$\frac{4879}{8554}$	○	55%
06)	$\frac{3957}{9588}$	○	40%	21)	$\frac{5744}{5967}$	○	95%	36)	$\frac{1260}{2817}$	○	45%	51)	$\frac{1054}{4263}$	○	25%
07)	$\frac{5279}{8509}$	○	60%	22)	$\frac{1168}{7535}$	○	15%	37)	$\frac{417}{1228}$	○	35%	52)	$\frac{2928}{9848}$	○	30%
08)	$\frac{2329}{4543}$	○	50%	23)	$\frac{1411}{3890}$	○	35%	38)	$\frac{1387}{1476}$	○	95%	53)	$\frac{2347}{2419}$	○	95%
09)	$\frac{697}{6638}$	○	10%	24)	$\frac{5443}{6424}$	○	85%	39)	$\frac{4015}{4436}$	○	90%	54)	$\frac{1448}{1765}$	○	80%
10)	$\frac{3798}{8490}$	○	45%	25)	$\frac{503}{1218}$	○	40%	40)	$\frac{730}{2952}$	○	25%	55)	$\frac{525}{3758}$	○	15%
11)	$\frac{648}{1263}$	○	50%	26)	$\frac{757}{3060}$	○	25%	41)	$\frac{1596}{9368}$	○	15%	56)	$\frac{3206}{5438}$	○	60%
12)	$\frac{5116}{8457}$	○	60%	27)	$\frac{4427}{6839}$	○	65%	42)	$\frac{595}{4939}$	○	10%	57)	$\frac{1715}{2006}$	○	85%
13)	$\frac{6521}{9351}$	○	70%	28)	$\frac{3156}{5533}$	○	55%	43)	$\frac{7872}{8112}$	○	95%	58)	$\frac{4492}{9175}$	○	50%
14)	$\frac{4117}{9975}$	○	40%	29)	$\frac{2014}{5438}$	○	35%	44)	$\frac{4004}{5022}$	○	80%	59)	$\frac{5068}{9132}$	○	55%
15)	$\frac{2726}{3386}$	○	80%	30)	$\frac{2109}{7800}$	○	25%	45)	$\frac{5814}{8070}$	○	70%	60)	$\frac{6254}{6910}$	○	90%

■ 답안지

01)	68.96%	16)	66.27%	31)	92.04%	46)	72.04%
02)	65.50%	17)	21.27%	32)	86.27%	47)	53.96%
03)	47.04%	18)	60.50%	33)	41.27%	48)	72.04%
04)	38.96%	19)	83.96%	34)	57.04%	49)	54.73%
05)	56.27%	20)	46.27%	35)	20.50%	50)	57.04%
06)	41.27%	21)	96.27%	36)	44.73%	51)	24.73%
07)	62.04%	22)	15.50%	37)	33.96%	52)	29.73%
08)	51.27%	23)	36.27%	38)	93.96%	53)	97.04%
09)	10.50%	24)	84.73%	39)	90.50%	54)	82.04%
10)	44.73%	25)	41.27%	40)	24.73%	55)	13.96%
11)	51.27%	26)	24.73%	41)	17.04%	56)	58.96%
12)	60.50%	27)	64.73%	42)	12.04%	57)	85.50%
13)	69.73%	28)	57.04%	43)	97.04%	58)	48.96%
14)	41.27%	29)	37.04%	44)	79.73%	59)	55.50%
15)	80.50%	30)	27.04%	45)	72.04%	60)	90.50%

계산연습 2-01 (분수값 읽기)

■ 문제지

[※ 심심하시면, 분모의 영향을 이용하여 정밀한 분수값도 확인해보세요. 단, 여러분의 멘탈을 책임지지 않습니다.]

문제지	어림셈	정밀셈	문제지	어림셈	정밀셈
01) $\frac{844}{3284}$ =			16) $\frac{1411}{3192}$ =		
02) $\frac{907}{6947}$ =			17) $\frac{368}{1220}$ =		
03) $\frac{9030}{9769}$ =			18) $\frac{5578}{6141}$ =		
04) $\frac{3737}{6724}$ =			19) $\frac{2711}{5059}$ =		
05) $\frac{3793}{9100}$ =			20) $\frac{8289}{9700}$ =		
06) $\frac{909}{3315}$ =			21) $\frac{1726}{6657}$ =		
07) $\frac{4797}{6915}$ =			22) $\frac{1025}{2815}$ =		
08) $\frac{5571}{8549}$ =			23) $\frac{2509}{2972}$ =		
09) $\frac{2951}{8000}$ =			24) $\frac{5706}{9944}$ =		
10) $\frac{5962}{8318}$ =			25) $\frac{1773}{6733}$ =		
11) $\frac{7237}{7507}$ =			26) $\frac{1291}{9708}$ =		
12) $\frac{674}{2365}$ =			27) $\frac{1166}{4950}$ =		
13) $\frac{6958}{9830}$ =			28) $\frac{6339}{6855}$ =		
14) $\frac{3892}{6024}$ =			29) $\frac{2604}{5525}$ =		
15) $\frac{3281}{3427}$ =			30) $\frac{265}{2148}$ =		

■ 답안지

01)	25.70%	11)	96.41%	21)	25.93%
02)	13.06%	12)	28.49%	22)	36.41%
03)	92.44%	13)	70.78%	23)	84.43%
04)	55.58%	14)	64.61%	24)	57.38%
05)	41.68%	15)	95.73%	25)	26.33%
06)	27.42%	16)	44.20%	26)	13.30%
07)	69.37%	17)	30.19%	27)	23.56%
08)	65.17%	18)	90.83%	28)	92.47%
09)	36.89%	19)	53.58%	29)	47.14%
10)	71.67%	20)	85.45%	30)	12.36%

계산연습 2-01 (정보 찾기 연습)

■ 문제지 〈표〉의 값을 이용하여 〈설명〉을 해결하시오. (최대한 머리를 통해 해결)

〈표〉 계산연습 문제

	A	B	C	D	E
갑	5667	4584	5113	4672	3802
을	6568	5640	5445	5520	5872
병	4752	5269	5613	4849	3946
정	2432	2454	2737	2364	2042
전체	8217	8536	8923	9314	9721

※ 전체는 갑~무의 합이 아님.

설명

1. 갑의 비중이 가장 큰 알파벳과 가장 낮은 알파벳은?

2. 을의 비중이 가장 큰 알파벳과 가장 낮은 알파벳은?

3. 병의 비중이 가장 큰 알파벳과 가장 낮은 알파벳은?

4. 정의 비중이 가장 큰 알파벳과 가장 낮은 알파벳은?

〈표〉 계산연습 문제

	A	B	C	D	E
전체	5998	6207	6479	6690	6941
갑	2544	2938	2538	2925	3093
을	2262	2160	1865	1497	1658
병	2210	1890	1915	1537	1549
정	1906	1916	2038	2348	2249

※ 전체는 갑~무의 합이 아님.

설명

1. 갑의 비중이 가장 큰 알파벳과 가장 낮은 알파벳은?

2. 을의 비중이 가장 큰 알파벳과 가장 낮은 알파벳은?

3. 병의 비중이 가장 큰 알파벳과 가장 낮은 알파벳은?

4. 정의 비중이 가장 큰 알파벳과 가장 낮은 알파벳은?

■ 답안지

〈표〉 전체 대비 갑~정의 답안

	A	B	C	D	E
갑/전체	68.97%	53.70%	57.30%	50.16%	39.11%
을/전체	79.93%	66.08%	61.02%	59.27%	60.41%
병/전체	57.83%	61.73%	62.91%	52.06%	40.59%
정/전체	29.60%	28.75%	30.67%	25.38%	21.00%

〈표〉 전체 대비 갑~정의 답안

	A	B	C	D	E
갑/전체	42.42%	47.34%	39.17%	43.73%	44.57%
을/전체	37.71%	34.79%	28.79%	22.38%	23.89%
병/전체	36.85%	30.44%	29.57%	22.98%	22.32%
정/전체	31.78%	30.86%	31.45%	35.10%	32.40%

계산연습 2-01 (정보 찾기 연습)

■ 문제지 〈표〉의 값을 이용하여 〈설명〉을 해결하시오.

〈표〉 계산연습 문제

	갑	을	병	정	전체
A	1755	5692	1037	4202	8472
B	1685	5181	996	4245	8812
C	1687	5188	1146	5100	9089
D	1366	6275	1215	4638	9447
E	1242	7591	1469	3756	9823

※ 전체는 갑~무의 합이 아님.

설명

1. 갑의 비중이 가장 큰 알파벳과 가장 낮은 알파벳은?

2. 을의 비중이 가장 큰 알파벳과 가장 낮은 알파벳은?

3. 병의 비중이 가장 큰 알파벳과 가장 낮은 알파벳은?

4. 정의 비중이 가장 큰 알파벳과 가장 낮은 알파벳은?

〈표〉 계산연습 문제

	전체	갑	을	병	정
A	9705	1933	6897	5192	7161
B	10190	1779	7725	5815	7305
C	10627	1890	6280	6763	7764
D	11005	1712	5372	7476	7807
E	11482	1735	6519	9071	8302

※ 전체는 갑~무의 합이 아님.

설명

1. 갑의 비중이 가장 큰 알파벳과 가장 낮은 알파벳은?

2. 을의 비중이 가장 큰 알파벳과 가장 낮은 알파벳은?

3. 병의 비중이 가장 큰 알파벳과 가장 낮은 알파벳은?

4. 정의 비중이 가장 큰 알파벳과 가장 낮은 알파벳은?

■ 답안지

〈표〉 전체 대비 갑~정의 답안

	갑/전체	을/전체	병/전체	정/전체
A	20.71%	67.19%	12.24%	49.60%
B	19.12%	58.79%	11.30%	48.17%
C	18.56%	57.08%	12.61%	56.11%
D	14.45%	66.42%	12.86%	49.09%
E	12.65%	77.28%	14.96%	38.23%

〈표〉 전체 대비 갑~정의 답안

	갑/전체	을/전체	병/전체	정/전체
A	19.92%	71.07%	53.50%	73.79%
B	17.45%	75.81%	57.07%	71.68%
C	17.79%	59.09%	63.63%	73.06%
D	15.56%	48.82%	67.93%	70.94%
E	15.11%	56.77%	79.00%	72.30%

계산연습 2-02 (플마 찢기)

■ 문제지 (플마 찢기를 통해서 대소를 비교하시오.)

번호	분수		비율	번호	분수		비율	번호	분수		비율	번호	분수		비율
01)	$\frac{960}{9868}$	○	10%	16)	$\frac{1701}{3617}$	○	45%	31)	$\frac{883}{1696}$	○	50%	46)	$\frac{6924}{7955}$	○	85%
02)	$\frac{473}{1331}$	○	35%	17)	$\frac{4831}{9284}$	○	50%	32)	$\frac{3403}{8564}$	○	40%	47)	$\frac{4679}{6710}$	○	70%
03)	$\frac{6917}{8018}$	○	85%	18)	$\frac{3175}{3379}$	○	95%	33)	$\frac{783}{1168}$	○	65%	48)	$\frac{1091}{1416}$	○	75%
04)	$\frac{5989}{6322}$	○	95%	19)	$\frac{1068}{1765}$	○	60%	34)	$\frac{405}{4518}$	○	10%	49)	$\frac{2141}{5495}$	○	40%
05)	$\frac{4685}{5820}$	○	80%	20)	$\frac{1479}{1939}$	○	75%	35)	$\frac{315}{3237}$	○	10%	50)	$\frac{1800}{2814}$	○	65%
06)	$\frac{3108}{4315}$	○	70%	21)	$\frac{6037}{6614}$	○	90%	36)	$\frac{6456}{8465}$	○	75%	51)	$\frac{2603}{7495}$	○	35%
07)	$\frac{1886}{9560}$	○	20%	22)	$\frac{2393}{4811}$	○	50%	37)	$\frac{3888}{5800}$	○	65%	52)	$\frac{5518}{5873}$	○	95%
08)	$\frac{6091}{7906}$	○	75%	23)	$\frac{1579}{7422}$	○	20%	38)	$\frac{3765}{7344}$	○	50%	53)	$\frac{661}{2113}$	○	30%
09)	$\frac{1088}{1365}$	○	80%	24)	$\frac{865}{2988}$	○	30%	39)	$\frac{1015}{3503}$	○	30%	54)	$\frac{1905}{2412}$	○	80%
10)	$\frac{7834}{8656}$	○	90%	25)	$\frac{866}{5879}$	○	15%	40)	$\frac{1959}{5288}$	○	35%	55)	$\frac{1518}{9794}$	○	15%
11)	$\frac{568}{1459}$	○	40%	26)	$\frac{5211}{9656}$	○	55%	41)	$\frac{5309}{5515}$	○	95%	56)	$\frac{2385}{4420}$	○	55%
12)	$\frac{2554}{5520}$	○	45%	27)	$\frac{6902}{7227}$	○	95%	42)	$\frac{460}{1587}$	○	30%	57)	$\frac{1140}{1542}$	○	75%
13)	$\frac{3709}{9519}$	○	40%	28)	$\frac{4328}{7154}$	○	60%	43)	$\frac{5298}{8985}$	○	60%	58)	$\frac{1592}{5220}$	○	30%
14)	$\frac{2396}{5357}$	○	45%	29)	$\frac{894}{3615}$	○	25%	44)	$\frac{1442}{1808}$	○	80%	59)	$\frac{358}{2102}$	○	15%
15)	$\frac{1322}{3263}$	○	40%	30)	$\frac{640}{2211}$	○	30%	45)	$\frac{2369}{3866}$	○	60%	60)	$\frac{607}{2245}$	○	25%

■ 답안지

번호	답	번호	답	번호	답	번호	답
01)	9.73%	16)	47.04%	31)	52.04%	46)	87.04%
02)	35.50%	17)	52.04%	32)	39.73%	47)	69.73%
03)	86.27%	18)	93.96%	33)	67.04%	48)	77.04%
04)	94.73%	19)	60.50%	34)	8.96%	49)	38.96%
05)	80.50%	20)	76.27%	35)	9.73%	50)	63.96%
06)	72.04%	21)	91.27%	36)	76.27%	51)	34.73%
07)	19.73%	22)	49.73%	37)	67.04%	52)	93.96%
08)	77.04%	23)	21.27%	38)	51.27%	53)	31.27%
09)	79.73%	24)	28.96%	39)	28.96%	54)	78.96%
10)	90.50%	25)	14.73%	40)	37.04%	55)	15.50%
11)	38.96%	26)	53.96%	41)	96.27%	56)	53.96%
12)	46.27%	27)	95.50%	42)	28.96%	57)	73.96%
13)	38.96%	28)	60.50%	43)	58.96%	58)	30.50%
14)	44.73%	29)	24.73%	44)	79.73%	59)	17.04%
15)	40.50%	30)	28.96%	45)	61.27%	60)	27.04%

계산연습 2-02 (분수값 읽기)

■ 문제지

[※ 심심하시면, 분모의 영향을 이용하여 정밀한 분수값도 확인 해보세요. 단, 여러분의 멘탈을 책임지지 않습니다.]

문제지	어림셈	정밀셈	문제지	어림셈	정밀셈
01) $\frac{844}{3284}$ =			16) $\frac{1411}{3192}$ =		
02) $\frac{907}{6947}$ =			17) $\frac{368}{1220}$ =		
03) $\frac{9030}{9769}$ =			18) $\frac{5578}{6141}$ =		
04) $\frac{3737}{6724}$ =			19) $\frac{2711}{5059}$ =		
05) $\frac{3793}{9100}$ =			20) $\frac{8289}{9700}$ =		
06) $\frac{909}{3315}$ =			21) $\frac{1726}{6657}$ =		
07) $\frac{4797}{6915}$ =			22) $\frac{1025}{2815}$ =		
08) $\frac{5571}{8549}$ =			23) $\frac{2509}{2972}$ =		
09) $\frac{2951}{8000}$ =			24) $\frac{5706}{9944}$ =		
10) $\frac{5962}{8318}$ =			25) $\frac{1773}{6733}$ =		
11) $\frac{7237}{7507}$ =			26) $\frac{1291}{9708}$ =		
12) $\frac{674}{2365}$ =			27) $\frac{1166}{4950}$ =		
13) $\frac{6958}{9830}$ =			28) $\frac{6339}{6855}$ =		
14) $\frac{3892}{6024}$ =			29) $\frac{2604}{5525}$ =		
15) $\frac{3281}{3427}$ =			30) $\frac{265}{2148}$ =		

■ 답안지

01)	25.70%	11)	96.41%	21)	25.93%
02)	13.06%	12)	28.49%	22)	36.41%
03)	92.44%	13)	70.78%	23)	84.43%
04)	55.58%	14)	64.61%	24)	57.38%
05)	41.68%	15)	95.73%	25)	26.33%
06)	27.42%	16)	44.20%	26)	13.30%
07)	69.37%	17)	30.19%	27)	23.56%
08)	65.17%	18)	90.83%	28)	92.47%
09)	36.89%	19)	53.58%	29)	47.14%
10)	71.67%	20)	85.45%	30)	12.36%

계산연습 2-02 (정보 찾기 연습)

■ 문제지 〈표〉의 값을 이용하여 〈설명〉을 해결하시오. (최대한 머리를 통해 해결)

〈표〉 계산연습 문제

	A	B	C	D	E
갑	343	330	335	406	470
을	3643	4233	4926	5492	5797
병	2195	2002	1729	1669	1761
정	2439	2835	2873	2485	2872
전체	5419	5648	5893	6159	6377

※ 전체는 갑~무의 합이 아님.

설명

1. 갑의 비중이 가장 큰 알파벳과 가장 낮은 알파벳은?
2. 을의 비중이 가장 큰 알파벳과 가장 낮은 알파벳은?
3. 병의 비중이 가장 큰 알파벳과 가장 낮은 알파벳은?
4. 정의 비중이 가장 큰 알파벳과 가장 낮은 알파벳은?

〈표〉 계산연습 문제

	A	B	C	D	E
전체	3566	3688	3839	3965	4090
갑	991	995	1105	887	977
을	2206	2546	2829	3120	3593
병	274	302	351	317	254
정	1952	1765	2138	2464	2345

※ 전체는 갑~무의 합이 아님.

설명

1. 갑의 비중이 가장 큰 알파벳과 가장 낮은 알파벳은?
2. 을의 비중이 가장 큰 알파벳과 가장 낮은 알파벳은?
3. 병의 비중이 가장 큰 알파벳과 가장 낮은 알파벳은?
4. 정의 비중이 가장 큰 알파벳과 가장 낮은 알파벳은?

■ 답안지

〈표〉 전체 대비 갑~정의 답안

	A	B	C	D	E
갑/전체	6.33%	5.84%	5.68%	6.60%	7.36%
을/전체	67.22%	74.96%	83.58%	89.18%	90.90%
병/전체	40.51%	35.46%	29.34%	27.09%	27.62%
정/전체	45.01%	50.19%	48.75%	40.35%	45.03%

〈표〉 전체 대비 갑~정의 답안

	A	B	C	D	E
갑/전체	27.78%	26.97%	28.79%	22.38%	23.89%
을/전체	61.87%	69.05%	73.69%	78.69%	87.84%
병/전체	7.67%	8.19%	9.13%	7.98%	6.20%
정/전체	54.75%	47.87%	55.68%	62.15%	57.33%

계산연습 2-02 (정보 찾기 연습)

■ 문제지 〈표〉의 값을 이용하여 〈설명〉을 해결하시오.

〈표〉 계산연습 문제

	갑	을	병	정	전체
A	990	1109	1948	4675	6622
B	956	1292	1685	4981	6923
C	1063	1307	1874	5040	7213
D	907	1116	2162	5060	7457
E	867	899	2065	4073	7718

※ 전체는 갑~무의 합이 아님.

설명

1. 갑의 비중이 가장 큰 알파벳과 가장 낮은 알파벳은?
2. 을의 비중이 가장 큰 알파벳과 가장 낮은 알파벳은?
3. 병의 비중이 가장 큰 알파벳과 가장 낮은 알파벳은?
4. 정의 비중이 가장 큰 알파벳과 가장 낮은 알파벳은?

〈표〉 계산연습 문제

	전체	갑	을	병	정
A	6109	5040	897	3345	952
B	6343	4326	949	3373	865
C	6551	4987	952	2877	781
D	6867	5078	826	2929	951
E	7108	5865	748	2944	814

※ 전체는 갑~무의 합이 아님.

설명

1. 갑의 비중이 가장 큰 알파벳과 가장 낮은 알파벳은?
2. 을의 비중이 가장 큰 알파벳과 가장 낮은 알파벳은?
3. 병의 비중이 가장 큰 알파벳과 가장 낮은 알파벳은?
4. 정의 비중이 가장 큰 알파벳과 가장 낮은 알파벳은?

■ 답안지

〈표〉 전체 대비 갑~정의 답안

	갑/전체	을/전체	병/전체	정/전체
A	14.95%	16.74%	29.41%	70.60%
B	13.81%	18.66%	24.35%	71.95%
C	14.73%	18.12%	25.98%	69.88%
D	12.17%	14.97%	29.00%	67.85%
E	11.23%	11.64%	26.76%	52.77%

〈표〉 전체 대비 갑~정의 답안

	갑/전체	을/전체	병/전체	정/전체
A	82.50%	14.68%	54.76%	15.59%
B	68.20%	14.96%	53.18%	13.64%
C	76.12%	14.53%	43.91%	11.92%
D	73.94%	12.03%	42.65%	13.85%
E	82.52%	10.52%	41.42%	11.45%

계산연습 2-03 (플마 찢기)

■ 문제지 (플마 찢기를 통해서 대소를 비교하시오.)

번호	분수		비율	번호	분수		비율	번호	분수		비율	번호	분수		비율
01)	$\frac{2619}{4853}$	○	55%	16)	$\frac{5745}{7975}$	○	70%	31)	$\frac{784}{3822}$	○	20%	46)	$\frac{5501}{7141}$	○	75%
02)	$\frac{4657}{5190}$	○	90%	17)	$\frac{1297}{2804}$	○	45%	32)	$\frac{2730}{3959}$	○	70%	47)	$\frac{6111}{7664}$	○	80%
03)	$\frac{1111}{6826}$	○	15%	18)	$\frac{915}{9402}$	○	10%	33)	$\frac{8820}{9387}$	○	95%	48)	$\frac{469}{2378}$	○	20%
04)	$\frac{2072}{7662}$	○	25%	19)	$\frac{5071}{9745}$	○	50%	34)	$\frac{3130}{5046}$	○	60%	49)	$\frac{7311}{7655}$	○	95%
05)	$\frac{7987}{8231}$	○	95%	20)	$\frac{822}{3867}$	○	20%	35)	$\frac{370}{3279}$	○	10%	50)	$\frac{862}{1210}$	○	70%
06)	$\frac{966}{5937}$	○	15%	21)	$\frac{8044}{8965}$	○	90%	36)	$\frac{4300}{7018}$	○	60%	51)	$\frac{2465}{3973}$	○	60%
07)	$\frac{2761}{4317}$	○	65%	22)	$\frac{2281}{3403}$	○	65%	37)	$\frac{5060}{7024}$	○	70%	52)	$\frac{1221}{2170}$	○	55%
08)	$\frac{2863}{3490}$	○	80%	23)	$\frac{2425}{7570}$	○	30%	38)	$\frac{904}{4252}$	○	20%	53)	$\frac{7776}{9095}$	○	85%
09)	$\frac{3522}{9039}$	○	40%	24)	$\frac{1332}{2598}$	○	50%	39)	$\frac{4620}{5020}$	○	90%	54)	$\frac{3443}{9494}$	○	35%
10)	$\frac{2460}{4173}$	○	60%	25)	$\frac{401}{4479}$	○	10%	40)	$\frac{3139}{4792}$	○	65%	55)	$\frac{595}{2056}$	○	30%
11)	$\frac{1643}{4218}$	○	40%	26)	$\frac{7210}{8788}$	○	80%	41)	$\frac{2995}{5080}$	○	60%	56)	$\frac{1398}{9492}$	○	15%
12)	$\frac{3248}{4035}$	○	80%	27)	$\frac{1352}{2637}$	○	50%	42)	$\frac{1241}{1478}$	○	85%	57)	$\frac{1492}{3336}$	○	45%
13)	$\frac{5576}{6214}$	○	90%	28)	$\frac{2983}{6555}$	○	45%	43)	$\frac{261}{2319}$	○	10%	58)	$\frac{713}{2714}$	○	25%
14)	$\frac{507}{1429}$	○	35%	29)	$\frac{6341}{6535}$	○	95%	44)	$\frac{1829}{4350}$	○	40%	59)	$\frac{1021}{1380}$	○	75%
15)	$\frac{7303}{7772}$	○	95%	30)	$\frac{1777}{9369}$	○	20%	45)	$\frac{2343}{5064}$	○	45%	60)	$\frac{6356}{6764}$	○	95%

■ 답안지

번호	답	번호	답	번호	답	번호	답
01)	53.96%	16)	72.04%	31)	20.50%	46)	77.04%
02)	89.73%	17)	46.27%	32)	68.96%	47)	79.73%
03)	16.27%	18)	9.73%	33)	93.96%	48)	19.73%
04)	27.04%	19)	52.04%	34)	62.04%	49)	95.50%
05)	97.04%	20)	21.27%	35)	11.27%	50)	71.27%
06)	16.27%	21)	89.73%	36)	61.27%	51)	62.04%
07)	63.96%	22)	67.04%	37)	72.04%	52)	56.27%
08)	82.04%	23)	32.04%	38)	21.27%	53)	85.50%
09)	38.96%	24)	51.27%	39)	92.04%	54)	36.27%
10)	58.96%	25)	8.96%	40)	65.50%	55)	28.96%
11)	38.96%	26)	82.04%	41)	58.96%	56)	14.73%
12)	80.50%	27)	51.27%	42)	83.96%	57)	44.73%
13)	89.73%	28)	45.50%	43)	11.27%	58)	26.27%
14)	35.50%	29)	97.04%	44)	42.04%	59)	73.96%
15)	93.96%	30)	18.96%	45)	46.27%	60)	93.96%

계산연습 2-03 (분수값 읽기)

■ 문제지

[※ 심심하시면, 분모의 영향을 이용하여 정밀한 분수값도 확인해보세요. 단, 여러분의 멘탈을 책임지지 않습니다.]

문제지	어림셈	정밀셈	문제지	어림셈	정밀셈
01) $\frac{844}{3284}$ =			16) $\frac{1411}{3192}$ =		
02) $\frac{907}{6947}$ =			17) $\frac{368}{1220}$ =		
03) $\frac{9030}{9769}$ =			18) $\frac{5578}{6141}$ =		
04) $\frac{3737}{6724}$ =			19) $\frac{2711}{5059}$ =		
05) $\frac{3793}{9100}$ =			20) $\frac{8289}{9700}$ =		
06) $\frac{909}{3315}$ =			21) $\frac{1726}{6657}$ =		
07) $\frac{4797}{6915}$ =			22) $\frac{1025}{2815}$ =		
08) $\frac{5571}{8549}$ =			23) $\frac{2509}{2972}$ =		
09) $\frac{2951}{8000}$ =			24) $\frac{5706}{9944}$ =		
10) $\frac{5962}{8318}$ =			25) $\frac{1773}{6733}$ =		
11) $\frac{7237}{7507}$ =			26) $\frac{1291}{9708}$ =		
12) $\frac{674}{2365}$ =			27) $\frac{1166}{4950}$ =		
13) $\frac{6958}{9830}$ =			28) $\frac{6339}{6855}$ =		
14) $\frac{3892}{6024}$ =			29) $\frac{2604}{5525}$ =		
15) $\frac{3281}{3427}$ =			30) $\frac{265}{2148}$ =		

■ 답안지

01)	25.70%	11)	96.41%	21)	25.93%
02)	13.06%	12)	28.49%	22)	36.41%
03)	92.44%	13)	70.78%	23)	84.43%
04)	55.58%	14)	64.61%	24)	57.38%
05)	41.68%	15)	95.73%	25)	26.33%
06)	27.42%	16)	44.20%	26)	13.30%
07)	69.37%	17)	30.19%	27)	23.56%
08)	65.17%	18)	90.83%	28)	92.47%
09)	36.89%	19)	53.58%	29)	47.14%
10)	71.67%	20)	85.45%	30)	12.36%

계산연습 2-03 (정보 찾기 연습)

■ 문제지 〈표〉의 값을 이용하여 〈설명〉을 해결하시오. (최대한 머리를 통해 해결)

〈표〉 계산연습 문제

	A	B	C	D	E
갑	5179	4420	5350	4652	5185
을	483	436	375	439	533
병	7020	7044	7118	6189	7207
정	4606	5543	6710	6170	7184
전체	8717	9009	9373	9837	10275

※ 전체는 갑~무의 합이 아님.

설명

1. 갑의 비중이 가장 큰 알파벳과 가장 낮은 알파벳은?

2. 을의 비중이 가장 큰 알파벳과 가장 낮은 알파벳은?

3. 병의 비중이 가장 큰 알파벳과 가장 낮은 알파벳은?

4. 정의 비중이 가장 큰 알파벳과 가장 낮은 알파벳은?

〈표〉 계산연습 문제

	A	B	C	D	E
전체	7280	7634	7910	8170	8514
갑	5243	5078	4856	4627	4451
을	5592	6535	7882	7511	7601
병	2408	2573	2461	2468	2991
정	3769	3462	3830	3266	3959

※ 전체는 갑~무의 합이 아님.

설명

1. 갑의 비중이 가장 큰 알파벳과 가장 낮은 알파벳은?

2. 을의 비중이 가장 큰 알파벳과 가장 낮은 알파벳은?

3. 병의 비중이 가장 큰 알파벳과 가장 낮은 알파벳은?

4. 정의 비중이 가장 큰 알파벳과 가장 낮은 알파벳은?

■ 답안지

〈표〉 전체 대비 갑~정의 답안

	A	B	C	D	E
갑/전체	59.41%	49.06%	57.08%	47.29%	50.46%
을/전체	5.54%	4.84%	4.01%	4.46%	5.19%
병/전체	80.53%	78.19%	75.94%	62.91%	70.14%
정/전체	52.84%	61.53%	71.59%	62.72%	69.92%

〈표〉 전체 대비 갑~정의 답안

	A	B	C	D	E
갑/전체	72.02%	66.53%	61.39%	56.63%	52.29%
을/전체	76.81%	85.60%	99.64%	91.93%	89.28%
병/전체	33.08%	33.71%	31.11%	30.20%	35.13%
정/전체	51.77%	45.35%	48.42%	39.98%	46.50%

계산연습 2-03 (정보 찾기 연습)

■ 문제지 〈표〉의 값을 이용하여 〈설명〉을 해결하시오.

〈표〉 계산연습 문제

	갑	을	병	정	전체
A	1552	1910	2267	2456	3358
B	1720	2212	2625	2845	3487
C	1390	2231	3042	3011	3621
D	1260	2133	3516	3330	3751
E	1340	2482	2861	2876	3915

※ 전체는 갑~무의 합이 아님.

설명

1. 갑의 비중이 가장 큰 알파벳과 가장 낮은 알파벳은?

2. 을의 비중이 가장 큰 알파벳과 가장 낮은 알파벳은?

3. 병의 비중이 가장 큰 알파벳과 가장 낮은 알파벳은?

4. 정의 비중이 가장 큰 알파벳과 가장 낮은 알파벳은?

〈표〉 계산연습 문제

	전체	갑	을	병	정
A	9809	6294	5845	3388	3158
B	10245	7329	5637	3945	3834
C	10622	5913	6803	3775	4052
D	11068	4802	6544	3065	3493
E	11458	4107	5925	3388	3861

※ 전체는 갑~무의 합이 아님.

설명

1. 갑의 비중이 가장 큰 알파벳과 가장 낮은 알파벳은?

2. 을의 비중이 가장 큰 알파벳과 가장 낮은 알파벳은?

3. 병의 비중이 가장 큰 알파벳과 가장 낮은 알파벳은?

4. 정의 비중이 가장 큰 알파벳과 가장 낮은 알파벳은?

■ 답안지

〈표〉 전체 대비 갑~정의 답안

	갑/전체	을/전체	병/전체	정/전체
A	46.21%	56.88%	67.50%	73.14%
B	49.33%	63.45%	75.30%	81.59%
C	38.40%	61.62%	84.00%	83.16%
D	33.58%	56.86%	93.73%	88.78%
E	34.23%	63.40%	73.08%	73.47%

〈표〉 전체 대비 갑~정의 답안

	갑/전체	을/전체	병/전체	정/전체
A	64.17%	59.59%	34.54%	32.19%
B	71.54%	55.03%	38.51%	37.43%
C	55.67%	64.05%	35.54%	38.15%
D	43.38%	59.13%	27.69%	31.56%
E	35.84%	51.71%	29.57%	33.70%

계산연습 2-04 (플마 찢기)

■ 문제지 (플마 찢기를 통해서 대소를 비교하시오.)

번호	분수		비교
01)	$\frac{6376}{7391}$	○	85%
02)	$\frac{1878}{5407}$	○	35%
03)	$\frac{1820}{3934}$	○	45%
04)	$\frac{7507}{8295}$	○	90%
05)	$\frac{3044}{3593}$	○	85%
06)	$\frac{793}{8850}$	○	10%
07)	$\frac{4542}{4935}$	○	90%
08)	$\frac{5383}{6988}$	○	75%
09)	$\frac{4009}{5028}$	○	80%
10)	$\frac{2283}{8951}$	○	25%
11)	$\frac{6221}{7879}$	○	80%
12)	$\frac{4044}{7494}$	○	55%
13)	$\frac{2160}{6359}$	○	35%
14)	$\frac{3788}{7389}$	○	50%
15)	$\frac{926}{1448}$	○	65%

번호	분수		비교
16)	$\frac{2432}{7591}$	○	30%
17)	$\frac{744}{4575}$	○	15%
18)	$\frac{761}{4465}$	○	15%
19)	$\frac{2152}{8979}$	○	25%
20)	$\frac{1900}{3423}$	○	55%
21)	$\frac{8064}{9830}$	○	80%
22)	$\frac{1556}{4858}$	○	30%
23)	$\frac{519}{2034}$	○	25%
24)	$\frac{7202}{8096}$	○	90%
25)	$\frac{3705}{3849}$	○	95%
26)	$\frac{404}{1539}$	○	25%
27)	$\frac{3210}{8666}$	○	35%
28)	$\frac{1480}{8685}$	○	15%
29)	$\frac{328}{1923}$	○	15%
30)	$\frac{3910}{8894}$	○	45%

번호	분수		비교
31)	$\frac{4449}{7545}$	○	60%
32)	$\frac{3068}{8282}$	○	35%
33)	$\frac{7489}{8838}$	○	85%
34)	$\frac{6947}{7274}$	○	95%
35)	$\frac{2246}{7555}$	○	30%
36)	$\frac{1556}{1933}$	○	80%
37)	$\frac{1338}{3435}$	○	40%
38)	$\frac{1787}{7458}$	○	25%
39)	$\frac{1743}{1855}$	○	95%
40)	$\frac{762}{6331}$	○	10%
41)	$\frac{1751}{2737}$	○	65%
42)	$\frac{1357}{1499}$	○	90%
43)	$\frac{6767}{7029}$	○	95%
44)	$\frac{1226}{1624}$	○	75%
45)	$\frac{1453}{2061}$	○	70%

번호	분수		비교
46)	$\frac{5903}{6083}$	○	95%
47)	$\frac{4109}{8015}$	○	50%
48)	$\frac{564}{4042}$	○	15%
49)	$\frac{2836}{4067}$	○	70%
50)	$\frac{530}{5447}$	○	10%
51)	$\frac{2994}{9816}$	○	30%
52)	$\frac{8853}{9345}$	○	95%
53)	$\frac{3210}{6937}$	○	45%
54)	$\frac{8479}{9212}$	○	90%
55)	$\frac{4858}{6370}$	○	75%
56)	$\frac{2813}{7925}$	○	35%
57)	$\frac{509}{1137}$	○	45%
58)	$\frac{3700}{4641}$	○	80%
59)	$\frac{5109}{7800}$	○	65%
60)	$\frac{5774}{6435}$	○	90%

■ 답안지

번호	답	번호	답	번호	답	번호	답
01)	86.27%	16)	32.04%	31)	58.96%	46)	97.04%
02)	34.73%	17)	16.27%	32)	37.04%	47)	51.27%
03)	46.27%	18)	17.04%	33)	84.73%	48)	13.96%
04)	90.50%	19)	23.96%	34)	95.50%	49)	69.73%
05)	84.73%	20)	55.50%	35)	29.73%	50)	9.73%
06)	8.96%	21)	82.04%	36)	80.50%	51)	30.50%
07)	92.04%	22)	32.04%	37)	38.96%	52)	94.73%
08)	77.04%	23)	25.50%	38)	23.96%	53)	46.27%
09)	79.73%	24)	88.96%	39)	93.96%	54)	92.04%
10)	25.50%	25)	96.27%	40)	12.04%	55)	76.27%
11)	78.96%	26)	26.27%	41)	63.96%	56)	35.50%
12)	53.96%	27)	37.04%	42)	90.50%	57)	44.73%
13)	33.96%	28)	17.04%	43)	96.27%	58)	79.73%
14)	51.27%	29)	17.04%	44)	75.50%	59)	65.50%
15)	63.96%	30)	43.96%	45)	70.50%	60)	89.73%

계산연습 2-04 (분수값 읽기)

■ 문제지

[※ 심심하시면, 분모의 영향을 이용하여 정밀한 분수값도 확인해보세요. 단, 여러분의 멘탈을 책임지지 않습니다.]

문제지	어림셈	정밀셈	문제지	어림셈	정밀셈
01) $\frac{844}{3284}$ =			16) $\frac{1411}{3192}$ =		
02) $\frac{907}{6947}$ =			17) $\frac{368}{1220}$ =		
03) $\frac{9030}{9769}$ =			18) $\frac{5578}{6141}$ =		
04) $\frac{3737}{6724}$ =			19) $\frac{2711}{5059}$ =		
05) $\frac{3793}{9100}$ =			20) $\frac{8289}{9700}$ =		
06) $\frac{909}{3315}$ =			21) $\frac{1726}{6657}$ =		
07) $\frac{4797}{6915}$ =			22) $\frac{1025}{2815}$ =		
08) $\frac{5571}{8549}$ =			23) $\frac{2509}{2972}$ =		
09) $\frac{2951}{8000}$ =			24) $\frac{5706}{9944}$ =		
10) $\frac{5962}{8318}$ =			25) $\frac{1773}{6733}$ =		
11) $\frac{7237}{7507}$ =			26) $\frac{1291}{9708}$ =		
12) $\frac{674}{2365}$ =			27) $\frac{1166}{4950}$ =		
13) $\frac{6958}{9830}$ =			28) $\frac{6339}{6855}$ =		
14) $\frac{3892}{6024}$ =			29) $\frac{2604}{5525}$ =		
15) $\frac{3281}{3427}$ =			30) $\frac{265}{2148}$ =		

■ 답안지

01)	25.70%	11)	96.41%	21)	25.93%
02)	13.06%	12)	28.49%	22)	36.41%
03)	92.44%	13)	70.78%	23)	84.43%
04)	55.58%	14)	64.61%	24)	57.38%
05)	41.68%	15)	95.73%	25)	26.33%
06)	27.42%	16)	44.20%	26)	13.30%
07)	69.37%	17)	30.19%	27)	23.56%
08)	65.17%	18)	90.83%	28)	92.47%
09)	36.89%	19)	53.58%	29)	47.14%
10)	71.67%	20)	85.45%	30)	12.36%

계산연습 2-04 (정보 찾기 연습)

■ 문제지 〈표〉의 값을 이용하여 〈설명〉을 해결하시오. (최대한 머리를 통해 해결)

〈표〉 계산연습 문제

	A	B	C	D	E
갑	3458	3653	3848	3330	3387
을	4964	4748	4527	3692	3385
병	2393	2648	2658	2831	2596
정	3740	4138	3325	2711	2350
전체	7837	8123	8395	8776	9188

※ 전체는 갑~무의 합이 아님.

설명

1. 갑의 비중이 가장 큰 알파벳과 가장 낮은 알파벳은?
2. 을의 비중이 가장 큰 알파벳과 가장 낮은 알파벳은?
3. 병의 비중이 가장 큰 알파벳과 가장 낮은 알파벳은?
4. 정의 비중이 가장 큰 알파벳과 가장 낮은 알파벳은?

〈표〉 계산연습 문제

	A	B	C	D	E
전체	5849	6137	6390	6595	6871
갑	2581	3147	2710	2445	2229
을	4563	5563	6182	4958	5761
병	1530	1483	1351	1219	1416
정	4209	4080	3921	3537	3402

※ 전체는 갑~무의 합이 아님.

설명

1. 갑의 비중이 가장 큰 알파벳과 가장 낮은 알파벳은?
2. 을의 비중이 가장 큰 알파벳과 가장 낮은 알파벳은?
3. 병의 비중이 가장 큰 알파벳과 가장 낮은 알파벳은?
4. 정의 비중이 가장 큰 알파벳과 가장 낮은 알파벳은?

■ 답안지

〈표〉 전체 대비 갑~정의 답안

	A	B	C	D	E
갑/전체	44.12%	44.97%	45.84%	37.95%	36.86%
을/전체	63.34%	58.45%	53.93%	42.06%	36.84%
병/전체	30.54%	32.60%	31.66%	32.26%	28.26%
정/전체	47.72%	50.94%	39.61%	30.89%	25.58%

〈표〉 전체 대비 갑~정의 답안

	A	B	C	D	E
갑/전체	44.13%	51.28%	42.41%	37.07%	32.45%
을/전체	78.01%	90.65%	96.74%	75.18%	83.84%
병/전체	26.15%	24.16%	21.14%	18.48%	20.61%
정/전체	71.96%	66.47%	61.37%	53.64%	49.52%

계산연습 2-04 (정보 찾기 연습)

■ 문제지 〈표〉의 값을 이용하여 〈설명〉을 해결하시오.

〈표〉 계산연습 문제

	갑	을	병	정	전체
A	5482	2413	535	2025	9946
B	4958	2424	644	2439	10288
C	5510	2693	748	1979	10714
D	6356	3107	788	1689	11072
E	6137	3155	722	1968	11576

※ 전체는 갑~무의 합이 아님.

설명

1. 갑의 비중이 가장 큰 알파벳과 가장 낮은 알파벳은?

2. 을의 비중이 가장 큰 알파벳과 가장 낮은 알파벳은?

3. 병의 비중이 가장 큰 알파벳과 가장 낮은 알파벳은?

4. 정의 비중이 가장 큰 알파벳과 가장 낮은 알파벳은?

〈표〉 계산연습 문제

	전체	갑	을	병	정
A	4117	1569	1183	2576	2947
B	4286	1822	1078	2346	2832
C	4486	2217	1150	2034	3021
D	4701	2367	1228	1663	3528
E	4869	2855	989	1507	2843

※ 전체는 갑~무의 합이 아님.

설명

1. 갑의 비중이 가장 큰 알파벳과 가장 낮은 알파벳은?

2. 을의 비중이 가장 큰 알파벳과 가장 낮은 알파벳은?

3. 병의 비중이 가장 큰 알파벳과 가장 낮은 알파벳은?

4. 정의 비중이 가장 큰 알파벳과 가장 낮은 알파벳은?

■ 답안지

〈표〉 전체 대비 갑~정의 답안

	갑/전체	을/전체	병/전체	정/전체
A	55.12%	24.26%	5.38%	20.36%
B	48.19%	23.56%	6.26%	23.71%
C	51.43%	25.14%	6.99%	18.47%
D	57.40%	28.06%	7.12%	15.25%
E	53.01%	27.25%	6.24%	17.00%

〈표〉 전체 대비 갑~정의 답안

	갑/전체	을/전체	병/전체	정/전체
A	38.12%	28.74%	62.56%	71.58%
B	42.51%	25.15%	54.75%	66.08%
C	49.42%	25.63%	45.33%	67.34%
D	50.36%	26.12%	35.38%	75.05%
E	58.63%	20.32%	30.94%	58.39%

계산연습 2-05 (플마 찢기)

■ 문제지 (플마 찢기를 통해서 대소를 비교하시오.)

번호	분수		기준	번호	분수		기준	번호	분수		기준	번호	분수		기준
01)	3477/7910	○	45%	16)	1357/5320	○	25%	31)	1932/5328	○	35%	46)	4253/5184	○	80%
02)	1079/3990	○	25%	17)	690/1673	○	40%	32)	3350/3480	○	95%	47)	757/2967	○	25%
03)	685/1400	○	50%	18)	3769/8574	○	45%	33)	615/5108	○	10%	48)	5215/9665	○	55%
04)	2890/9476	○	30%	19)	657/2154	○	30%	34)	1155/2908	○	40%	49)	1140/6690	○	15%
05)	2604/3174	○	80%	20)	7480/9808	○	75%	35)	443/2338	○	20%	50)	2175/4623	○	45%
06)	4250/7116	○	60%	21)	4976/9705	○	50%	36)	485/4987	○	10%	51)	2231/7503	○	30%
07)	1311/2330	○	55%	22)	3117/6737	○	45%	37)	1905/4333	○	45%	52)	1975/3559	○	55%
08)	4165/6714	○	60%	23)	2357/5095	○	45%	38)	3304/3714	○	90%	53)	2582/3047	○	85%
09)	858/2469	○	35%	24)	1095/1335	○	80%	39)	4596/6936	○	65%	54)	5242/7014	○	75%
10)	812/2802	○	30%	25)	326/2893	○	10%	40)	3650/4834	○	75%	55)	267/2976	○	10%
11)	3711/4380	○	85%	26)	2140/4869	○	45%	41)	5241/7434	○	70%	56)	1848/2757	○	65%
12)	477/2164	○	20%	27)	1064/2577	○	40%	42)	956/7942	○	10%	57)	1635/8285	○	20%
13)	7933/9448	○	85%	28)	3753/7979	○	45%	43)	6623/8955	○	75%	58)	3609/6595	○	55%
14)	742/3759	○	20%	29)	1823/5248	○	35%	44)	330/1139	○	30%	59)	2584/3899	○	65%
15)	2417/8345	○	30%	30)	5702/7710	○	75%	45)	5804/8658	○	65%	60)	3580/5771	○	60%

■ 답안지

번호	답	번호	답	번호	답	번호	답
01)	43.96%	16)	25.50%	31)	36.27%	46)	82.04%
02)	27.04%	17)	41.27%	32)	96.27%	47)	25.50%
03)	48.96%	18)	43.96%	33)	12.04%	48)	53.96%
04)	30.50%	19)	30.50%	34)	39.73%	49)	17.04%
05)	82.04%	20)	76.27%	35)	18.96%	50)	47.04%
06)	59.73%	21)	51.27%	36)	9.73%	51)	29.73%
07)	56.27%	22)	46.27%	37)	43.96%	52)	55.50%
08)	62.04%	23)	46.27%	38)	88.96%	53)	84.73%
09)	34.73%	24)	82.04%	39)	66.27%	54)	74.73%
10)	28.96%	25)	11.27%	40)	75.50%	55)	8.96%
11)	84.73%	26)	43.96%	41)	70.50%	56)	67.04%
12)	22.04%	27)	41.27%	42)	12.04%	57)	19.73%
13)	83.96%	28)	47.04%	43)	73.96%	58)	54.73%
14)	19.73%	29)	34.73%	44)	28.96%	59)	66.27%
15)	28.96%	30)	73.96%	45)	67.04%	60)	62.04%

계산연습 2-05 (분수값 읽기)

■ 문제지

[※ 심심하시면, 분모의 영향을 이용하여 정밀한 분수값도 확인해보세요. 단, 여러분의 멘탈을 책임지지 않습니다.]

문제지	어림셈	정밀셈	문제지	어림셈	정밀셈
01) $\frac{844}{3284}$ =			16) $\frac{1411}{3192}$ =		
02) $\frac{907}{6947}$ =			17) $\frac{368}{1220}$ =		
03) $\frac{9030}{9769}$ =			18) $\frac{5578}{6141}$ =		
04) $\frac{3737}{6724}$ =			19) $\frac{2711}{5059}$ =		
05) $\frac{3793}{9100}$ =			20) $\frac{8289}{9700}$ =		
06) $\frac{909}{3315}$ =			21) $\frac{1726}{6657}$ =		
07) $\frac{4797}{6915}$ =			22) $\frac{1025}{2815}$ =		
08) $\frac{5571}{8549}$ =			23) $\frac{2509}{2972}$ =		
09) $\frac{2951}{8000}$ =			24) $\frac{5706}{9944}$ =		
10) $\frac{5962}{8318}$ =			25) $\frac{1773}{6733}$ =		
11) $\frac{7237}{7507}$ =			26) $\frac{1291}{9708}$ =		
12) $\frac{674}{2365}$ =			27) $\frac{1166}{4950}$ =		
13) $\frac{6958}{9830}$ =			28) $\frac{6339}{6855}$ =		
14) $\frac{3892}{6024}$ =			29) $\frac{2604}{5525}$ =		
15) $\frac{3281}{3427}$ =			30) $\frac{265}{2148}$ =		

■ 답안지

01)	25.70%	11)	96.41%	21)	25.93%
02)	13.06%	12)	28.49%	22)	36.41%
03)	92.44%	13)	70.78%	23)	84.43%
04)	55.58%	14)	64.61%	24)	57.38%
05)	41.68%	15)	95.73%	25)	26.33%
06)	27.42%	16)	44.20%	26)	13.30%
07)	69.37%	17)	30.19%	27)	23.56%
08)	65.17%	18)	90.83%	28)	92.47%
09)	36.89%	19)	53.58%	29)	47.14%
10)	71.67%	20)	85.45%	30)	12.36%

계산연습 2-05 (정보 찾기 연습)

■ 문제지 〈표〉의 값을 이용하여 〈설명〉을 해결하시오. (최대한 머리를 통해 해결)

〈표〉 계산연습 문제

	A	B	C	D	E
갑	730	627	539	466	382
을	283	328	265	296	346
병	581	470	474	576	616
정	385	389	314	272	291
전체	1526	1585	1647	1722	1808

※ 전체는 갑~무의 합이 아님.

설명

1. 갑의 비중이 가장 큰 알파벳과 가장 낮은 알파벳은?
2. 을의 비중이 가장 큰 알파벳과 가장 낮은 알파벳은?
3. 병의 비중이 가장 큰 알파벳과 가장 낮은 알파벳은?
4. 정의 비중이 가장 큰 알파벳과 가장 낮은 알파벳은?

〈표〉 계산연습 문제

	A	B	C	D	E
전체	4543	4679	4825	5051	5216
갑	3667	4034	4240	4099	4521
을	3471	2777	2364	2758	2903
병	1796	1796	2068	2309	2316
정	3595	3236	2593	2895	3337

※ 전체는 갑~무의 합이 아님.

설명

1. 갑의 비중이 가장 큰 알파벳과 가장 낮은 알파벳은?
2. 을의 비중이 가장 큰 알파벳과 가장 낮은 알파벳은?
3. 병의 비중이 가장 큰 알파벳과 가장 낮은 알파벳은?
4. 정의 비중이 가장 큰 알파벳과 가장 낮은 알파벳은?

■ 답안지

〈표〉 전체 대비 갑~정의 답안

	A	B	C	D	E
갑/전체	47.86%	39.57%	32.71%	27.08%	21.15%
을/전체	18.55%	20.69%	16.11%	17.19%	19.16%
병/전체	38.07%	29.64%	28.78%	33.46%	34.10%
정/전체	25.24%	24.51%	19.08%	15.80%	16.10%

〈표〉 전체 대비 갑~정의 답안

	A	B	C	D	E
갑/전체	80.72%	86.21%	87.88%	81.16%	86.66%
을/전체	76.41%	59.35%	48.99%	54.60%	55.66%
병/전체	39.54%	38.39%	42.86%	45.72%	44.39%
정/전체	79.14%	69.15%	53.73%	57.32%	63.98%

계산연습 2-05 (정보 찾기 연습)

■ 문제지 〈표〉의 값을 이용하여 〈설명〉을 해결하시오.

〈표〉 계산연습 문제

	갑	을	병	정	전체
A	2947	1922	2853	2137	3574
B	2551	1856	3183	2277	3737
C	2966	1972	3223	2761	3897
D	3422	1585	3557	2634	4028
E	3796	1441	3591	2790	4187

※ 전체는 갑~무의 합이 아님.

설명

1. 갑의 비중이 가장 큰 알파벳과 가장 낮은 알파벳은?

2. 을의 비중이 가장 큰 알파벳과 가장 낮은 알파벳은?

3. 병의 비중이 가장 큰 알파벳과 가장 낮은 알파벳은?

4. 정의 비중이 가장 큰 알파벳과 가장 낮은 알파벳은?

〈표〉 계산연습 문제

	전체	갑	을	병	정
A	4855	3486	380	654	4085
B	5004	2791	342	720	3271
C	5229	3252	416	587	3811
D	5428	2790	482	591	3460
E	5651	3100	391	687	4018

※ 전체는 갑~무의 합이 아님.

설명

1. 갑의 비중이 가장 큰 알파벳과 가장 낮은 알파벳은?

2. 을의 비중이 가장 큰 알파벳과 가장 낮은 알파벳은?

3. 병의 비중이 가장 큰 알파벳과 가장 낮은 알파벳은?

4. 정의 비중이 가장 큰 알파벳과 가장 낮은 알파벳은?

■ 답안지

〈표〉 전체 대비 갑~정의 답안

	갑/전체	을/전체	병/전체	정/전체
A	82.45%	53.77%	79.82%	59.79%
B	68.26%	49.66%	85.16%	60.93%
C	76.11%	50.61%	82.71%	70.87%
D	84.95%	39.35%	88.31%	65.38%
E	90.67%	34.43%	85.77%	66.64%

〈표〉 전체 대비 갑~정의 답안

	갑/전체	을/전체	병/전체	정/전체
A	71.81%	7.83%	13.47%	84.15%
B	55.78%	6.84%	14.38%	65.37%
C	62.19%	7.96%	11.22%	72.88%
D	51.41%	8.88%	10.89%	63.75%
E	54.86%	6.91%	12.15%	71.10%

Part Ⅱ 용
계산연습

PSAT 자료통역사의 통하는 자료해석 ②권 풀이편(PART II) 관점 적용하기

초판발행 | 2022년 12월 5일
편 저 자 | 김은기
발 행 처 | 오스틴북스
등록번호 | 제 396-2010-000009호
주 소 | 경기도 고양시 일산동구 백석동 1351번지
전 화 | 070-4123-5716
팩 스 | 031-902-5716

정 가 | 45,000원
I S B N | 979-11-88426-54-6(14320)
979-11-88426-52-2(14320) (전3권 세트)